GRUPPO ITALIAIDEA

Italian

Espresso

**ITALIAN COURSE
FOR ENGLISH
SPEAKERS**

D1178352

Alma
Edizioni
Firenze

2

Il GRUPPO ITALIAIDEA è composto da:

PAOLO BULTRINI
FILIPPO GRAZIANI
NICOLETTA MAGNANI
COSTANZA MARINO
CHIARA SANDRI

In **Italian Espresso 2** sono stati utilizzati e rielaborati materiali originariamente creati da Maria Balì, Luciana Ziglio, Giovanna Rizzo.

Direzione editoriale: **Ciro Massimo Naddeo**

Redazione: **Carlo Guastalla**

Progetto grafico: **Caroline Sieveking** e **Andrea Caponecchia**

Impaginazione: **Andrea Caponecchia**

Progetto copertina: **Sergio Segoloni**

Illustrazioni interne: **ofczarek!**

Traduzione e editing: **Thomas Simpson**

Stampa: **la Cittadina,** azienda grafica - Gianico (Bs)

Printed in Italy

ISBN Textbook 978-88-89237-95-3

© **2007 Alma Edizioni**
Ultima ristampa: novembre 2007

Alma Edizioni
Viale dei Cadorna, 44
50129 Firenze
tel +39 055476644
fax +39 055473531
info@almaedizioni.it
www.almaedizioni.it

Introduzione

Italian Espresso is the first authentic "Made in Italy" Italian course designed for English-speaking students.

Presented in two volumes, the course is particularly suitable for students at American colleges and universities in both the United States and Italy and for Anglo-American educational institutions in general.

The innovative teaching method is based on an entertaining and communicative approach, allowing the teacher to construct a study programme by which students can learn while enjoying themselves. In line with the Alma Edizioni's consolidated tradition, this method combines scientific rigor with the use of a modern, dynamic and motivating teaching style.

This involves:

- accent on communication, with the objective to enable the student, from the very beginning, to speak and interact in Italian
- authentic language in both the oral and written extracts
- real, non-stereotypical situations
- motivating and interesting teaching activities
- inductive grammar
- a textual rather than a phrasal approach
- culture sections full of information on Italy and the Italians, given from a intercultural point of view, with the aim of stimulating reflection and comparison of the respective cultures
- choice of up-to-date and interesting topics for the foreign studies, in order to give the most modern idea of customs, lifestyle and trends in contemporary Italy
- learning strategies aimed at developing independent study
- a clear and systematic layout which guarantees simplicity and practical use for both the student and the teacher

We are sure both students and teachers will have a rewarding and enjoyable experience using **Italian Espresso**.

Authors and Publisher

Sommario delle lezioni

Sommario delle lezioni

Incontri

1 Parliamo - Incontri

a. Collega i disegni con i titoli.

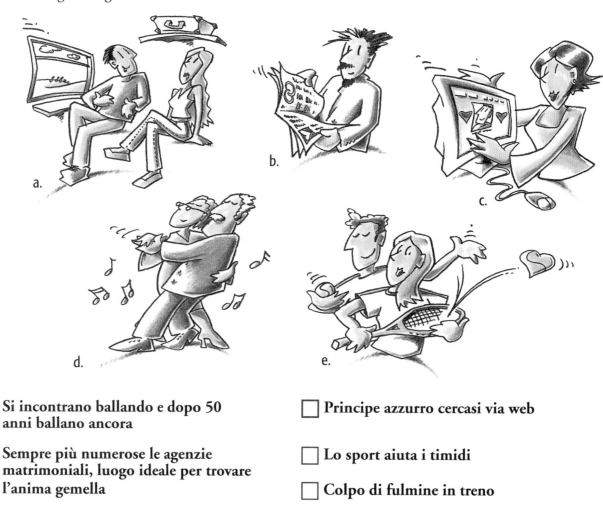

- [ ] **Si incontrano ballando e dopo 50 anni ballano ancora**
- [ ] **Sempre più numerose le agenzie matrimoniali, luogo ideale per trovare l'anima gemella**
- [ ] **Principe azzurro cercasi via web**
- [ ] **Lo sport aiuta i timidi**
- [ ] **Colpo di fulmine in treno**

b. Ti vengono in mente altri modi per conoscere nuove persone? Parlane con un compagno.

2 Ascolto - Lasciamo stare che è meglio!

CD 1

a. Chiudi il libro, ascolta il dialogo e poi confrontati con un compagno.

b. Riascolta la conversazione e rispondi alle domande.

- Di che cosa si lamenta Veronica?
- Secondo te come si è comportato il ragazzo?

3 Riflettiamo - Passato prossimo dei verbi servili

CD 1

*a. Ascolta ancora il dialogo e completa le frasi con i verbi mancanti coniugati al **passato prossimo**.*

■ Allora, Veronica, com'_____ l'incontro? Racconta!

● Lasciamo stare va, che è meglio! _____ un disastro!

■ Perché? Che _____ ?

● Dunque, l'appuntamento era alle sette. Io _____ che forse voleva prendere un aperitivo, o fare una passeggiata, e invece niente, _____ andare subito a mangiare.

● [...] Comunque, appena _____ si è messo a telefonare.

■ Lì? In pizzeria?

● Sì. E così _____ al telefono per mezz'ora e io lì ad aspettare ...

● [...] Ha parlato tutto il tempo di lavoro, _____ e bevuto per tre e alla fine non mi ha neanche invitato.

■ No! _____ pagare tu?

*b. Completa lo schema inserendo le frasi con i verbi **volere** e **dovere** che trovi nel testo della conversazione.*

	AVERE	ESSERE
VOLERE	Maria **ha** voluto mangiare il gelato dopo cena.	
DOVERE		Ieri **sono** dovuto restare a casa per studiare.
POTERE	Non **hanno** potuto pagare il conto perché non avevano abbastanza soldi.	Perche non **siete** potuti venire alla festa?

*c. Quando il **passato prossimo** di un verbo è costruito con un verbo servile, da che cosa dipende la scelta dell'ausiliare? Parlane con un compagno.*

4 Esercizio Orale - Ho dovuto pagare io! - STUDENTE A

*Lavora con un compagno. A turno, prima fai una domanda dalla tua lista, **B** deve scegliere una risposta nella sua lista e rispondere usando il **passato prossimo** con un verbo servile.*
*Poi scambiatevi i ruoli: ascolta la domanda di **B**, scegli la risposta nella tua lista e rispondi usando il passato prossimo con un verbo servile.*

Es: Domanda dello studente B
  Chi ha pagato la cena? →

Risposta dello studente A
  Dovere pagare io, perché nessuno aveva i soldi.
  Ho dovuto pagare io, perché nessuno aveva i soldi.

Perché Leo non è venuto alla festa?
Perché sei rimasto/a a casa?
Dove sono andati in vacanza i tuoi figli?
Cosa ha organizzato Pia per la sua festa?
Ma Carla ha troppi libri!

Sì, ma ieri *dovere* chiamare il tecnico.
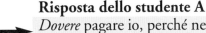
Dovere partire in ritardo perché Tina è arrivata tardi.
Perché era così ubriaco che non *potere* guidare.
Perché avevo una forte emicrania e non *potere* uscire.

4 Esercizio Orale - Ho dovuto pagare io! - STUDENTE B

*Lavora con un compagno. A turno, prima ascolta la domanda di **A**, scegli la risposta nella tua lista e rispondi usando il **passato prossimo** con un verbo servile. Poi scambiatevi i ruoli: fai una domanda dalla tua lista, **A** deve scegliere una risposta nella sua lista e rispondere usando il passato prossimo di un verbo servile.*

Es: Domanda dello studente A   **Risposta dello studente B**

Perché Leo non è venuto alla festa? ➜ Perché era così stanco che non *potere* uscire.
Perché era così stanco che non **è potuto** uscire.

~~Chi ha pagato la cena?~~   *Volere* andare a Parigi perché studiano francese.
Perché non sei andato/a alla festa?   *Volere* invitare i suoi amici a cena.
Quando siete partiti?   Perché stavo così male che non *potere* andare al lavoro.
Funziona il computer oggi?   Sì, infatti *dovere* comprare un'altra libreria.
Perché Paolo è tornato a casa in taxi?   ~~Perché era così stanco che non *potere* uscire.~~

5 Lettura - Un panino, una coca e…

a. Il testo seguente è tratto dal romanzo "Amore mio infinito" dello scrittore Aldo Nove, uno degli scrittori della nuova scena letteraria italiana. Aldo Nove usa un linguaggio particolare, quasi senza punteggiatura.

Così stavo andando in metropolitana mi è venuta fame sono andato da McDonald's a mangiare un McBacon sono sceso in piazza Cordusio.
Ero in coda e leggevo.
Quando sono arrivato alla cassa, c'era una ragazza.
Non riuscivo più a capire che panino volevo ero in Piazza Cordusio in uno dei due McDonald's nevicava la sera del giorno della mia laurea con l'intenzione di mangiare un McBacon è arrivato il mio turno alla cassa numero 3.
Lei mi ha guardato mi ha detto ciao io le ho detto un Kingbacon una Coca lei ha sorriso mi ha corretto ha detto McBacon io non riuscivo a staccare gli occhi dai suoi.
E mi sono fatto coraggio ho continuato le ho detto che volevo anche le patatine fritte piccole tanto per guadagnare qualche secondo rimanere lì lei diventando più professionale, mi ha detto che allora in effetti mi conveniva prendere il menu perché così potevo risparmiare quasi duemila lire McBacon patatine bibita e mi piaceva molto come diceva duemila lire e anche come diceva menu patatine bibita le ho detto sì va bene il menu da ottomilanovecento.
(…) la ragazza è ritornata con le patatine la Coca me li ha messi sul vassoio ho letto la targhetta sulla camicia si chiamava Gianna le ho dato i soldi mi ha chiesto se volevo la salsa mi ha dato il resto lo scontrino le ho detto di sì anche se non avevo mai preso né la ketchup né la maionese specialmente da McDonald's dove al posto della maionese ti danno la salsa per le patate che è una maionese grassa modificata con dei pezzettini verdi, una specie di verdure.

Così, abbiamo iniziato a parlare.
Io avevo il vassoio in mano.
Lei stava chiudendo il coperchio della Coca.

Le ho detto che la maionese di Burghy era molto più buona che aveva gli occhi rotondi lei ancora ha sorriso ha detto che tra cinque minuti avrebbe finito di lavorare, se volevo potevo aspettarla mi sembrava tutto strano, la mia vita ho sorriso, le avrei voluto dire che l'aspettavo da tutta la vita.

(da *Amore mio infinito*, di A. Nove)

b. Cerca nel testo le parole che corrispondono alle definizioni elencate qui sotto.
Le definizioni sono in ordine.

Bisogno, voglia di mangiare .... *fame* ....

Fila di persone ....

Macchina che nei negozi contiene e registra i soldi ....

Non ero capace, non potevo ....

Titolo di studio che ottieni quando finisci l'università ....

Ha riso in silenzio e leggermente ....

Era utile e vantaggioso per me ....

Spendere pochi soldi ....

Oggetto che un impiegato porta sulla camicia dove è scritto il suo nome ....

Differenza tra il prezzo di qualcosa e i soldi pagati per comprarla ....

Biglietto che ricevi quando compri una cosa, per provare l'acquisto ....

Oggetto che si usa per coprire scatole, ecc. ....

 6 Riflettiamo - Passato prossimo e imperfetto 4.3

*Nel brano precedente sono presenti dei verbi al **passato prossimo** e all'**imperfetto**.*

PASSATO PROSSIMO	IMPERFETTO
mi è venuta fame sono andato da McDonald's	stavo andando in metropolitana
sono arrivato alla cassa	ero in coda e leggevo
è arrivato il mio turno alla cassa numero 3.	c'era una ragazza
Lei mi ha guardato, mi ha detto ciao io le ho detto un Kingbacon una Coca, lei ha sorriso	ero in Piazza Cordusio
	nevicava
	io non riuscivo a staccare gli occhi dai suoi

*Leggi la colonna dei verbi al **passato prossimo** e poi quella dei verbi all'**imperfetto**. Secondo te perché l'autore ha scelto di usare questi tempi del passato? Prova a spiegare che cosa vuole esprimere con il **passato prossimo** e con l'**imperfetto**.*

Passato prossimo

....

....

....

....

....

....

Imperfetto

....

....

....

....

....

....

7 Esercizio scritto - Riscrittura al passato prossimo e imperfetto

*Riscrivi il seguente brano cambiando i verbi dal presente al **passato prossimo** e all'**imperfetto**.*

Una sera esco da casa della mia ragazza. Sono stanco. La strada verso casa è lunga, da Capo Posillipo a Salvator Rosa, quasi un viaggio da una parte all'altra di Napoli. Vado verso la fermata dell'autobus. C'è vento, foglie e cartacce vengono sospinte sull'asfalto. Una bella luna risplende sul mare. Vicino alla fermata, c'è un ragazzo seduto. Quando mi vede si alza e mi chiede con un esitante italiano: "Ma gli autobus passano qui, ora?" Cominciamo a parlare: è dello Sri Lanka, nel suo paese studia matematica ma in Italia lavora nelle case dei ricchi, fa il domestico.

Poi arriva un altro ragazzo. Chiede una sigaretta e notizie sui bus; ci scambiamo informazioni sulle nostre destinazioni e finalmente arriva l'autobus.

(adattato da *www.anm.it*)

*Una sera **sono uscito** da casa della mia ragazza. **Ero** stanco.* ....
....
....
....
....
....
....
....
....
....
....
....
....
....

8 Parliamo - Un panino, una coca e...

Come continua la storia tra Matteo (così si chiama il protagonista del racconto) e Gianna? Parlane con un compagno.

9 Scriviamo - Messaggeria di Cupido

*Leggi questo messaggio, tratto dal blog di Libero **WebLove**. Immagina di essere uno dei due protagonisti e scrivi una mail ad un amico dove racconti come è continuata la storia.*

☺☺☺ Nel 2002 mi sono iscritta alla *Messaggeria di Cupido* e così un giorno... mi è arrivato un messaggio... ho risposto e da lì.... fiumi di parole, mail interminabili e interminabili telefonate. Dopo sei mesi l'incontro... io non riuscivo a guardarlo negli occhi, ... eravamo innamorati... ma.... lui era sposato...... Da lì promesse di un futuro insieme, incontri clandestini, fino a quando non decide di lasciare la moglie... e da lì l'inizio e la fine della nostra storia.......

Diavoletta 977

Lettura - Webmania: un concorso letterario

a. Il testo seguente ha partecipato a Webmania, un concorso letterario che ha l'obiettivo di esplorare il rapporto tra i giovani e i linguaggi delle nuove tecnologie e di valorizzare il ruolo del Web, come stimolo per la comunicazione.

Mi chiamo Matteo, ho 18 anni e studio al Liceo. Ho un motorino, un cane di nome Gianduia e una collezione di bottiglie di birra vuote.

Mio babbo ha i baffi e una collezione di vinili degli anni '60; io scarico la musica da Internet e non sono mai riuscito a condividere la sua passione.

Anche mia mamma ha i baffi, ma cerca di tenere nascosta la cosa, le piace pensare di "tenersi informata" guardando la tivù. Io leggo le notizie sul sito dell'ANSA e poi vado a vedere cosa ne scrivono negli altri paesi, consultando gratis i siti dei maggiori quotidiani esteri. Lei mi sgrida perché devo studiare e smettere di sprecare il mio tempo davanti al computer.

Mio fratello ha 30 anni, una laurea ottenuta lo scorso mese e va alle sfilate contro il G8. Fa tanto l'alternativo ma poi si compra le maglie firmate e gli infradito a 80 euro nei Centri Commerciali. Io ho ordinato su un sito le BlackSpot SneaKers, scarpe no logo e no profit realizzate per contrastare il monopolio della Nike. Sono più belle delle sue e costano anche di meno.

Amo Internet e Google è il mio oracolo.

Frequento molte comunità virtuali, ho diversi nomi, tante personalità e mi diverto un sacco. Quando chatto uso lo pseudonimo di Stardust. Mia mamma è terrorizzata dalla "Minaccia Mussulmana" (con due S, che servono da rafforzativo). Io parlo spesso con Ibrahim, che vive in Medio Oriente e prega cinque volte al giorno, ma non mi sembra proprio un tipo capace di spaventare qualcuno. Passa il tempo a pensare alle ragazze e a cercare di indovinare

che faccia hanno sotto il velo. Mi ha dato la ricetta dei Kubbeh, e io gli ho insegnato a preparare la pizza. Non mi ha ancora detto come gli è venuta.

Sono il moderatore di un Forum sui fumetti e i cartoni animati giapponesi. Io e gli altri utenti della comunità scarichiamo i cartoni dai programmi peer to peer e poi li traduciamo nella nostra lingua. Molti hanno già i sottotitoli in inglese. Sul forum ci scambiamo i cartoni tradotti, i link più interessanti. Spesso arrivano degli utenti esterni, che ci fanno i complimenti per il nostro lavoro.

Scusate, ora devo andare: mio babbo non ha piacere che io stia troppo tempo davanti allo schermo, e sta urlando - come al solito - che questa casa non è un internet point. Adesso vado a parlare un po' con loro altrimenti si sentono esclusi e mi dicono che sto diventando autistico perché sono sempre chiuso in me stesso e non imparo mai ad interagire con gli altri. ;-)

(da Federica Zamagna - www.grinzane.it)

b. Secondo te che cosa pensano di Matteo suo fratello e i suoi genitori? Definiresti Matteo un ragazzo socievole?

c. In che senso secondo te questo testo rappresenta il rapporto tra i giovani e i linguaggi delle nuove tecnologie? E in che senso valorizza il ruolo del web?

11 Riflettiamo - Pronomi diretti, indiretti e riflessivi

12 - 4.1.6

a. Cerca nel testo tutti i pronomi diretti, indiretti e riflessivi.

Quanti sono? _____

b. Inserisci nello schema le frasi che contengono i pronomi che hai trovato, e scrivi a cosa fanno riferimento i pronomi, come nell'esempio.

Pronomi diretti	Pronomi indiretti	Pronomi riflessivi
	le (= a lei, alla mamma) piace pensare di "tenersi informata".	

12 Esercizio orale - Mi chiamo Matteo... - STUDENTE A

*Lavora con un compagno. A turno, prima fai una domanda dalla tua lista, **B** deve scegliere la risposta nella sua lista e formulare una frase usando un pronome. Poi scambiatevi i ruoli: ascolta la domanda di **B**, scegli la risposta nella tua lista e rispondi usando un pronome.*

Es: Domanda dello studente B	**Risposta dello studente A**
Da dove scarica la musica Matteo? ⟶	*Internet*
	La scarica da Internet.

~~Il fratello di Matteo compra gli infradito. Dove?~~	*pensare alle ragazze*
Alla mamma di Matteo piace qualcosa. Cosa?	*programmi peer to peer*
Perché la mamma sgrida Matteo?	~~*Internet*~~
Dove ha comprato Matteo le sue scarpe?	*sito dell'Ansa*
Matteo ha insegnato a Ibrahim a fare qualcosa. Cosa?	*non interagisce con gli altri*

12 Esercizio orale - Mi chiamo Matteo... - STUDENTE B

*Lavora con un compagno. A turno, prima ascolta la domanda di **A**, scegli la risposta nella tua lista e formula una frase usando un pronome. Poi scambiatevi i ruoli: fai una domanda dalla tua lista, **A** deve scegliere una risposta nella sua lista e rispondere usando un pronome.*

Es: Domanda dello studente A	Risposta dello studente B
Il fratello di Matteo compra gli infradito. Dove?	*centri commerciali* **Li** compra nei centri commerciali.

~~Da dove scarica la musica Matteo?~~
Dove legge le notizie Matteo?
Che cosa dicono i genitori a Matteo?
A Ibrahim piace pensare a qualcosa. A cosa?
Da dove scarica i cartoni Matteo?

la pizza
sito Internet
~~*centri commerciali*~~
tenersi informata con la TV
non studia abbastanza

13 Esercizio scritto - Riscrittura: passato prossimo, imperfetto e pronomi

Riscrivi il testo cambiandolo dalla prima alla terza persona maschile singolare.

Così stavo andando in metropolitana mi è venuta fame sono andato da McDonald's a mangiare un McBacon sono sceso in piazza Cordusio. Ero in coda e leggevo.	*Così **stava** andando in metropolitana.*
Quando sono arrivato alla cassa, c'era una ragazza. (...)	
Lei mi ha guardato mi ha detto ciao io le ho detto un Kingbacon una Coca lei ha sorriso mi ha corretto ha detto McBacon io non riuscivo a staccare gli occhi dai suoi. (...)	
E mi sono fatto coraggio ho continuato le ho detto che volevo anche le patatine fritte piccole tanto per guadagnare qualche secondo rimanere lì lei diventando più professionale, mi ha detto che allora in effetti mi conveniva prendere il menu perché così potevo risparmiare quasi duemila lire McBacon patatine bibita e mi piaceva molto come diceva duemila lire.	

Incontri

1

14 Esercizio orale - Una storia d'amore?

Lavora con un compagno, metti in ordine i disegni e inventa una storia.

15 Ascolto - Eri piccola così di Fred Buscaglione

CD 2

a. Adesso ascolta la canzone "Eri piccola così" di Fred Buscaglione e inserisci i participi passati mancanti.

T'ho veduta. T'ho seguita. T'ho fermata. T'ho _____.

Eri piccola, piccola, piccola. Così.

M'hai _____. Hai taciuto.

Ho pensato "Beh, son _____".

Eri piccola, piccola, piccola. Così.

Poi, è _____ il nostro folle amore che ripenso ancora con terrore.

M'hai stregato. T'ho creduta. L'hai _____, t'ho

_____.

Eri piccola, piccola, piccola. Sì, così.

T'ho viziata. Coccolata: latte, burro, marmellata.

Eri piccola, piccola, piccola. Così.

Che cretino sono _____, anche il gatto m'hai

_____.

Ma eri piccola. Eh, già. Piccola, piccola. Così.

Tu fumavi mille sigarette, io facevo il grano col tresette.

Poi un giorno m'hai piantato per un tipo svaporato.

T'ho _____. T'ho scovato.

L'ho guardato. S'è squagliato.

Quattro schiaffi t'ho servito.

Tu m' hai _____ "Disgraziato". La pistola m'hai puntato. Eh...

Ed un colpo m'hai sparato. Ah, sì. Eh.

Spara! Spara! E spara!

E pensare che eri piccola, ma piccola, tanto piccola. Così.

b. A quali espressioni della canzone corrispondono le frasi seguenti?

Non hai detto niente.   _____

Guadagnavo i soldi giocando a carte.   _____

M'hai lasciato per un uomo poco interessante. _____

T'ho trovato   _____

Se ne è andato immediatamente   _____

c. La canzone di Fred Buscaglione è diversa dalla storia che hai raccontato?
  Se sì, quale preferisci e perché? Parlane con un compagno.

Caffè culturale

Gli italiani si voltano

Lavorare con lentezza

Saluti e baci

a. Le immagini rappresentano comportamenti normali per un italiano che a uno straniero potrebbero sembrare inappropriati. Quali? Discutine con i compagni e con l'insegnante.
b. Quali tra questi comportamenti sarebbero inappropriati per te?

■ CON OCCHI DI STRANIERO

CAROL D.
si divide tra Minneapolis e Roma. Ha pubblicato due romanzi e insegna scrittura creativa. Il suo ultimo romanzo, "The Queen's Soprano", narra le vicende di una giovane cantante nella Roma barocca.

Convenzioni sociali e buone maniere

Sebbene gli italiani siano molto tolleranti verso gli stranieri, un visitatore che non si preoccupi di capire le differenze culturali e comportamentali rischia di commettere delle gaffe, forse anche di offendere i suoi nuovi amici italiani.
Prima di tutto si rischia di offendere gli italiani se si tratta l'Italia come casa propria. Ricordo il mio primo giorno in una scuola di lingua italiana. Due studenti americani sono arrivati con i cappellini *rovesciati*[1] e la coca-cola in mano, e *appena*[2] si sono seduti si sono tolti le scarpe. Gli altri studenti erano evidentemente offesi da questo modo di trattare la classe come il proprio soggiorno.
Ci sono anche differenze nel modo di stringere amicizie. Noi americani tendiamo a fare amicizia velocemente, e amiamo rivelare particolari intimi della nostra vita, mentre gli italiani sono poco *inclini*[3] a rivelare fatti personali e sono più cauti nel creare nuovi rapporti d'amicizia. Per noi la profondità di un'amicizia si misura sulla profondità dei segreti, che ci "confessiamo". Da molti italiani il veloce approccio confessionale americano è spesso percepito come falso, nevrotico o peggio curiosamente ingenuo e presuntuoso. Anche la diversa concezione del tempo può causare *malintesi*[4]. Per noi americani "il

tempo è denaro", ci preoccupiamo di non perdere tempo o di "fare buon uso del tempo". Non capiamo quanto il tempo sia per noi una *merce*[5] finché non ci *imbattiamo*[6] in una cultura, come quella italiana, in cui non ha la stessa funzione.
Se sei invitato a cena per le 8, per esempio, è perfettamente accettabile arrivare alle 8:30. Anzi, un amico italiano mi ha detto che se si arriva a casa di qualcuno esattamente all'ora fissata, si è percepiti come *pignoli*[7]. Mi ha consigliato di arrivare sempre con almeno 15 minuti di ritardo.
Un'altra fonte di malintesi è la diversa percezione dello spazio fisico. Per esempio, in un cinema un americano quasi sempre lascerà dei posti vuoti tra sé e un *estraneo*[8], mentre un italiano gli si siederà accanto senza pensarci due volte. La differenza riguarda anche il modo di guardare. In America c'è un vecchio detto: "It's not polite to stare". In Italia lo sguardo è una forma di comunicazione. La gente guarda in modi che a un americano sembrano aggressivi o sensuali, e che invece esprimono solo un'abitudine culturale.
Infine il modo forse più ovvio in cui americani e italiani rischiano di non comprendersi è l'uso del "tu" e del "Lei". Mi ha sorpreso scoprire che una mia amica italiana desse ancora del "Lei" alla suocera con cui abitava da molti anni. Quando le ho chiesto perché lo facesse mi ha detto che era una forma di rispetto. Rispetto e buone maniere sono ancora valori importanti nella società italiana, e se si è in dubbio, meglio sbagliare *rivolgendosi*[9] alle persone formalmente, così almeno si mostrerà considerazione per un paese di cui si è ospiti.

[1]backwards; [2]as soon as; [3]inclined; [4]misunderstandings; [5]commodity; [6]we bump into; [7]fussy; [8]stranger; [9]to address, speak to.

Leggendo l'articolo di Carol, quali usi e abitudini degli italiani pensi che ti affascinerebbero e a quali invece faresti fatica ad adattarti?

Italians

BEPPE SEVERGNINI scrive per il "Corriere della Sera" dal 1995, e dal 1998 conduce "Italians" (www.corriere.it/severgnini), il più frequentato forum on-line del giornalismo italiano. È stato corrispondente in Italia per "The Economist" dal 1996 al 2003. Nel 2004 è stato votato "European Journalist of the Year".

Il piacere di essere italiani

Caro Beppe, cari Italians,

abito a Londra da poco tempo. Sono arrivato a settembre 2003 come *matricola*[1] in un'università londinese. Ero entusiasta di tutto ciò che era inglese: uova, pancetta e fagioli a colazione, cena alle sei, birre di qualità, saldi di gennaio, maggiore riservatezza e *"flemma"*[2], cibi pronti, l'integrazione etnica, e tanto altro ancora. Dopo un anno di esperimenti ho subito una leggera crisi d'identità. Mi sono reso conto che alcuni aspetti dell'essere inglese non mi piacevano molto. Ha contribuito molto la convivenza con due studentesse (inglesi purissime), delle quali una mi ha detto di essere stata in Italia. Delle molte sue impressioni una mi ha colpito: non le erano piaciuti gli italiani. Mi ha detto che lei e la sua amica erano state "harassed", perché, *testualmente*[3]: "Continuavano a guardarci, e ogni tanto un ragazzo qualsiasi s'avvicinava facendo domande". Non so se le mie risate l'abbiano offesa o meno, però questo mi ha fatto riflettere, e ho finalmente scoperto la bellezza del tipico, forse stereotipato carattere italiano: aperto, poco incline al *sottinteso*[4], coraggioso, *azzardato*[5] e profondamente felice di vivere. Ho apprezzato anche tratti comportamentali come farsi il sugo per la pasta da sé *piuttosto che*[6] comprarlo pronto.

In qualunque situazione ci troviamo, specie all'estero, credo che dovremmo adattarci per quanto possibile agli usi e costumi locali, però conservare nel cuore e nei nostri comportamenti una traccia distintiva, che ricordi a noi ed indichi ad altri che siamo orgogliosi della nostra identità.

Domani farò colazione con uova e pancetta e berrò lager al pub, ma parlerò apertamente coi miei amici e magari chiederò a qualche bella ragazza "Come ti chiami?" Senza riservatezza e "subtlety" inglesi.

Luca

La sindrome dell'espatriato

Salve a tutti,

leggo Italians da molto tempo, ma è la prima volta che mi sono convinto a scrivere. Vivo a Monaco di Baviera da 5 anni e anche io, come tanti altri Italians, vivo sentimenti molto contrastanti nei confronti del nostro caro Belpaese. In particolare credo di essere afflitto ormai cronicamente dal "male dell'espatriato", che consiste nello star male sia nel paese che ci ospita sia in quello di origine.

Indubbiamente Monaco offre una serie di vantaggi "pratici" che rendono la vita più *gradevole*[7]: mezzi pubblici funzionanti in modo impeccabile, *piste ciclabili*[8] ovunque, servizi molto sviluppati per i portatori di handicap, molti spazi verdi, criminalità praticamente assente e così via.

Però l'umanità, il calore, i sorrisi della gente, io qui proprio non li ho trovati! Giro per le strade e mi sembra tutto così "terribilmente" pulito, quasi asettico, senza emozione. Non si sentono cani *abbaiare*[9], non si vedono per strada bambini giocare al pallone. E poi questi tedeschi io li trovo così *burberi*[10], attaccati inflessibilmente alla loro disciplina, come quando il conducente dell'autobus ti chiude la porta sul naso perché sei arrivato con un attimo di ritardo o il panettiere si rifiuta di farti entrare 10 secondi dopo l'orario di chiusura.

Eppure[11] quando torno a Napoli tutto finisce per darmi fastidio. Dalla sporcizia per le strade, al traffico disordinato, all'inefficienza degli uffici amministrativi, alla scarsità di mezzi pubblici, al rumore dei clacson. Non mi ci sento più a casa, sono come un turista *rompiscatole*[12] che non fa altro che criticare! È senza dubbio vero che partendo ci si *arricchisce*[13] molto, ma è *altrettanto*[14] vero che questo non sempre è fonte di felicità.

Michele

[1]first-year student; [2]phlegmatic character, as in English reserve; [3]in her words; [4]understatement; [5]audacious; [6]rather than; [7]pleasant; [8]bicycle paths; [9]to bark, barking; [10]grumpy; [11]Just the same; [12]bothersome; [14]one becomes richer; [14]equally.

In quali aspetti le esperienze e le opinioni di Luca e Michele ti sembrano simili e in quali invece ti sembrano differire?

Digita "Italians" nel motore di ricerca di Google Italia e esplora il forum di Beppe Severgnini o altri siti di italiani nel mondo. Cerca altre testimonianze di italiani all'estero per farti un'idea migliore di come questi "espatriati" guardano all'Italia e del modo in cui si confrontano con la cultura del paese che li ospita.

Progetti futuri

1 Parliamo - Lavori temporanei

Osserva le foto. Quale di questi lavori temporanei ti è capitato di fare o vorresti fare?
Quali non faresti mai? Parla con un compagno della tua esperienza o dei tuoi programmi.

baby sitter

cameriere

dog sitter

giardiniere

tutor

operatore call center

bagnino

dj

animatore

2 Parliamo - Prepararsi al mondo del lavoro

a. *Scegli fra le cose elencate quelle che secondo te sono di vitale importanza per poter trovare un buon lavoro.*

Per poter trovare un buon lavoro bisogna…

☐ essere laureati

☐ conoscere molte lingue

☐ fare molte esperienze diverse

☐ fare un'esperienza all'estero

☐ avere il sostegno della famiglia

☐ prendere un master

☐ fare corsi di formazione

☐ avere buone conoscenze informatiche

☐ conoscere le persone giuste

☐ essere affascinanti

☐ essere affidabili

☐ essere belli

☐ essere creativi

☐ essere disponibili

☐ essere divertenti

☐ essere flessibili

☐ essere fortunati

☐ essere instancabili

☐ essere intelligenti

☐ essere preparati

☐ essere precisi

☐ essere simpatici

b. *Ora lavora con un compagno: confrontate le vostre scelte, motivatele e cercate di trovare un accordo, per quanto è possibile.*

 3 Ascolto - Prima o poi…

CD 3

a. *Chiudi il libro, ascolta il dialogo e poi confrontati con un compagno.*

b. *Riascolta la conversazione: quale dei seguenti lavori vogliono fare Matteo e Fabiano dopo la laurea? Completa lo schema e parlane con un compagno.*

agente immobiliare   **cuoco**   **impiegato**   **bagnino**   **cameriere**

animatore   **assicuratore**   **agricoltore**

	Matteo	Fabiano
Che lavoro vuole fare dopo la laurea?		
Perché vuole farlo?		
Cosa pensa l'amico di questa scelta?		

c. *Con quale di queste due scelte ti senti di simpatizzare di più? Parlane con un compagno e spiega le tue motivazioni.*

Lettura - Nek e Tiromancino

a. Queste sono le domande di un'intervista fatta a due differenti cantanti italiani.
   Leggi le risposte e abbina ad ognuna la domanda corrispondente, come nell'esempio.

1. Dal testo del brano *"La mia natura"* esce fuori un particolare profilo di te: anticonformista, libero, senza pudore... hai spesso sottolineato che le tue canzoni sono molto autobiografiche. Sei veramente così?
2. L'idea del continuo movimento è stata suggerita dalla vostra evoluzione artistica o è lo scorrere degli eventi ad avervi ispirato?
3. Invece quest'estate come ti muoverai?
4. Con quale stato d'animo hai lavorato alla realizzazione di questo nuovo album?
5. Uscito l'album è ora tempo di promozione, che sorprese hai in serbo?

6. Il vostro ultimo album, *"In Continuo Movimento"*, ha convinto i critici. Adesso inizierete il tour e avrete conferma anche dell'entusiasmo dei fans. In ordine di importanza, cosa vi tocca maggiormente: l'applauso dei giornalisti o quello degli ammiratori?
7. Il 16 novembre il tour dei Tiromancino partirà da Ancona. Più voglia o più timori?
8. Ciò che finora vi ha entusiasmato maggiormente è stato più un giudizio tecnico dell'album, ritenuto dai più di grande qualità, o quello che siete riusciti a suscitare a livello emotivo?

Federico Zampaglione dei Tiromancino

A .... *6* ....

La cosa bella di questo disco è che effettivamente ha messo tutti molto d'accordo, dalle radio ai canali che trasmettono videoclip, alla stampa e anche proprio ai fans.

B ....

Il punto di vista emotivo crediamo sia importante per questo disco, perché abbiamo puntato molto a quello, cioè al fatto di dare delle emozioni e comunque di comunicare degli stati d'animo, delle sensazioni, delle immagini che erano state vissute proprio in prima persona.

C ....

Beh, un po' tutte e due le cose. Nel senso che il movimento può essere, sì, inteso come spostamento fisico, attraverso i viaggi. Poi però c'è anche un discorso artistico, la voglia di non ripetere determinati schemi, di non cercare in qualche modo di rifare le cose che già avevamo fatto, ma di andare avanti, di spostarci, di avere degli obiettivi, degli orizzonti anche musicali ed artistici che forse in qualche modo erano un passo avanti o comunque andavano vissuti come tali.

D ....

No, timori no sinceramente, perché comunque il disco ha avuto una grande accoglienza e sappiamo che dal vivo riusciremo a dare il meglio di noi. Il tour è proprio un momento di grande condivisione e di grande energia, per questo quella dal vivo è la dimensione che preferiamo. C'è sempre piaciuto suonare live. Quindi a parte qualche problema tecnico che magari si incontrerà nel mettere su i pezzi dal vivo, siamo convinti che sarà un bel momento.

Nek

E ....

Con grande ottimismo e voglia di fare, soprattutto perché ero accompagnato da un nuovo team di lavoro. *"Le cose da difendere"* è proprio il frutto di stimoli nuovi dati soprattutto da questo nuovo insieme di persone, che mi hanno accompagnato e spero che mi accompagneranno anche nei prossimi lavori.

F ....

Io mi auguro che vi fidiate, perché attraverso la mia musica, io cerco sempre di lanciare un messaggio e una descrizione di me la più sincera possibile. Io sono veramente quello che viene fuori dalle mie canzoni, da quello che scrivo e da quello che canto. Quello che sono nella vita di tutti i giorni sono anche sul palco, uno diretto, molto schietto, che ama dire le cose come stanno. Per cui attraverso le mie canzoni potete conoscere molto di me.

G ....

Sto lavorando al calendario del tour, che partirà da ottobre. Prediligerò i teatri anche per una questione di acustica e anche perché ho voglia di ritornare ai teatri dopo quattro anni. Poi sarò certamente in molte parti d'Europa e poi andrò in America Latina e Stati Uniti. Ma è presto per dare delle date.

H ....

Quest'estate promuoverò l'album in molti paesi del mondo e poi avrò una promozione molto bella in Germania, dove suonerò dal vivo in un'open air davanti a 25 mila persone e farò sei pezzi con la band. Sarà un bellissimo appuntamento.

(da *www.musicaitaliana.com*)

b. *Questi sono i titoli di alcune canzoni di Nek e dei Tiromancino. Rileggi l'intervista e fai le tue ipotesi: quale canzone è di Nek e quale è dei Tiromancino? Confronta le tue ipotesi con un compagno e spiega il motivo delle tue scelte sulla base di quello che hai letto.*

Mi piace vivere   **Una parte di me**   **Sana gelosia**   **Che cosa cerchi veramente**

Il progresso da lontano   **La mia natura**   **Verso Nord**   **Tornerà l'estate**

Nek

....
....
....
....
....
....

Tiromancino

....
....
....
....
....
....

5 **Riflettiamo - Futuro**

🎵 4.6

a. *Cerca nel testo dell'attività 4 i verbi **iniziare**, **promuovere** e **partire**, che sono coniugati al **futuro semplice** e inseriscili nello schema. Poi prova completare lo schema deducendo le forme mancanti.*

	INIZI**ARE**	PROMUOV**ERE**	PART**IRE**
IO	inizi**erò**		partirò
TU	inizi**erai**		
LUI/LEI		promuoverà	
NOI	inizi**eremo**		partir**emo**
VOI			
LORO		promuover**anno**	

b. *Cerca e sottolinea nel testo dell'attività 4 tutti gli altri verbi al futuro.*
Quanti sono? ....
Inserisci nello schema le forme che hai trovato dei seguenti verbi irregolari, poi prova a completarlo deducendo le forme mancanti.

	ESSERE	AVERE	FARE	ANDARE
IO				
TU			far**ai**	
LUI/LEI		avrà	farà	
NOI	sar**emo**			andr**emo**
VOI				andr**ete**
LORO		avr**anno**		

6 Esercizio scritto - Riscrittura

Riscrivi il seguente brano cambiando i verbi dalla prima alla terza persona.

Sto lavorando al calendario del tour, che partirà da ottobre. Prediligerò i teatri anche per una questione di acustica e anche perché ho voglia di ritornare ai teatri dopo quattro anni. Poi sarò certamente in molte parti d'Europa, America Latina e poi andrò negli Stati Uniti. Ma è presto per dare delle date. [...]
Quest'estate promuoverò l'album in molti paesi del mondo e poi avrò una promozione molto bella in Germania, dove suonerò dal vivo in un'open air davanti a 25 mila persone e farò sei pezzi con la band. Sarà un bellissimo appuntamento.

Sta lavorando al calendario del tour, che partirà da ottobre.

7 Esercizio orale - Progetti per il futuro

A turno, associa le foto di professioni a una frase di pag. 25 e completala usando un verbo al futuro come nell'esempio.

1

2

3

4

5

6

7

8

9

a __ il palazzo più alto del mondo

c __ un ristorante famoso a Parigi

e __ una cura contro l'epatite C

g __ un best seller

i __ l'agenzia fotografica Magmum

b __ la stella del Royal Ballet

d __ la facoltà di filosofia

f __ le prossime Olimpiadi

h 3 ~~un Oscar come protagonista~~
Vincerò un Oscar come protagonista

8 Riflettiamo - Futuro; la preposizione *fra* 🅖 17.3

CD 3

a. Ascolta ancora il dialogo dell'attività 3 e completa le seguenti frasi con i verbi mancanti coniugati al futuro.

(...)

● All'estero? E dove?

▪ In Irlanda. Penso che _____ a dare una mano a mio zio, quello che ha il ristorante a Dublino.

● Non _____ andare a fare il cameriere dopo tanta fatica per laurearti!

▪ Perché no? Oggi bisogna essere flessibili. E poi credo che mi farà bene fare un'esperienza diversa prima di cominciare a lavorare sul serio ... anzi, secondo me, farebbe bene anche a te.

(...)

● Beh, sì, lo so che non è il massimo, però penso che _____.

▪ Ma Fabiano, dici sul serio? In un'agenzia assicurativa? E quando inizi?

● Mah, più o meno fra due mesi perché prima _____ fare un corso di formazione.

▪ Hmm ... però prima o poi la nostra azienda agrituristica la _____ , vero?

● Sì, sì, certo! Quando _____ più vecchi e _____ un po' di soldi!

---

b. Cerca nel secondo riquadro la preposizione "fra". In questa frase "fra" si usa per indicare:

☐ la durata di un'azione nel futuro.

☐ dopo quanto tempo nel futuro succederà qualcosa.

9 Parliamo - Progetti futuri

Quali sono i tuoi progetti per i prossimi tre anni? Fai una lista di almeno 3 cose che vorrai assolutamente fare e, in piccoli gruppi, parlane con i compagni spiegando le tue motivazioni.

Penso che nessuno di noi immigrati possa dire di trovarsi bene qui, in Italia. Basta pensare alle nostre condizioni di vita. Possiamo dire di aver trovato un lavoro e basta. Tutto il resto ci viene negato, o perché non lo abbiamo chiesto o perché non ce lo vogliono dare. Credo che non possiamo 5 continuare così: *lavoro-casa-casa-lavoro*. Dobbiamo organizzarci e far sentire la nostra voce, dobbiamo renderci visibili anche quando le fabbriche chiudono.

Non soltanto braccia da lavoro o macchine di produzione. Il problema delle ferie per noi è molto grave. Sarebbe utile 10 mettere nel programma di rinnovo del contratto la possibilità di accumulare le ferie, per poterle prendere quando un operaio vuole tornare a casa.

Su questo punto vorrei raccontare la mia esperienza: la scorsa estate nella fabbrica dove lavoro abbiamo fatto uno 15 sciopero. Dopo lo sciopero il proprietario ha deciso che chi vuole andare a casa in estate si deve licenziare: quindi se un operaio non ha il contratto fisso ha anche paura di perdere il posto di lavoro e magari se il contratto scade non viene rinnovato.

Noi immigrati siamo preoccupati anche perché molti politici stanno seminando odio tra italiani e stranieri. L'altro giorno mentre guardavo la televisione ho sentito dire dal sindaco di una impor- 20 tante città del nord che gli italiani non hanno bisogno di andare in nessun paese straniero, perché non devono imparare niente da nessuno. Ma se studiamo la storia vedremo che ci sono molti episodi che hanno insegnato tanto anche agli italiani, come la Rivoluzione francese per esempio.

Vorrei dire a questo signore di stare tranquillo: se avrà una vita abbastanza lunga vedrà un extra-comunitario seduto alla sua poltrona di sindaco. 25

In Italia il partito degli xenofobi è diventato forte e questo è pericoloso. I nostri figli vivranno in questo paese e se nelle scuole abbiamo maestri che dicono che gli immigrati sono inutili, sono spacciatori e portatori di malattie, anche i vostri figli avranno dei problemi con i nostri figli.

Vorrei concludere dicendo che gli italiani volevano braccia per le fabbriche ma invece sono arrivati uomini e questi uomini vanno rispettati. 30

(adattato da *www.fiom.cgil.it*)

Che cosa pensi della condizione dei lavoratori immigrati in Italia?
Secondo te quali sono le paure e le speranze dell'autore a proposito della condizione
degli immigrati? Parlane con un compagno.

11 Riflettiamo - Frasi ipotetiche

a. Nel testo che hai letto ci sono alcune frasi che iniziano con la parola **se**. Queste frasi vengono utilizzate quando si vuole fare una ipotesi. Cercale e scrivi qui quante sono: _____.

b. Questo tipo di frasi sono formate da due parti: una prima parte che indica una condizione e una seconda parte che indica una conseguenza.
Inserisci le frasi che hai trovato nello schema, come nell'esempio.

CONDIZIONE	CONSEGUENZA
Se un operaio non ha il contratto fisso ⇨	ha anche paura di perdere il posto di lavoro (riga 17)

c. Quali tempi verbali vengono usati per formulare queste ipotesi?

....

....

12 Esercizio orale - Frasi ipotetiche - STUDENTE A

*Lavora con un compagno. A turno, prima ascolta la domanda di **B**, scegli la risposta nella tua lista di destra e rispondi usando il presente o il futuro. Poi scambiatevi i ruoli: fai una domanda dalla tua lista di sinistra, **B** deve scegliere la reazione nella sua lista di destra, e rispondere usando il presente o il futuro.*

Es: Domanda dello studente B

Quando venite a trovarci? ⟶

Risposta dello studente A

Se non _essere_ troppo occupati, _venire_ a trovarvi sabato.

↓

Se non **siamo** troppo occupati, **veniamo** a trovarvi sabato.

~~Cosa farà Rosa stasera?~~

Quando andate al teatro dell'opera?

Dove andrete questa estate?

Perché gli operai hanno paura di scioperare?

Quando inviti Giulio alla festa?

Preparare una torta al formaggio, se _fare_ in tempo.

~~Se non essere troppo occupati, venire a trovarvi sabato.~~

Se _fare_ uno sciopero, il padrone _licenziarli_.

Se _avere_ ancora problemi, _chiamare_ il tecnico.

Potere venire domani sera, se _volere_.

Esercizio orale - Frasi ipotetiche - STUDENTE B

*Lavora con un compagno. A turno, prima fai una domanda dalla tua lista di sinistra ad **A**.*
*Lo studente **A** deve scegliere la risposta nella sua lista di destra e rispondere usando il presente o il futuro. Poi scambiatevi i ruoli: ascolta la domanda di **A**, scegli la risposta nella tua lista di destra e rispondi usando il presente o il futuro.*

Es: Domanda dello studente A   **Reazione dello studente B**

Cosa farà Rosa stasera? ➡️ *Se non <u>essere</u> troppo, stanca <u>uscire</u> con Carlo.*

*Se non **è** troppo stanca **uscirà** con Carlo.*

~~Quando venite a trovarci?~~   *Perché se non <u>avere</u> un contratto fisso, <u>avere</u>*
Cosa farai se avrai ancora   *paura di perdere il lavoro.*
    problemi col computer?   ~~Se non essere troppo, stanca uscire con Carlo.~~
Quando ci inviti a cena?   *<u>Andare</u> in Russia, se <u>avere</u> soldi.*
Che cosa succederà se gli operai   *Se <u>incontrarlo</u> questa sera, <u>invitarlo</u>.*
    faranno uno sciopero?   *Se <u>trovare</u> ancora i biglietti <u>andare</u> domenica.*
Che cosa porti alla cena di Dario?

 Esercizio scritto - Frasi ipotetiche

Completa le frasi e poi confrontati con un compagno.

1. Se imparerò bene l'italiano _____

2. Se avremo un po' di tempo libero _____

3. Se vuoi trovare un lavoro _____

4. Se arrivi a casa e non c'è nessuno _____

5. Se avrò abbastanza soldi _____

6. Se stasera ho la macchina _____

7. Se questa estate _____

8. Se _____

Progetti futuri

2

14 Ascolto - Interviste

CD 4

a. *Chiudi il libro, ascolta le interviste a tre italiani che vivono e lavorano all'estero e poi confrontati con un compagno.*

b. *Adesso ascolta di nuovo le interviste e poi insieme ad un compagno completa la tabella con i dati mancanti.*

	Mara	Rita	Marco
In quale paese abita?			
Come si trova in questo paese?			
Quali sono i suoi progetti per il futuro?			

15 Parliamo - Lavorare all'estero

Il prossimo anno tu ed un tuo compagno volete fare un'esperienza di lavoro all'estero.
Insieme progettate in quale paese andrete, per quanto tempo e quale lavoro vi piacerebbe fare.

Caffè culturale

PER FARCI UN'IDEA

Laura Pausini

Elisa

mina

Fabrizio De André

Andrea Boccelli

Paolo Conte

Eros Ramazzotti

Carmen Consoli

Conosci alcuni dei cantanti italiani ritratti in queste fotografie? Ne conosci altri?

CON OCCHI DI STRANIERO

JONATHAN L.
è il co-fondatore della rivista letteraria "Granta" e autore del romanzo "A Guide for the Perplexed". Ha fondato e diretto il "Fisher Center for the Performing Arts" disegnato da Frank Gehry.

Una notte con Carmen Consoli
Solo in Italia una cantante rock può presentarsi sul palco indossando un vestito da sera nero ed un paio di scarpe con il *tacco a spillo*[1].
Era una calda serata estiva quando siamo arrivati al Parco della musica a Roma per ascoltare l'attuale regina del pop italiano, Carmen Consoli.
Nei mesi estivi Roma è il paradiso dei musicisti classici, jazz e rock. L'opera alle terme di Caracalla, l'opera nel *chiostro*[2] di San Clemente. Sui prati di Villa Ada si può mangiare curry ed hummus ascoltando giovani musicisti caraibici ed africani insieme a veterani come Keith Emerson (dei famosi Emerson, Lake and Palmer) ed Eric Burdon (degli Animals).
Sulla collina del Celio, ammirando da un lato il Circo Massimo e il Colosseo dall'altro, si può scegliere tra sushi e capiroschkas ascoltando musica jazz che *spazia*[3] dall'America fino all'Asia.
Il Parco della Musica, la serra di Renzo Piano con le tre sale da concerto a *forma di fungo*[4], di solito è il luogo destinato agli amanti della musica sinfonica e della musica da camera.
Ma durante l'estate, la *cavea*[5] tra i funghi ospita un anfiteatro per un'abbuffata di musica. Questa estate ho visto personalità tipo Bob Dylan una sera, i Carmina Burana la sera successiva,

la cantante capoverdiana Cesaria Evora un'altra.
Ma per noi, la più affascinante di tutti è stata la *cantautrice*[6] siciliana, Carmen Consoli.
Un amico romano ci aveva dato una compilation di canzoni della Consoli da ascoltare a New York. Era abbastanza piacevole come musica di sottofondo in cucina per *spruzzare*[7] di nostalgia la *cacio e pepe*[8]. Alcune canzoni davano persino una certa dipendenza.
Ma non eravamo preparati alla forza e all'energia della Consoli dal vivo. *Brandendo*[9] una chitarra acustica, che ha suonato con *capacità*[10] e gusto, la Consoli ha guidato un gruppo di nove musicisti per un'ora e mezza di musica d'autore, più eclettica di quanto si possa trovare tra i musicisti pop negli Stati Uniti. A volte ha cantato in un mezzo soprano carismatico alla Carly Simon, altre volte con la voce roca alla Janis Joplin.
La sua musica spazia dai ritmi medio-orientali completati dal violino e dal mandolino, ai toni della musica popolare siciliana accompagnati dalla fisarmonica e dal flauto, fino al rock trascinante, con la Consoli che saltava su e giù su quei vertiginosi tacchi a spillo.
Dalla nostra posizione, in alto nella cavea, eravamo circondati da centinaia di fans adoranti - per la maggior parte giovani donne, quasi coetanee della *trentaduenne*[11] Consoli - che conoscevano ogni parola, ogni nota delle sue canzoni. Dopo aver ascoltato i sei bis, siamo ritornati in macchina per affrontare il caotico tragitto verso il centro, ebbene sì, cantando tutte le canzoni che ricordavamo.

[1]*stiletto heels;* [2]*cloister;* [3]*varies, crosses the space;* [4]*mushroom-shaped;* [5]*bowl-shaped part of a Roman amphitheatre;* [6]*singer-songwriter;* [7]*to sprinkle;* [8]*spaghetti with cheese and pepper;* [9]*Brandishing;* [10]*skill;* [11]*thirty-two-year-old.*

Che cosa hanno aggiunto le parole di Johnathan all'idea che avevi della musica italiana?
Quali generi musicali pensi siano più diffusi in Italia?

CaffèEuropa

INTERVISTA
Una cantautrice italiana

di ANTONIA ANANIA

È il 23 Marzo, Cristina Donà canta all'Alpheus di Roma. Sono le 19:00 e sono *puntuale*[1]. Entro nel locale dove abbiamo appuntamento e i musicisti si preparano per il sound-check.

Cinque parole per descrivere Cristina Donà come donna e come cantautrice.

La prima che mi viene in mente è disordinata, anche se dovrei evitarla per non *auto-condizionarmi*[2]. La seconda è innamorata - della musica, naturalmente. La terza è *smemorata*[3]. La quarta indecisa e la quinta *volenterosa*[4] perché, soprattutto in quest'ultimo periodo, mi sto applicando per far *fruttare*[5] la confusione che si crea nella mia testa.

Lei sta esplodendo da grande, rispetto ad altre sue colleghe che hanno avuto un successo immediato. *Ha fatto* più *gavetta*[6], c'è stata più fatica?

A ventitré anni facevo la scenografa a Milano, mi piaceva ma sentivo che non era il lavoro giusto per me. Nel frattempo cantavo già nei locali ma soltanto cover. A venticinque anni *mi sono stufata*[7] di interpretare

pezzi di altri e ho cominciato a scrivere canzoni mie, e solo dopo parecchio tempo ho partorito dei testi che piacevano a me.

Iniziare tardi mi ha dato comunque la capacità di vivere l'ambiente musicale con più saggezza e distacco rispetto al diciottenne che comincia a fare questo lavoro subito con un contratto.

Naturalmente se tornassi indietro cercherei di cominciare prima anche se comunque quello dei miei inizi è stato un periodo fortunato in cui c'era un gran *fermento*[8] musicale e c'era voglia di far uscire cose diverse.

Come vede il panorama delle cantautrici italiane e quali preferisce?

Le donne della musica italiana sono state quasi sempre interpreti. Forse una delle prime a farsi notare come cantautrice è stata Paola Turci, influenzata peraltro da americane come Suzanne Vega. Carmen Consoli è un ottimo esempio di cantautrice femminile e nuova. Mi piacciono molto Ginevra Di Marco, che canta con i C.S.I. e ha fatto un album da solista. Conosco poco i testi di Elisa, ma ha una voce straordinaria ed è uno

dei pochi esempi di cantautrice italiana che *sfonda*[9] anche all'estero.

Quali sono i gruppi che ascolta più spesso in questo periodo?

I Coldplay e l'ultimo De Gregori che ha qualcosa dentro che *mi intriga*[10]. Anja, la figlia di Jan Garbarek, con *Baloon Mood*, i RadioHead con *Kid A*, il nuovo doppio album live degli *Afterhours*.

E i vecchi amori musicali che non si scordano mai?

Il più grande che ho avuto, quasi da strapparmi i capelli, è stato Bruce Springsteen. L'ho conosciuto nell'84 in prossimità di *Born in the U.S.A.* e poi sono andata a *ritroso*[11] con *Nebraska* e *Darkness on the edge of town* e lo stesso *Born to run*, che mi hanno accompagnato per tanti anni e mi hanno dato moltissime emozioni. Poi gli U2, Sinead O'Connor, Tom Waits, Lucio Battisti e Jeff Buckley che nel '95 è uscito con Grace.

(da www.caffeeuropa.it)

---

[1]*punctual;* [2]*cause autosuggestion;* [3]*forgetful, absent-minded;* [4]*willing;* [5]*to bear fruit;* [6]*to rise from the ranks;* [7]*I got bored;* [8]*ferment;* [9]*break out, have success;* [10]*intrigues me;* [11]*backward.*

Dopo aver letto l'intervista saresti interessato ad ascoltare un CD di Cristina Donà? Parlane con un compagno spiegando perché ti interessa o non ti interessa.

■ L'ITALIA IN RETE

Cerca su internet informazioni su uno dei musicisti italiani ritratti nelle fotografie della pagina precedente.

Che dovrei fare secondo te?

1 Parliamo - Diversi modi di mangiare

Tra questi libri quali compreresti? Quali corrispondono meglio ai tuoi gusti e alle tue abitudini alimentari? E quali invece non ti interessano per niente? Parlane con un compagno.

a.

b.

c.

d.

e.

f.

g.

h.

2 Scriviamo - Come mangi?

Leggi il profilo di Daniela e poi descrivi le abitudini alimentari di Luciano, Margherita e Federico, associando ad ognuno uno o più dei libri di cucina che trovi nell'attività precedente.

Daniela, 32 anni, insegnante di danza:
Vegetariana da sei anni, ma con un debole per i dolci.
A colazione di solito mangia uno yogurt e cereali,
qualche volta frutta. Il pranzo lo salta, al massimo mangia
un po' di verdura, e a cena riso, pasta o legumi.

Libri: Il grande libro delle verdure, Ricette per i vostri dolci

Luciano, 41 anni, manager:
....
....
....
....

Libri: ....

Margherita, 58 anni, casalinga:
....
....
....
....

Libri: ....

Federico, 26 anni, studente:
....
....
....
....

Libri: ....

3 Lessico - Dolce o salato

Pensa a tre cose da mangiare che hanno in comune una di queste qualità.
Dille al tuo compagno che deve indovinare il sapore o la qualità che hanno in comune.

Es: ▼ Le patatine fritte, il burro, la maionese.
    ■ Sono grassi.

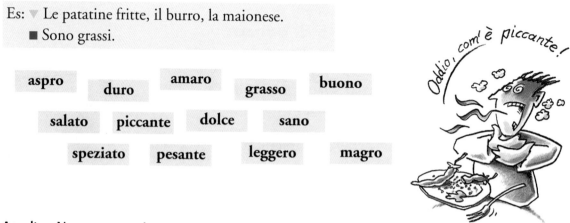

aspro   duro   amaro   grasso   buono

salato   piccante   dolce   sano

speziato   pesante   leggero   magro

Oddio, com'è piccante!

CD 5

4 Ascolto - Non esagerare!

a. Chiudi il libro, ascolta il dialogo e poi confrontati un compagno.

b. Qual è il problema di Barbara?

c. Che cosa le consiglia Francesca?

CD 5

5 Riflettiamo - I verbi *bastare* e *servire*

Ⓖ 4.1.8

a. Ascolta ancora il dialogo dell'attività precedente e scegli tra le tre forme verbali proposte nelle seguenti frasi quella che secondo te è corretta.

Ⓖ 4.1

● Scusa, ma mangi solo uno yogurt? Non ti sembra un po' poco?
▢ No, mi **basto/basti/basta**. E poi da oggi sono a dieta. Devo dimagrire, sono troppo grassa!
● Non esagerare, non sei grassa! E poi secondo me le diete non **servi/serve/servono** a niente!

▢ E che dovrei fare secondo te?
● Beh, mangia più regolarmente e soprattutto cerca di mangiare un po' di tutto!
  Non **ti servi/serve/servono** a niente mangiare solo uno yogurt se poi il giorno dopo mangi quattro hamburger!

b. Indica il soggetto di ognuno dei tre verbi che hai scelto.

c. Scrivi l'infinito dei due verbi accanto alla definizione del loro significato.

bastare   **servire**

......................................: essere utile   ....: essere sufficiente

6 Esercizio scritto - Quello che basta e quello che serve

Scrivi delle frasi usando i verbi **bastare** *e* **servire** *per esprimere quello che secondo te è (o non è) utile e quello che è (o non è) sufficiente per essere in forma.*

bastare	sì	Basta mangiare regolarmente.
	no	

servire	sì	
	no	Le diete non servono.

7 Parliamo - Per una sana alimentazione

a. Leggi il manifesto riprodotto qui sotto. Secondo te la questione proposta dal manifesto è importante? Parlane con un compagno.

b. Quali sono altri consigli utili per una sana alimentazione?

In generale
- Mangia molta verdura.
- Non saltare il pasto ed evita pasti abbondanti.
- Non mangiare di corsa. Mangerai meno e sarai più soddisfatto.
- Non bere troppi alcolici. L'alcool è un alimento ad alto contenuto calorico, non è nutriente, stimola l'accumulo di grassi.
- Durante la giornata bevi molta acqua (6-8 bicchieri). Un bicchiere o due prima del pasto ti fa sentire sazio più velocemente.
- Mangia più pesce e pollo (dopo aver tolto la pelle) e meno carne rossa.
- Mangia più verdura e cereali integrali.
- Cerca alimenti a basso contenuto di grassi quando possibile.

La spesa

- Prepara una lista (con in mente un'idea di menù).
- Leggi le etichette sulle confezioni.
- Non comprare più alimenti di quelli che sono necessari volta per volta.
- Evita i cibi precotti: spesso sono ricchi di calorie e di grassi.

La preparazione dei cibi
- Preferisci pasti semplici, come un pezzo di pollo o pesce con verdura fresca, senza salse.
- Non mangiare mentre cucini, a meno che non si tratti di verdure fresche.
- Quando cucini, l'ideale è cuocere alla griglia, al forno, bollire.
- Per cucinare usa tegami antiaderenti per non usare olio o burro.

- Se necessario, usa olio extravergine di oliva e ricorda che ne basta poco.
- Togli dalla carne tutto il grasso visibile.
- Sostituisci l'uovo intero con 2 albumi.
- Salta i cibi in brodo di pollo, salsa di soia o acqua poco salate.
- Metti spezie al posto dei grassi. Erbe e spezie fresche vivacizzeranno qualsiasi piatto senza aggiungere calorie o grassi.

Mangiando a casa
- TV e pasti non legano. Guardare la TV mentre si mangia porta a sovralimentazione.

- Consuma i pasti a tavola, non consumare i pasti in piedi.
- Non mangiare mai direttamente da una scatola o da un barattolo. Metti una quantità ragionevole sul piatto e metti via la scatola o il barattolo.
- Valuta la porzione mettendo i pasti nei piatti e portando i piatti in tavola. I soli cibi da lasciare in tavola da "spiluccare durante il pranzo" sono l'insalata e le verdure che si possono mangiare a piacere.

Mangiando fuori
- Non uscire di casa a digiuno. Mangia una cosa leggera (un frutto, un bicchiere di succo, una carota) prima di andare al ristorante.

- Chiedi al cameriere di servire le salse e i condimenti a parte.
- Chiedi al cameriere come sono preparati i cibi o di prepararli in un certo modo, per esempio con meno olio.

(adattato da *www.ildietista.it*)

Quali di queste regole normalmente segui? Quali non segui, ma pensi che dovresti seguire?
Quali non potresti mai seguire? Parlane con un compagno.

9 Riflettiamo - Imperativo informale singolare

*a. L'**imperativo** è il modo del verbo che si usa per dare un'istruzione o un comando. Cerca nel testo le forme dell'imperativo informale singolare (tu) dei seguenti verbi (sono in ordine) e inseriscile nello schema, scrivendo accanto la forma della seconda persona singolare (tu) dell'indicativo presente dello stesso verbo.*

	Imperativo informale singolare (tu)	Indicativo presente - II persona singolare (tu)
Mangiare	*Mangia*	*Mangi*
Evitare		
Cercare		
Preparare		
Leggere		
Preferire		
Usare		
Togliere		
Sostituire		
Saltare		
Mettere		
Valutare		
Chiedere		

b. Quando la forma dell'imperativo informale singolare è differente da quella della seconda persona singolare dell'indicativo presente?

....

....

c. Rileggi il testo e cerca frasi con cui si vuole consigliare di <u>non</u> fare qualcosa. Che cosa si usa al posto dell'imperativo informale singolare quando la frase è negativa?

NON + ...

10 Esercizio orale - Consigli per chi vuole diventare vegetariano

Immagina di essere un vegetariano e dai consigli a un amico che ha appena deciso di diventare vegetariano. Lavora con un compagno e a turno date un consiglio scegliendo a caso una delle frasi qui sotto.

SÌ	NO
seguire una dieta equilibrata consumare legumi	cercare di convertire gli amici
mangiare prodotti derivati dalla soia	comprare cosmetici testati sugli animali
usare prodotti integrali (zucchero, pane, riso)	portare scarpe e borse di cuoio
preferire prodotti biologici	mangiare solo frutta e verdura
prendere integratori alimentari	smettere di mangiare carne improvvisamente

Che dovrei fare...

3

11 Esercizio scritto - Per combattere lo stress

Che cosa si deve fare o non fare per evitare lo stress? Associa ad ogni illustrazione una delle frasi coniugando il verbo all'imperativo informale singolare.

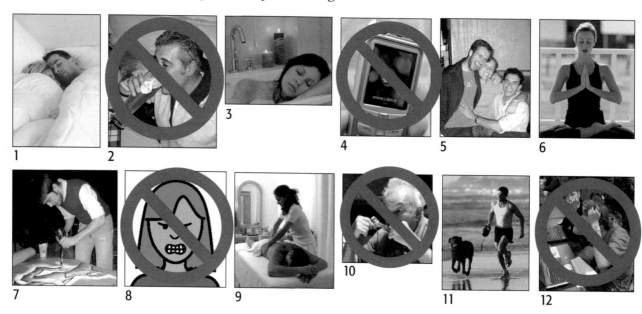

a. Lavorare troppo
b. Cercare di rilassarsi
c. Cominciare a fare yoga
d. Provare con i massaggi
e. Dormire regolarmente
f. Mangiare troppo

g. Eccedere con l'alcol
h. Vedere spesso gli amici
i. Praticare uno sport o un'attività fisica
l. Scegliere un'attività creativa
m. Tenere il cellulare sempre acceso
n. Arrabbiarsi

12 Trascrizione - Dare consigli

CD 6

Ora riascolterai molte volte un brano della conversazione che hai ascoltato nell'attività 4. Prova a trascrivere tutto quello che ascolti.

Francesca: *E poi* ....

....

....

Barbara: ....

Francesca: ....

....

.... *per noia.*

13 Esercizio scritto - Dare consigli

Riscrivi i consigli dell'attività 11 usando il condizionale presente invece dell'imperativo.

Es: Dormi regolarmente. ➡ Secondo me **dovresti** dormire regolarmente.
➡ Io al tuo posto **dormirei** regolarmente.

14 Esercizio scritto e orale - Abitudini alimentari

*Individualmente rispondi alle domande. Poi fai le domande a un compagno e in base alle sue risposte dai dei consigli, usando **il condizionale presente**, come nell'esempio.*

	io	la mia compagna/ il mio compagno

Es: ▼ Quanta acqua bevi al giorno?
■ Una bottiglia.
▼ **Dovresti** bere di più./Al posto tuo **berrei** di più.

	io	la mia compagna/ il mio compagno
1. Quanta acqua bevi al giorno?	....	....
2. Con quale frequenza mangi la frutta?	....	....
3. Con quale frequenza mangi la verdura?	....	....
4. Quante volte alla settimana mangi la carne?	....	....
5. Quante volte alla settimana mangi il pesce?	....	....
6. Quante tazze di caffè o tè bevi al giorno?	....	....
7. Quante uova mangi alla settimana?	....	....
8. Mangi molto formaggio?	....	....
9. La sera fai un pasto caldo o mangi delle cose fredde (formaggio, salumi)?	....	....
10. Ti capita di saltare i pasti?	....	....
11. Mangi spesso al fast-food?	....	....

CD 7

15 Ascolto - Ma dammi dei consigli!

a. Chiudi il libro, ascolta il dialogo e poi confrontati con un compagno.

b. Perché Laura non vuole andare a cena fuori con il suo amico?

c. Quali sono le difficoltà che Laura solleva per non uscire con l'amico, e che soluzione offre l'amico?

DIFFICOLTÀ SOLLEVATE DA LAURA	SOLUZIONI PROPOSTE DALL'AMICO

d. Alla fine Laura decide di andare o no?

Che dovrei fare...

3

Come attaccare bottone - by aFiGoZ

Esistono svariati modi di "rompere il ghiaccio":

- *"Scusa ma dove ci siamo già visti? Comunque io mi chiamo... Piacere!"*: rischioso (le donne diffidano molto).

5 - *"Scusa mi potresti dire dove è...? Comunque io mi chiamo... Piacere!"*. Presentati solo se ti accompagna nel luogo in questione (evita di chiedere dov'è il bagno).

- *"Tu mi conosci vero? Sono... Piacere!"* Fingi di
10 averla scambiata per un'altra.

- Se sei timido, ma per certi versi romantico, fa' il misterioso e portale una rosa rossa, abbinata alla frase giusta.

- *"Scusa cercavo il tuo ragazzo... Ah non sei fidan-*
15 *zata? Una ragazza carina come te? Allora ti ho scambiata per un'altra, comunque io mi chiamo..."* (se ha il ragazzo di' che hai sbagliato persona, se ti chiede perché vuoi saperlo dille che gli devi restituire qualcosa o comunque inventati
20 una scusa plausibile).

- *"Ciao, cosa fai da sola? Ti va di ballare?"*. Fallo solo se Lei si sta annoiando o è sola con un'aria un po' mogia.

25 ## Cosa non fare assolutamente:

- Non tentare di passare per quello che non sei e non dire troppe bugie (mai esagerare).

- Non cercare di attaccare bottone quando lei è in mezzo alla sua compagnia.
30 - Non insistere se lei volta la faccia dall'altra parte o ti "guarda storto" (va' via e attendi momenti più propizi).

- Non avvicinarla mentre è troppo sola, il momento ideale è quando lei si trova in pre-
35 senza di una sua amica che in quel momento è distratta.

- Non balbettare o rimanere muto.

Come e di cosa parlare

Spesso, soprattutto le prime volte, non si sa di che cosa parlare con una 40 ragazza, ecco quindi una serie di utili trucchetti:

- Chiedile cosa pensa di un dato argomento in maniera neutra es. *"tu cosa pensi di...", "hai mai sentito parlare di..."*.

- Sii fantasioso, cambia argomento prima che 45 ciò che si sta dicendo si esaurisca.

- Non dimenticare (senza esagerare) di fare alcune battute (non volgari).

- Parla di persone "stupide" o "comiche" che conosce anche lei (professori, amici, ecc.). 50

- Tenta con il *"sai cosa mi è capitato ieri di incredibile?"* e raccontale le piccole anomalie della tua giornata come fatti assurdi o incredibili.

- La tecnica più ovvia e banale comunque è l'informarsi prima del "contatto" tramite amici 55 suoi (o meglio, vostri).

- Devi dare una buona impressione, sii tranquillo, abbi un minimo di espressività.

Che cosa si deve evitare in tutti i modi: 60

- Non parlare a lungo di un argomento se ti accorgi che lei non interviene. I casi sono due, o si annoia, o non conosce la materia; cambia immediatamente discorso.

- Non parlare sempre della stessa cosa. 65

- Non interrompere il discorso con il "trillo" assordante del tuo cellulare.

- Non ripeterti (non devi essere noioso).

- Non raccontare la tua vita.

- Non parlare di calcio e di tutti quegli 70 "sporchi" argomenti squisitamente maschili.

(da *www.arcadiaclub.com*)

Sei d'accordo con le "tecniche" di approccio suggerite da aFiGoZ?

17 Riflettiamo - Imperativo informale singolare

a. *Cerca nel testo dell'attività precedente le forme dell'imperativo informale singolare dei seguenti verbi e scrivile accanto all'infinito.*

riga	infinito	imperativo
6	Presentarsi	
12	Portare	
33	Avvicinare	

riga	infinito	imperativo
42	Chiedere	
52	Raccontare	
68	Ripetersi	

Che cosa noti in tutte queste forme dell'imperativo?

....

....

b. *Ora osserva le forme dell'imperativo di **dire** alla riga 18 e di **fare** alla riga 21. Che cosa succede quando usiamo i pronomi con l'imperativo di **dire** e **fare**?*

....

....

Attenzione! *La stessa regola vale anche per **andare**, **dare** e **stare**. Questa regola non vale con il pronome **gli**.*

c. *Nel testo ci sono anche molte forme irregolari dell'imperativo informale singolare. Completa la tabella cercando le forme mancanti nel testo.*

andare		dare		dire		fare		stare		avere	essere
vai	....	dai	da'		....	fai	....	stai	sta'	....	....

18 Esercizio orale - Consigli a un amico - STUDENTE A

Lavora con un compagno.

*Lo studente **A** inizia dicendo di avere uno dei problemi della lista a sinistra, lo studente **B** sceglie nella lista a destra della pagina seguente un consiglio da dare al compagno, usando l'imperativo e i pronomi (verbi riflessivi e ripetizioni, in **neretto** nei consigli). Poi si scambiano i ruoli: B spiega un suo problema e A dà il consiglio. E così via.*

Es: Problema

Il tuo nuovo ragazzo è un fumatore.
Per te è un'abitudine disgustosa.

A: "Ho un nuovo ragazzo che mi piace molto, però ha un grande difetto: fuma."

Consiglio

Chiedere **al ragazzo** di smettere di fumare, minacciare **il ragazzo**, dire **al ragazzo** che lo lasci.

B: "Beh, chiedi**gli** di smettere di fumare, e se non vuole, minaccia**lo**, di**gli** che lo lasci."

Problemi
1. Vuoi organizzare una gita romantica per la tua ragazza/il tuo ragazzo.
2. Ti serve una scusa per non uscire con un collega noioso.
3. Non ricordi il giorno esatto del compleanno del tuo migliore amico.

Consigli per B
a. Trovar**si** un nuovo compagno o trasferir**si** in un altro appartamento.
b. Dire **alla ragazza/al ragazzo** che per la tua famiglia è importante passare il Natale insieme.
c. Portare **gli amici** al ristorante, o telefonare a un ristorante e far**si** consegnare una cena.

Che dovrei fare...

3

18 Esercizio orale - Consigli a un amico - STUDENTE B

Lavora con un compagno.

*Lo studente **A** inizia dicendo di avere un problema, lo studente **B** sceglie nella lista a destra un consiglio da dare al compagno, usando l'imperativo e i pronomi (verbi riflessivi e ripetizioni, in **neretto** nei consigli). Poi si scambiano i ruoli: B spiega un suo problema scegliendolo dalla lista a sinistra e A dà il consiglio. E così via.*

Es: Problema

Il tuo nuovo ragazzo è un fumatore.
Per te è un'abitudine disgustosa.

⬇

A: "Ho un nuovo ragazzo che mi piace
molto, però ha un grande difetto: fuma."

Consiglio

Chiedere **al ragazzo** di smettere di fumare,
minacciare **il ragazzo**, dire **al ragazzo** che lo lasci.

⬇

B: "Beh, chiedi**gli** di smettere di fumare,
e se non vuole, minaccia**lo**, di**gli** che lo lasci."

Problemi
1. Hai invitato a cena i tuoi amici, ma non hai tempo per cucinare
2. La tua nuova ragazza/Il tuo nuovo ragazzo, vuole che tu passi il Natale con lei/lui e i suoi genitori. Francamente per te è un po' presto.
3. Il tuo compagno di casa fa feste tutti i giorni e non ti permette di studiare.

Consigli per A
a. Telefonare **al collega** e dire **al collega** che hai un'emergenza in famiglia.
b. Chiedere **il giorno** a un amico comune, o controlla **il giorno** sulla sua patente.
c. Prepara **alla ragazza/al ragazzo** un buon pranzo e porta **la ragazza/il ragazzo** nel tuo posto preferito; dedica **alla ragazza/al ragazzo** una poesia o una canzone.

19 Riflettiamo - Imperativo informale singolare, pronomi

CD 7

Ascolta ancora il dialogo dell'attività 15 e completa le frasi con i verbi mancanti, coniugati all'imperativo informale singolare e, dove necessario con i pronomi.

G 5

● Allora _____, tu domani sera vieni con me, ti vengo a prendere…
■ No, no, no, non _____

● Buttati un po', _____ nei suoi confronti, lo sai che lui è un timido,

● No, io mi metto davanti a te, tu ti siedi vicino a lui, eh?
■ Sì, poi?
● Non _____ di calcio perché non gliene frega niente.

● Non avere paura, non avere paura, _____ .

■ Vabbè, ma _____ dei consigli concreti, non così, teoria, teoria…

■ Io non capisco niente di matematica!
● Ma… ma non importa!
■ Co…
● Chiedi… _____ delle domande…

● Allora tu gli dici: "Mi vorrei comprare un computer", _____ così e… e lui comincerà a parlare, si rilasserà e vedrai che ti guarderà con occhi diversi, perché…
■ Però _____ che non mi lascerai lì così.

■ Facciamo così, _____ vicino a noi.
● E certo, e dove mi siedo? Siamo sei persone. Per forza mi siedo vicino a voi.
■ Eh, ho capito, però _____ in modo che io te e lui comunque siamo vicini.
● Sì però tu _____ .

Che dovrei fare…

3

20 Parliamo - Consigli a un amico

Immagina di avere un piccolo problema e di telefonare a un compagno per chiedere un consiglio. Poi scambiatevi i ruoli: lei o lui ti espone il suo problema immaginario e tu gli dai un consiglio.

21 Scriviamo - Consigli a un amico

*Immagina di essere uno dei partecipanti al forum **fuoriditesta.it** e rispondi all'appello di pikkolaSILVIA dandole un consiglio.*

Autore	Argomento Dovrei farlo?	Nuovo Argomento	Rispondi

pikkolaSILVIA

Sesso: ♀
Età: 16 🅼
Iscritto: 23 Feb 2006
Messaggi: 188

Dovrei farlo?

eh sì forse è una cosa che non dovrei scrivere (mia madre riesce sempre a scoprire tutto e non so come), ma mi serve una mano... è da più di un anno che sono innamorata di un ragazzo (di 18 anni) splendido... beh sì insomma siamo insieme, ma c'è un problema: lui abita dall'altra parte dell'Italia! Abita vicino a Torino e io a Treviso, non ci vediamo da un sacco... comunque io ho un piano in mente...
è una specie di piccola sorpresa.
Vorrei scappare da lui! Non per sempre, solo per 2 giorni... beh partirei di mattina presto, verso le 8 e arriverei nel tardo pomeriggio. L'unico problema è la notte.
Dove la passerei? A casa sua? E se i suoi non mi vogliono?

🗩

D 10/11/2006 - 12:19 | Online | Profilo | MP | Msn |

SuperMario

Sesso: ♂
Iscritto: 09 Nov 2006
Messaggi: 22

😊 Cara pikkolaSILVIA,

....
....
....
....
....
....
....
....
....
....
....
....
.... 🗩

D 10/11/2006 - 12:46 | Online | Profilo | MP |

Che dovrei fare... 3

Caffè culturale

  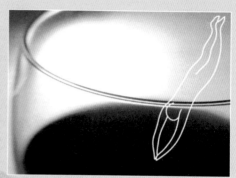

Queste tre foto provengono dal sito internet italiano di un'associazione internazionale.
Secondo te di che tipo di associazione si tratta? Che messaggio cerca di trasmettere con queste foto?

■ CON OCCHI DI STRANIERO

ELIZABETH S.
è di Boston MA, e vive in Italia da 5 anni.
Lavora a Roma per un'università americana.

Slow Food e Fast food

Quando sono arrivata in Italia la prima volta mi ha sorpreso che *persino*[1] gli studenti universitari trovassero il tempo a pranzo di cucinarsi la pasta e sedersi per mangiare tutti insieme. Era un compito piuttosto semplice, eppure lo *svolgevano*[2] con estrema cura, preparando *addirittura*[3] la tavola con tovaglia e tovaglioli. Alla fine mi hanno insegnato a cucinare la pasta "nel modo giusto": quando aggiungere il sale, come assaggiarla, quale tipo di pasta si poteva accompagnare a quale tipo di condimento. È stata la mia prima lezione di Slow Food all'italiana, e di sicuro non è stata l'ultima.

Il movimento Slow Food è ancora *fiorente*[4] in Italia, *nonostante*[5] l'invasione di ristoranti fast food che servono fette di pizza, hot dog e l'*onnipresente*[6] hamburger con patatine. Ovunque nel paese è ancora possibile trovare piatti preparati alla maniera tradizionale sia al ristorante che nelle case. Naturalmente quanto si mangi e fino a che punto si possa parlare di Slow Food dipende da dove si è.

Se in famiglia c'è una persona che non lavora e che si occupa della casa, di solito una madre o una nonna, il cibo sarà con molta probabilità fresco e interamente fatto in casa. In aree dove la gente lavora vicino a casa, troviamo ancora i pranzi tradizionali, con la famiglia intera riunita intorno a un tavolo, a cui potrebbe persino seguire un *pisolino*[7]. In tali casi il cuoco in genere

fa la spesa ogni giorno per gli ingredienti più freschi, e ogni pasto è una piccola opera d'arte.

A Roma i caffè, i bar e le trattorie sono *affollatissimi*[8] all'ora di pranzo. La maggior parte delle persone che lavorano non può andare a casa per pranzo, e allora investe mezz'ora o un'ora per mangiare un piatto di pasta o un panino. In questo caso si potrebbe pensare che gli italiani si siano un po' "americanizzati" nel modo di mangiare, ma a me sembra che dipenda unicamente da un cambiamento culturale: il ritmo veloce del mondo del lavoro rende i lunghi pranzi impossibili, e così la gente deve adattarsi al tempo che ha. Nonostante ciò gli italiani scelgono comunque ristoranti Slow Food: a Roma si tratta in genere di piccole trattorie a *conduzione familiare*[9], e sono sempre *strapiene*[10].

I giovani italiani invece tendono a mangiare più nei fast food e a fare spuntini più spesso. Un giro veloce dei MacDonald's in città dimostrerà che gli avventori che mangiano hamburger e patatine sono quasi tutti adolescenti italiani.

Volete sapere quanto realistica sia l'immagine che gli americani hanno degli italiani a tavola, con montagne di spaghetti nei piatti e una caraffa di vino rosso? Be' dipende molto da dove si mangia. Certamente però gli italiani sanno come si mangia e soprattutto si prendono tutto il tempo necessario per *gustarsi*[11] il cibo. Eppure oggi sono più *salutisti*[12] di un tempo, e così le porzioni possono risultare più piccole di quanto ci si aspetterebbe, specialmente se un americano compara una porzione di pasta italiana (in genere 100 grammi) con quelle che serviamo negli Stati Uniti: almeno 250-300 grammi! Quel che è sicuro è che la qualità è regina, la quantità non supera *il giusto*[13] e, per quanto è possibile, lo Slow Food vince sempre.

[1]*even;* [2]*they carried it out;* [3]*even;* [4]*flourishing;* [5]*despite;* [6]*omnipresent;* [7]*nap;* [8]*very crowded;* [9]*family run;* [10]*very crowded;* [11]*to enjoy;* [12]*health conscious;* [13]*the right measure.*

Avendo letto l'articolo di Elizabeth, ti sembra che le tradizioni alimentari abbiano un grande valore per gli italiani? E queste tradizioni si conserveranno nel futuro o sono destinate a sparire?

Associazione Slow Food

Slow Food è un'associazione internazionale non pro-fit nata in Italia nel 1986: oggi *coinvolge*[1] 40.000 persone in Italia e più di 80.000 nel mondo, in 130 Paesi dei cinque continenti.

Slow Food promuove il diritto al piacere, a tavola e non solo.

Nata come risposta al *dilagare*[2] del fast food e alla frenesia della fast life, Slow Food studia, difende e divulga le tradizioni agricole ed *enogastronomiche*[3] di ogni angolo del mondo, per consegnare il piacere di oggi alle generazioni future.

Slow Food rieduca i sensi *assopiti*[4], insegna a gustare e a degustare. E permette a consumatori "educati" di indirizzare verso la qualità - gastronomica, ambientale e sociale - le scelte produttive. Slow Food, attraverso progetti, pubblicazioni (Slow Food Editore), eventi (Terra Madre) e manifestazioni (Salone del Gusto, Cheese, Slow Fish) difende la biodiversità, i diritti dei popoli alla *sovranità*[5] alimentare e *si batte*[6] contro l'omologazione dei sapori, l'agricoltura massiva, le manipolazioni genetiche. È un'associazione che ha fatto del *godimento*[7] gastronomico un atto politico, perché dietro a un buon piatto ci sono scelte operate nei campi, sulle barche, nelle vigne, nelle scuole, nei governi.

MISSION

● **EDUCARE** al gusto, all'alimentazione, alle scienze gastronomiche.
● *SALVAGUARDARE*[8] la biodiversità e le produzioni alimentari tradizionali ad essa collegate: le culture del cibo che rispettano gli ecosistemi, il piacere del cibo e la qualità della vita per gli uomini.

● **PROMUOVERE** un nuovo modello alimentare, rispettoso dell'ambiente, delle tradizioni e delle identità culturali, capace di avvicinare i consumatori al mondo della produzione.

FILOSOFIA

La filosofia di Slow Food parte dalla riscoperta del piacere alimentare *dotto*[9], sensibile, condiviso e responsabile. Dire piacere alimentare significa ricercare le produzioni lente, ricche di tradizione e in armonia con gli ecosistemi; significa difendere i *saperi*[10] lenti, che scompaiono insieme alle culture del cibo; significa lavorare per la sostenibilità delle produzioni alimentari e quindi per la salute della Terra e la felicità delle persone.

Slow Food è *consapevole*[11] che uno dei *nodi*[12] centrali è il sistema di produzione, di distribuzione e di consumo del cibo.

Stando dalla parte di chi produce, distribuisce e consuma in maniera buona, pulita e giusta il sistema può cambiare, e renderci tutti più felici, non frenetici, non omologati, non soli.

Lentamente, Slow Food lavora per avere più bellezza, più piacere, più diversità nel mondo. Perché tutti possano *godere*[13] del loro territorio e dei suoi frutti, perché tutti abbiano diritto alla propria libertà alimentare, in piena *fratellanza*[14] e nel rispetto del pianeta su cui viviamo.

(da *www.slowfood.it*)

[1]*involves;* [2]*onslaught;* [3]*regarding wine and food;* [4]*jaded;* [5]*control;* [6]*fights;* [7]*enjoyment;* [8]*safeguard;* [9]*educated;* [10]*wisdom (pl);* [11]*aware;* [12]*knot, nexus;* [13]*to enjoy;* [14]*brotherhood.*

Leggendo questo testo che impressione hai dell'Associazione Slow Food? Secondo te Slow Food è o non è legata a caratteristiche culturali e sociali tipicamente italiane?

■ **L'ITALIA IN RETE** *Esplora il sito italiano di Slow Food o cerca notizie in rete su Slow Food Italia. Vediamo se alla fine delle tue ricerche la tua impressione su Slow Food cambierà o no.*

www.slowfood.it

Mens sana ...

1 Lessico - Ho mal di ...

a. Che problema hanno queste persone? Osserva i disegni e abbinali al problema corrispondente.

a.

b.

c.

d.

e.

f.

1. Ho un terribile mal di denti!
2. Sono stato troppo tempo al sole e mi sono scottato.
3. Sono stanca e stressata, dormo male e ho spesso mal di stomaco.
4. Ho problemi alla schiena.
5. Ho un'allergia al polline. Ho già preso diverse medicine, ma non è servito a niente!
6. Mi gira spesso la testa e mi bruciano gli occhi. Forse ho bisogno degli occhiali.

b. E adesso, a coppie, decidete dove devono andare queste persone per risolvere il loro problema.

1.

2.

3.

4.

5.

6.

2 Lessico - Parti del corpo

Scrivi negli spazi le parti del corpo corrispondenti.

La bocca	L'occhio	Il collo	La pancia	La gamba	Il naso

La schiena	La testa	Il dito	L'orecchio	La spalla	La mano

Il labbro	Il petto	Il ginocchio	Il fianco	Il piede	Il braccio

3 Ascolto - In farmacia

a. Chiudi il libro, ascolta il dialogo e poi confrontati con un compagno.
b. Ascolta ancora il dialogo e metti una X sui disturbi che ha l'uomo e sui consigli che gli dà il farmacista.

Disturbi		Consigli	
mal di stomaco	mal di schiena	mettere una crema solare	mangiare cose leggere
mal di testa	allergia	prendere un'aspirina	non bere alcolici
mal di pancia	raffreddore	bere bibite fredde	mettere una pomata
mal di denti	irritazione alla pelle	chiamare il medico	non andare al sole

Leggi il testo.

VADEMECUM PER LO STRANIERO CHE LAVORA IN ITALIA

Buongiorno!

In questo momento ha ricevuto un permesso di soggiorno che Le permette di lavorare in Italia. Abbiamo pensato quindi di informarLa sui servizi che lo Stato Italiano mette a Sua disposizione nel caso si trovasse in particolari momenti critici durante il lavoro.

INCIDENTE SUL LAVORO

Ogni volta che si fa male in occasione di lavoro:
- Vada al Pronto Soccorso o si rivolga al medico curante che Le rilascia il primo certificato medico.
- Consegni una copia al Suo Datore di Lavoro che, una volta avvisato del Suo infortunio, farà la denuncia all'INAIL **entro 48 ore.**

Sappia che nel periodo di infortunio non può lavorare in quanto rischia di perdere l'indennità di infortunio.

MALATTIA

Ricordi che è Suo diritto avere la tessera sanitaria e un medico curante.

In caso di malattia:
- Vada dal Suo medico per farsi rilasciare il certificato di malattia.
- Spedisca all'INPS una parte del certificato compilato e firmato.
- Avverta il Suo datore di lavoro del periodo di assenza dal lavoro.

Se alla fine dei giorni concessi sta ancora male, ritorni dal Suo medico per prolungare il periodo di malattia.

Si ricordi che quando è in malattia deve rimanere in casa - dalle 10.00 alle 12.00 e dalle 17.00 alle 19.00 - **presso l'indirizzo che ha in Italia e ha indicato sul certificato.**

GRAVIDANZA

Se è una lavoratrice e si trova in stato di gravidanza, per tutti i Suoi diritti chieda all'Azienda Sanitaria e ai Sindacati.

Non dimentichi che durante il periodo di gravidanza e fino al compimento del primo anno di vita del Suo bambino,
il Suo datore di lavoro non La può licenziare!

(da www.stranierinitalia.it)

5 Riflettiamo - Imperativo formale

a. Cerca nel vademecum le forme verbali usate per dare delle istruzioni (imperativo formale) e completa la tabella.

infinito	imperativo (Lei)
consegnare	
ricordare	
spedire	
avvertire	

infinito	imperativo (Lei)
ritornare	
chiedere	
dimenticare	

b. Osserva le forme verbali che hai trascritto e completa lo schema della coniugazione regolare dell'imperativo singolare.

	-ARE	-ERE	-IRE	-IRE (-ISC)
TU	-A	-I	-I	-ISCI
LEI	....	....	....	....

*c. Ora completa lo schema cercando nel testo del vademecum le forme irregolari dell'**imperativo** singolare formale di **andare** e **sapere**.*

infinito	imperativo (Lei)
andare	
venire	*venga*
dire	*dica*

infinito	imperativo (Lei)
sapere	
fare	*faccia*
bere	*beva*

6 Riflettiamo - Imperativo formale

CD 8
a. Riascolta il dialogo dell'attività 3 e completa il testo con i verbi ed i pronomi mancanti.

● La stanno già servendo?

■ No, veramente no.

● _____, allora.

■ Sì, _____, è da ieri che mi sento un po' strano, ho mal di testa, mal di pancia ...

● Ha mangiato qualcosa che Le ha fatto male?

■ No, direi di no. E poi, _____, da stamattina ho anche quest'irritazione alla pelle.

● _____ vedere.

■ _____, qui sulle braccia e sulla schiena soprattutto.

● È allergico a qualcosa?

■ No.

● _____ qui, _____ vedere meglio. Hmmm, è stato molto tempo al sole?

■ Beh, sì, però ho messo una crema solare.

● Lo so, ma a volte non basta. Potrebbe essere un colpo di sole o forse ha bevuto una bibita troppo fredda.

■ Hmmm, sì, può darsi ...

● Allora, _____, per un paio di giorni _____ in bianco, _____ alcolici e naturalmente _____ al sole. Le do anche una pomata per la pelle. _____ due o tre volte al giorno.

■ Va bene, d'accordo.

● Se tra qualche giorno poi non si sente ancora bene, _____ a un medico.

b. Noti delle differenze tra l'imperativo formale e quello informale? Parlane con un compagno.

7 Esercizio orale - Si riposi!

*Queste persone non si sentono molto bene. Lavora con un compagno e sulla base del loro problema dategli dei consigli. Usate le frasi qui sotto, coniugando il verbo all'**imperativo** formale.*

sono raffreddato

ho mal di pancia

ho mal di testa

andare dal dentista	leggere	dormire molto	restare a casa	non bere alcolici	fare yoga
non guardare la TV	riposarsi	prendere un'aspirina	non fumare	fare un bagno caldo
bere un tè caldo	rivolgersi a un medico	non lavorare	mangiare in bianco	mettersi a letto

Mens sana ...

4

8 Esercizio scritto - Per star bene anche in vacanza
Completa lo schema secondo il modello.

In vacanza io:

Metto sempre una crema per il sole.   *La metta anche Lei!*

Mi diverto.   ....

Metto un cappello se vado in spiaggia.   ....

Evito le ore molto calde.   ....

Porto sempre dei medicinali.   ....

Evito cibi troppo grassi.   ....

Mi rilasso.   ....

Faccio spesso sport.   ....

Porto delle scarpe comode.   ....

9 Lettura - Si fa presto a dire "medicina alternativa"!
Leggi il testo.

Mi ricordo mia nonna: quando stava male voleva a tutti costi la "pillola". Una volta che il medico gliela prescriveva e lei, scrupolosamente, la prendeva, il più era fatto, si sentiva guarita.

5   Io sono peggio di lei: a me basta addirittura andare in farmacia, pagare le medicine e mi sento meglio prima ancora di prenderle. Da questo punto di vista sarei un ottimo soggetto per la medicina alternativa, nel senso che sarei sensibilissimo all'effetto psico-placebico.

Il problema però è che bisognerebbe che prima mi convincessi della bontà di queste discipline mediche.

10   Devo dire che me le hanno consigliate un po' tutte. E poi, parlando con amici medici, ne ho sentite di tutti i colori, poiché ho amici di tutte le tendenze terapeutiche.

Cominciamo dall'omeopatia. Ho amici naturopati che me la propongono, altri amici medici "tradizionali" che si sganasciano dalle risate al solo sentir parlare di omeopatia: alcuni dicono che non fa niente, altri sostengono che potrebbe addirittura fare male.

15   Boh. E io che ne so? Di una cosa mi sono convinto (a torto o a ragione): che la medicina allopatica magari è velenosa, ma è efficace prima, quella omeopatica forse ha meno effetti collaterali, ma ha bisogno di più per farti guarire da un sintomo. Allora faccio così: quando sento che una malattia leggera sta per arrivare, ma non ne sono tanto sicuro, allora chiedo un rimedio al mio omeopata. Lui me lo prescrive e io seguo scrupolosamente le dosi ed i tempi di assunzione. Quando invece sto male-male ricorro alle medi-
20   cine chimiche-sintetiche-allopatiche.

Se poi sono impegnato in un lavoro che non posso rimandare, allora è anche peggio: sarei disposto a consultare un veterinario, chiedergli antibiotici da cavallo e prenderli senza esitazione. Poi mi pento perché mi sembra di consumare la mia salute sacrificandola all'efficienza immediata, ma questo è un altro discorso (per cui mi serve la mia analista).

Patrizio Roversi
(da *www.rolfing-italia.it*)

10 Parliamo - Omeopatia o allopatia?

Qual è il tuo rapporto con la medicina? Di solito quando stai male come ti curi?
Prendi spesso dei farmaci o preferisci i rimedi naturali? Parlane con un compagno.

11 Riflettiamo - Pronomi combinati

a. Nel testo precedente puoi vedere alcune frasi in cui sono contenuti due pronomi
contemporaneamente. Cercali e indica al posto di quali parole sono usati.

riga	Pronome doppio	Al posto di …
2		
10	**Me le** hanno consigliate	Mi (a me) + le (le discipline mediche)
12		
18		

b. Inserisci nella tabella le forme trovate nel testo.

		PRONOMI DIRETTI			
	+	LO	LA	LI	LE
PRONOMI INDIRETTI	MI				
	TI			Te li	
	GLI/LE				
	CI	Ce lo			
	VI				Ve le
	GLI			Glieli	

c. Completa la tabella precedente deducendo le forme mancanti.

12 Esercizio scritto - Pronomi combinati   [G] 12.6

Trasforma le frasi seguenti secondo l'esempio.

Es: Preparo un bagno caldo al bambino. ➝ **Glielo** preparo.

Ti suggerisco questa cura. ....

Mi proponete dei massaggi. ....

Prescrivono le medicine ai pazienti. ....

Vi consiglio alcune analisi. ....

Ci prenoti una visita specialistica. ....

Richiediamo le vaccinazioni ai turisti. ....

13 Esercizio orale - Imperativo formale e pronomi combinati

Lavora con un compagno. A turno uno studente fa la domanda e l'altro risponde in base all'indicazione tra parentesi, come nell'esempio.

> Es: Quando devo dare lo sciroppo al bambino?   *(due volte al giorno)*
> Glielo dia due volte al giorno!

Quando Le devo mettere la crema?   *(dopo la doccia)*

Quando devo misurare la febbre ai bambini?   *(ogni tre ore)*

Quando vi devo cambiare le bende?   *(ogni sera)*

Quando devo dare le compresse al paziente?   *(dopo i pasti)*

14 Parliamo - Dai!

A coppie scegliete un ruolo e improvvisate una conversazione.

A

Sei una persona che soffre di emicrania. Hai provato tantissime cure differenti, sei andato da tutti gli specialisti, ma non hai trovato una soluzione definitiva. Quando stai molto male prendi una medicina che funziona contro il mal di testa, ma che ti provoca forti bruciori di stomaco. Vorresti trovare una soluzione definitiva senza effetti collaterali.

B

Da qualche mese hai cominciato a curarti con la medicina omeopatica. Ti piace molto l'approccio del tuo medico, ti senti ascoltato e ti sembra di poter capire meglio il tuo corpo. Convinci il tuo compagno dell'efficacia della medicina naturale.

15 Ascolto - Faccia un po' di sport!

CD 9

a. Chiudi il libro, ascolta il dialogo e poi confrontati con un compagno.
b. Ascolta il dialogo e scegli le affermazioni corrette.

1. Il signor Natta ha problemi di

mal di schiena ☐   *mal di denti* ☐   *mal di testa* ☐

2. Il signor Natta parla con

il suo vicino di casa ☐   *il suo dottore* ☐   *un suo amico* ☐

3. Il signor Natta vuole

giocare a tennis ☐   *giocare a calcio* ☐   *fare Tai Chi* ☐

16 Riflettiamo - Comparativi e superlativi

⌐G 16.2 - 16.4

a. Riascolta la conversazione dell'attività precedente e completa le frasi, scegliendo tra le due parole quella usata nel dialogo.

● Allora, signor Natta, come va con la schiena? Un po' **migliore/meglio**?
■ Macché! Mi fa sempre **cattivo/male**.

● Mi sembra **un'ottima/una buona idea!** E che sport vuole fare?

● Hmm ... correre però non fa tanto **buono/bene** alla schiena.

● Io avrei un'idea **migliore/meglio**. Perché non viene a fare Tai Chi con me?

● (...) Anch'io prima ero sempre stressato, ma da quando faccio Tai Chi mi sento **benissimo/buonissimo**.

b. Ora inserisci le parole che hai selezionato nei seguenti schemi.

	Forma base	comparativo	superlativo
aggettivo	buono	....	....
avverbio	....	....	....

	Forma base	comparativo	superlativo
aggettivo	cattivo	peggiore	pessimo
avverbio	....	peggio	malissimo

17 Combinazioni - Meglio o migliore? Benissimo o ottimo?

*Forma delle frasi con **meglio**, **migliore**, **benissimo** o **ottimo** come nell'esempio.*

a. Se si hanno problemi di stomaco è	**benissimo**	alla pelle.
b. Per rilassarsi la cosa	**benissimo**	è l'acqua naturale.
c. Fare yoga è un	**meglio**	è andare in vacanza.
d. Quando si ha sete la bibita	**meglio**	modo per rilassarsi.
e. La sauna fa	**migliore**	sport.
f. La prima volta che si va al mare è	**migliore**	alternativa alla medicina tradizionale.
g. Per la schiena il nuoto è un	**ottima**	alla schiena.
h. L'omeopatia è un'	**ottimo**	non bere alcolici.
i. Nuotare fa	**ottimo**	stare poco al sole.

18 Lettura - Tempo di sport

a. Leggi il testo.

Arriva l'estate e gli italiani si scoprono sportivi (sono 34 milioni gli italiani che praticano attività sportive nei mesi estivi contro i 24 milioni che le praticano tutto l'anno). I parchi si riempiono di gente che corre (anzi fa jogging), le palestre di persone che fanno ginnastica e le strade di campagna di ciclisti che pedalano.
Certo, l'ideale sarebbe fare sport regolarmente, non solo in estate, in ogni modo, se volete cominciare anche voi, non importa con quale sport, ecco alcune regole da seguire:
- Scegliete lo sport in base all'età, alla costituzione fisica e ai vostri gusti.

- Prima di cominciare fate un controllo medico.
- Cominciate lentamente e se vi sentite stanchi fermatevi, lo sport dovrebbe essere un piacere e non una tortura.
- Non andate a fare sport a stomaco vuoto, potrebbe essere pericoloso.
- Bevete molta acqua e non aspettate la sete, bevete sia durante l'attività fisica che dopo.
- Durante l'esercizio fisico evitate abiti troppo pesanti e abiti in plastica.
- Non sottovalutate l'importanza delle scarpe da ginnastica. Compratele adatte al tipo di sport che avete scelto.

(da *Salute, supplemento de la Repubblica*)

b. Sottolinea nel testo le frasi che corrispondono ai disegni.

c. Aggiungeresti dei consigli? Parlane con un compagno.

19 Riflettiamo - Imperativo informale plurale

 5

*a. Sottolinea nel testo tutte le forme all'**imperativo** plurale (voi). Noti delle differenze con il presente indicativo?*

b. Che differenze noti rispetto all'imperativo informale singolare?

c. In che posizione si trovano i pronomi?

20 Esercizio orale - Consigli per voi

Lavora con un compagno. Date alcuni consigli ad amici che..:

- vogliono dimagrire
- vogliono smettere di fumare
- vogliono essere in forma

- vogliono conoscere le medicine naturali
- vogliono cominciare a praticare uno sport

21 Esercizio scritto - Riscrittura al plurale

Riscrivi i consigli che hai letto nella lezione precedente immaginando di rivolgerti a tutti i ragazzi e non ad uno in particolare.

Consigli per conquistare una ragazza

Se sei timido, ma per certi versi romantico, fa' il misterioso e portale una rosa rossa, abbinata alla frase giusta.

Come e di cosa parlare

Chiedile cosa pensa di un dato argomento in maniera neutra es. *"tu cosa pensi di..."*, *"hai mai sentito parlare di..."*.
Parla di persone "stupide" o "comiche" che conosce anche lei (professori, amici, ecc.).
Tenta con il *"sai cosa mi è capitato ieri di incredibile?"* e raccontale le piccole anomalie della tua giornata come fatti assurdi o incredibili.

Che cosa si deve evitare in tutti i modi

Non parlare a lungo di un argomento se ti accorgi che lei non interviene. I casi sono due, o si annoia, o non conosce la materia; cambia immediatamente discorso.
Non parlare sempre della stessa cosa.
Non interrompere il discorso con il "trillo" assordante del tuo cellulare.
Non ripeterti (non devi essere noioso).
Non raccontare la tua vita.
Non parlare di calcio e di tutti quegli "sporchi" argomenti squisitamente maschili.

Se **siete** timidi.......................................
....

Come e di cosa parlare
....
....
....
....
....

Che cosa si deve evitare in tutti i modi
....
....
....
....
....
....
....

22 Scriviamo - Non si preoccupi!

Immagina di essere un medico, leggi la lettera seguente e scrivi la risposta dando alla ragazza alcuni consigli utili.

Caro dottore,
sono una studentessa universitaria di 22 anni. In questo periodo sono sottoposta ad un grande stress a causa dei numerosi esami che devo sostenere e che richiedono grandi energie e una particolare resistenza fisica per affrontare le lunghe ore di studio. Vorrei chiederLe se può consigliarmi una dieta particolare o l'assunzione di integratori specifici per stimolare la concentrazione e favorire la memoria.
La ringrazio per l'attenzione
Beatrice (Ancona)

Caffè culturale

■ PER FARCI UN'IDEA

Costituzione della Repubblica italiana

Art. 32

La Repubblica tutela la salute come fondamentale diritto dell'individuo e interesse della collettività e garantisce cure gratuite agli indigenti. Nessuno può essere obbligato a un determinato trattamento sanitario se non per disposizione di legge. La legge non può in nessun caso violare i limiti imposti dal rispetto della persona umana.

La Costituzione italiana sancisce il diritto alla salute gratuita per tutti gli individui presenti sul territorio. Che cosa ne pensi?

■ CON OCCHI DI STRANIERO

CYNTHIA B.
è nata a Chicago Illinois da genitori italiani. Ha 33 anni e vive a Roma dal 1999. Lavora come coordinatrice degli studenti per una università americana.

Pronto soccorso[1]

Vivendo in Italia quasi da otto anni e lavorando per una università americana, sfortunatamente ho dovuto assistere gli studenti che avevano bisogno di assistenza medica.

La Sanità italiana è per la maggior parte pubblica, ed i "pronto soccorso" funzionano in modo tale da accettare chiunque abbia bisogno di assistenza medica immediata. Questo è indubbiamente un modo molto umano di trattare le persone. Fondamentalmente tu puoi andare in quasi ogni pronto soccorso e chiedere di essere assistito immediatamente. Nessuno ti chiede la tua carta assicurativa o in quale sistema assicurativo tu sia inserito. Al contrario senza dimostrare di avere un'assicurazione sanitaria, in quasi nessun ospedale americano ti farebbero entrare. Questo non è il caso dell'Italia. Poiché ha un sistema sanitario pubblico, le strutture di emergenza trattano prima la persona e poi pensano ai dettagli.

Una studentessa si era tagliata l'indice con una lattina e doveva essere accompagnata al pronto soccorso per mettere i *punti*[2]. Il taglio era piuttosto profondo e lei stava perdendo velocemente molto sangue. Io l'ho immediatamente accompagnata al pronto soccorso di zona, dove è cominciata la lunga attesa. Siamo state ammesse fornendo un documento di identità. Dopo che l'infermiera aveva classificato la studentessa come "straniera americana" ci è stato detto di aspet-

tare il nostro turno. C'erano solo due persone prima di noi ed ho immaginato che la ragazza *sarebbe stata medicata*[3] in poco tempo. Ma mi sbagliavo … pareva che ci fossero molte ambulanze che erano arrivate contemporaneamente e che chiaramente avevano la precedenza sui pazienti in grado di camminare.

Alla fine, dopo due ore, l'uomo anziano che aspettava prima di noi è stato chiamato. Non sembrava stare male, ma era chiaro che non si sentisse troppo bene visto che indossava le *ciabatte*[4]. Dopo un'altra ora, è arrivato il turno della signora *incinta*[5]. È passata un'altra ora e mezza. Io mi sono alzata per chiedere se la ragazza sarebbe stata visitata in breve tempo e l'infermiera mi ha detto che c'era un solo dottore *di turno*[6] quella sera e che le ambulanze che erano arrivate avevano la precedenza.

Tre ore e mezza più tardi, la studentessa è stata visitata e le sono stati messi i punti, sei punti per essere precisi. Le hanno fatto una radiografia al dito per essere sicuri che non fosse rotto. Il dottore era estremamente gentile e parlava abbastanza inglese in modo da farsi capire. Ha detto alla studentessa di stare più attenta la prossima volta che avesse aperto una lattina di piselli. Siamo andate via con una ricetta medica per un antibiotico in crema e un appuntamento dopo due settimane per rimuovere i punti… non ci è stato presentato il conto, non ci è stato chiesto niente.

Alla fine, la studentessa ha preferito *recarsi*[7] da un dottore privato per togliere i punti per 50 euro. Non poteva pensare all'eventualità di aspettare un'altra volta per tanto tempo. Ma a volte mi chiedo se più veloce sia meglio, specialmente quando si ha a che fare con la salute di una persona.

[1]*Emergency Room;* [2]*titches;* [3]*would have been treated;* [4]*slippers;* [5]*pregnant;* [6]*on duty;* [7]*to turn to.*

Dopo avere letto il racconto dell'esperienza di Cynthia, quali pensi che siano i pro ed i contro del sistema sanitario italiano?

Liberazione

Intervista a Aldo Morrone, direttore sanitario dell'ospedale San Gallicano di Roma.

Il medico dei migranti: "Oltre alla cura ci vuole dialogo"

di IDA SCONZO

"La salute è un *diritto*[1] universale. Questo deve essere l'impegno di tutti verso una sanità pubblica, solidale, gratuita, che permetta a ciascun individuo di poter star bene ".

In Italia il diritto alla tutela della salute è garantito dall'articolo 32 della Costituzione. Successivi decreti e ordinanze hanno riconfermato il diritto alle cure anche per le persone che sono in attesa di regolarizzare la propria posizione. Ogni cittadino straniero senza permesso di soggiorno può accedere a visite, analisi, cure e ricoveri senza dover declinare le proprie *generalità*[2]. Al paziente non iscritto al Servizio Sanitario Nazionale e non regolarizzato viene attribuito un numero di 16 cifre, simile a un *codice fiscale*[3] che identifica la regione e l'ospedale che ha prestato assistenza e un numero progressivo che identifica la persona.

"Il vero problema - ci ha spiegato Ottavio Latini, ricercatore del San Gallicano - è che non c'è sufficiente informazione. Da noi arriva tanta gente grazie al *passa-parola*[4]. Molte donne immigrate non sanno che possono *partorire*[5] negli ospedali e decidere se tenere o no il bambino. Non sanno di avere gli stessi diritti delle mamme italiane". La struttura diretta da Morrone ha una lunga storia alle spalle e fin dall'inizio *ha* sempre *rivolto*[6] un'attenzione particolare alla Medicina delle Migrazioni. "Quello che ci distingue da altri centri è l'*approccio*[7] con la gente; noi, grazie ai numerosi specialisti volontari, non cerchiamo *soltanto*[8] di dare risposte a problemi sanitari, ma cerchiamo di dare una risposta anche solo ascoltando a problemi di solitudine, nostalgia, lontananza dalla famiglia. - spiega la dottoressa Teresa d'Arca, medico specialista in malattie infettive, igiene e medicina preventiva, con lunga esperienza di volontariato in Asia, Africa e America Latina.

Da dove provengono i pazienti che si rivolgono al San Gallicano? Nell'ultimo anno il 26,3 per cento dei pazienti proviene dall'Africa, il 14 per cento dall'America Latina, dall'Asia il 20. Significativo l'aumento di pazienti provenienti dall'Europa dell'Est che oggi rappresentano il 38,4%. Il 10% degli *assistiti*[9] ha un'età compresa fra gli zero e i dodici anni, mentre il 69% è fra i 13 e i 40 anni.

Aldo Morrone

(da *www.liberazione.it*)

All'interno dell'ospedale San Gallicano viene praticata la cosiddetta medicina interculturale, secondo te di che cosa si tratta?

[1] *right;* [2] *personal data;* [3] *fiscal code, similar to US Social Security Number;* [4] *word of mouth;* [5] *to give birth;* [6] *dedicated;* [7] *approach;* [8] *only;* [9] *those assisted.*

■ L'ITALIA IN RETE

Google™ Italia

Web   Immagini   Gruppi   Directory   News   **altro »**

Ministero della Salute + stranieri

(Cerca con Google)   (Mi sento fortunato)

Il sistema più completo per la ricerca di immagini su Web.

Immagina di dover passare un anno a Roma per lavoro. Hai bisogno di sapere cosa fare per avere l'assistenza sanitaria.

Cerca su internet informazioni.

Do you speak Italian?

1 Lettura - Io imparo…

Metti una X sulle affermazioni che ti riguardano.

Io imparo una lingua straniera …
per soddisfazione personale ☐
per comprendere una cultura diversa ☐
per comunicare sul lavoro ☐
per parlare con amici ☐
per arrangiarmi quando sono all'estero ☐

Il mio obiettivo è …
partecipare a una conversazione ☐
saper comunicare in situazioni quotidiane (ristorante, bar, negozi, ecc.) ☐
leggere giornali, riviste o libri ☐
leggere documenti ufficiali ☐
guardare film o programmi televisivi ☐
scrivere lettere o e-mail ☐

Come valuti il tuo livello di conoscenza dell'italiano? (1 = discreto; 2 = buono; 3 = molto buono)

parlare __   grammatica __
capire __   vocabolario __
scrivere __   pronuncia __

Secondo te, quali attività sono importanti per imparare una lingua straniera?
Esprimi il tuo parere parlando con un compagno.

2 Ascolto - Toglimi una curiosità!

CD 10

a. Chiudi il libro, ascolta il dialogo e poi confrontati con un compagno.
b. Ascolta ancora il dialogo e rispondi alle domande.

1. In quanto tempo ha imparato l'italiano Stefan?
2. Che lingua studia il collega italiano? E da quanto tempo?
3. Che difficoltà ha il collega italiano?
4. Che cosa pensa Stefan dell'apprendimento delle lingue straniere?

3 Lettura - Il progetto Erasmus

Le università europee attraverso il progetto Erasmus offrono agli studenti la possibilità di seguire corsi e sostenere esami in università estere. Leggi i racconti di tre studenti che hanno scelto di fare questa esperienza.

Simone, *studente di scienze politiche*
Erasmus a Tromso - semestre 2004
Sono Simone e sono stato da gennaio a giugno del 2004 in Erasmus a Tromso, nella Norvegia del Nord.
5 Devo dire che ero stato già a Tromso prima di allora per ragioni personali, e l'interesse che la città mi aveva suscitato ha influito abbastanza nella scelta della mia destinazione Erasmus. L'università di Tromso si definisce orgogliosamente "l'università più
10 a nord del mondo", è un' università piccola, fondata una trentina di anni fa, concentrata in un campus e ben organizzata. Sforzarsi di imparare il norvegese facilita moltissimo l'instaurazione di rapporti sociali con la gente del posto, che apprezza tantissimo ve-
15 dere uno straniero che prova a comunicare nella loro lingua, seppure con le dovute difficoltà. Per finire, il paesaggio naturale in cui Tromso è situata è a dir poco fantastico e varrebbe la pena andarci solo per quello! La neve c'è fino a maggio e c'è da nota-
20 re che Tromso, seppure a quella latitudine, gode di un clima relativamente mite grazie all'afflusso della corrente del golfo. Dal 21 maggio comincia il perio-do del sole di mezzanotte che crea un'atmosfera ve-ramente surreale. *(da www.spfo.unibo.it)*
25

Franz, *studente di fisica*
Erasmus a Como - autunno 2002
Mi chiamo Franz, ho 24 anni e studio fisica ad Augsburg. Dopo il mio *"Vordiplom"*, (un esame in-
30 termedio che si fa dopo 4 semestri), sono andato nell'autunno 2002 a Como per fare l'Erasmus, per un anno.
All'inizio era molto difficile parlare e capire l'italiano (avevo studiato italiano solo l'anno prima), ma il
35 corso d'italiano (di 40 ore) che è stato organizzato dall'università mi ha aiutato molto. Dopo 2 mesi i grandi problemi con la lingua erano passati, anche grazie all'aiuto degli altri studenti che hanno avuto

40 una pazienza grandissima con me. In generale si deve dire che gli italiani hanno sempre pazienza quando vedono che qual-cuno sta provando a par-
45 lare la loro lingua.
La lingua dei corsi era l'italiano, ma era molto facile capire perché ci si doveva concentrare solo su una persona che stava parlando. La disponibilità dei do-centi era buona, non avevo mai problemi per parlare
50 con un professore perché avevano sempre tempo per me. *(da www2.uninsubria.it)*

Francesco, *studente di economia*
Erasmus a Madrid - 2004-2005
55 All'arrivo non ho avuto particolari problemi, all'aero-porto c'è una linea di metropolitana che in 20 minu-ti ti porta direttamente in centro. Non avevo ancora trovato casa, ma alla partenza avevo già preso con-tatti per vedere alcuni appartamenti; le prime due
60 notti le ho passate in ostello e dopo un paio di visite ho trovato sistemazione in un appartamento con altri 4 studenti, 2 ragazze spagnole, un ragazzo fran-cese e un altro ragazzo italiano.
La mia vita quotidiana si svolgeva all'interno dell'uni-
65 versità dal lunedì al giovedì, sia per seguire i corsi, ma anche e soprattutto per le moltissime persone che conoscevo e con cui passavo la maggior parte del tempo, poi tornavo a casa: cene insieme con amici e amiche di tutti e 5, grandi chiacchierate e
70 grandi risate... e i fine settimana "fiesta"!
Il fatto di abitare, seguire dei corsi, esprimersi in un altro paese e in un'altra lingua sono sicuro che mi darà una marcia in più in un futuro lavorativo e non solo. È difficile raccontare in poche parole quello
75 che mi ha dato e può dare un'esperienza così, la maniera migliore per capire è viverla!!
(da www2.uninsubria.it)

Cosa pensi del progetto Erasmus?
In quale di queste tre città preferiresti passare un semestre e perché?
Secondo te quali sono gli aspetti negativi e positivi dello studiare in un altro paese?
Parlane con un compagno.

4 Riflettiamo - Il Trapassato prossimo $\boxed{\text{G}}$ 4.4

a. *Nei testi che hai letto, oltre al passato prossimo e all'imperfetto, viene usato per 6 volte un tempo composto, formato dall'imperfetto di* **avere** *o* **essere** *più il participio passato.*
Questo tempo verbale si chiama **trapassato prossimo**, *trova le forme e trascrivile qui sotto.*

1. _____   4. _____

2. _____   5. _____

3. _____   6. _____

b. *Lavora con un compagno e provate a spiegare quando si usa il* **trapassato prossimo**. *Scrivete qui sotto la vostra ipotesi.*

....

....

....

5 Esercizio scritto - Trapassato prossimo

Collega le frasi e coniuga al **trapassato prossimo** *i verbi indicati tra parentesi.*

1. Prima di trasferirmi a Parigi

2. Quando siamo arrivati al cinema, il film

3. No, Franco non l'ho visto,
   quando sono arrivato

4. Quando sono arrivata in classe

5. Quando sono arrivati alla stazione

6. Ieri sera quando sono arrivata a casa

7. Sono andato in biblioteca per restituire

8. Ho guardato l'orologio e ho visto che

(uscire) _____ già _____.

i libri che *(prendere)* _____ _____ un mese fa.

(fare) __avevo__ già __fatto__ diversi corsi di francese.

(passare) _____ già _____ un'ora.

la lezione *(finire)* _____ _____ da cinque minuti.

il treno *(partire)* _____ già _____.

purtroppo *(cominciare)* _____ già _____.

mio marito *(preparare)* _____ già _____ la cena.

6 Esercizio orale - Intervista

Lavora con un compagno e chiedigli:

- se aveva già studiato italiano al liceo,
- perché lo studia,
- se parla un'altra lingua straniera oltre all'italiano,
- dove l'ha imparata,
- quanto ci ha messo a impararla,

- se è stato più semplice che imparare l'italiano,
- se si è mai trovato in situazioni in cui non è riuscito a dire nemmeno una parola,
- se ha mai sognato in una lingua straniera.

Es: ● *Avevi già studiato italiano al liceo?*
■ *Sì, avevo frequentato un corso di italiano durante l'ultimo anno. E tu?*
● *No, non l'avevo mai studiato prima.*

Do you speak italian?

5

7 Trascrizione - Chiedere ulteriori informazioni

Ora riascolterai molte volte un brano della conversazione che hai ascoltato nell'attività 2.
Prova a trascrivere tutto quello che ascolti.

● *Senti Stefan, toglimi una curiosità,* ....
....
■ ....
● ....?
■ ....
.... *Amsterdam.*

8 Parliamo - La lingua più utile

Qual è, secondo te, la lingua più importante
da imparare? Perché?
Parlane con un compagno.

9 Esercizio scritto - Passato prossimo, imperfetto, trapassato prossimo

Completa il testo di Francesco con i verbi tra parentesi coniugati al **passato prossimo**, **imperfetto** *e* **trapassato prossimo**.

Francesco, studente di economia
Erasmus a Madrid - 2004-2005

All'arrivo non *(avere)* _____ particolari problemi, all'aeroporto c'è una linea di metropolitana che in 20 minuti ti porta direttamente in centro. Non *(trovare)* _____ ancora _____ casa, ma alla partenza *(prendere)* _____ già _____ contatti per vedere alcuni appartamenti; le prime due notti le *(passare)* _____ in ostello e dopo un paio di visite *(trovare)* _____ sistemazione in un appartamento con altri 4 studenti, 2 ragazze spagnole, un ragazzo francese e un altro ragazzo italiano.
La mia vita quotidiana *(svolgersi)* _____ all'interno dell'università dal lunedì al giovedì, sia per seguire i corsi, ma anche e soprattutto per le moltissime persone che *(conoscere)* _____ e con cui *(passare)* _____ la maggior parte del tempo.

Leggi il seguente testo.

Do you speak Italian?

5

Imparare delle nuove lingue costa tempo e sforzi.
Ma tutti possono farlo, e ne vale certamente la pena.
Anche conoscendo solo un paio di parole riceverete un benvenuto molto più caldo quando viaggerete per vacanze o per affari.
Non dimentichiamo che l'Europa è un posto ideale per imparare le lingue, affollata com'è di comunità linguistiche e di culture che vivono l'una accanto all'altra.
L'inglese può essere utile, ma non basta.
Capirete molto meglio le persone e quello che vi succede intorno conoscendo un pochino la loro lingua.
Pianificate il vostro studio linguistico in maniera adeguata a voi e al modo in cui è organizzata la vostra giornata.
Così studiare sarà più facile.

Studiare nel vostro paese di residenza

Per molte persone la soluzione ideale sono i corsi da frequentare una o due volte alla settimana.
Studiare in gruppo può essere divertente, potete trovare dei partner con cui studiare al di fuori dei corsi.

Studiare all'estero

Se frequenterete un corso di lingua all'estero sarete circondati dalla lingua e dalla cultura, entrerete in contatto con i locali e conoscerete il loro modo di vivere.

Trovare i corsi

Di solito le coordinate delle scuole di lingua private si trovano negli elenchi telefonici.
La maggior parte dei centri urbani possiede enti di istruzione per adulti che offrono corsi di lingue.
Spesso le autorità locali e le Camere di commercio organizzano corsi o almeno sanno chi li offre.
Per chi non vive vicino a una buona scuola o preferisce lavorare da solo, sono disponibili numerose opportunità per l'apprendimento a distanza, messe a disposizione da enti regionali di istruzione per adulti o da università [...].

Consigli pratici

Non cercate di imparare tutto in un colpo solo. Ponetevi degli obbiettivi chiari e realistici e seguite il vostro ritmo.
Siate aperti nei confronti di nuovi modi di imparare - nuovi metodi e nuove tecnologie vi possono aiutare.
Non abbiate paura di fare errori. Potete gradualmente lavorare per ridurli. Quel che importa è farvi capire.
Rivedete regolarmente quello che avete studiato e osservate i vostri progressi.

Leggere e ascoltare

Leggere e ascoltare molto è importante. Più ascolterete, meglio parlerete. Leggere aiuterà a scrivere meglio.
Leggete e ascoltate testi in cui la lingua sia usata in maniera naturale (giornali, TV, radio).
Ricordate che per capire il succo del discorso non bisogna capire ogni singola parola.
Controllate i vostri progressi. Ritornate su temi su cui avete gia lavorato. Vi sembrano più facili?

Scrivere

Cercate di trovare opportunità per comunicare per iscritto - e-mail, cartoline, lettere, ecc.

Parlare

Se andate in un paese in cui si parla la lingua che studiate , ma le persone vi si rivolgono nella vostra lingua o in inglese, spiegate che preferite parlare la loro lingua.
Memorizzate le frasi che vi serviranno più spesso - incontrando persone, facendo shopping, ecc.
La maggior parte delle persone non raggiunge mai un accento perfetto in un'altra lingua.
Ma non è grave, l'importante è farsi capire.

(dall'*Opuscolo informativo della Commissione Europea / Direzione generale per l'istruzione e la cultura*)

11 Parliamo - E tu?

Con quali dei consigli dati sei d'accordo? Quali segui e quali no e perché?
Ne aggiungeresti degli altri? Parlane con un compagno.

12 Riflettiamo - I pronomi relativi

[G] 14.1 - 14.2

a. Sottolinea tutti i "che" presenti nel testo dell'attività 10.

b. In italiano "che" può avere funzione di congiunzione o di pronome relativo. Analizza "che" con
   funzione di pronome e completa la tabella seguente.

frase	"che" si riferisce a ...
di comunità linguistiche e di culture **che** vivono	comunità linguistiche e culture

c. Oltre a "che" in italiano esiste un altro pronome relativo,"cui". Cerca nel testo tutte le frasi dove è
   usato e completa la tabella seguente.

frase	"cui" si riferisce a ...
al modo in **cui** è organizzata	modo

d. Che differenza c'è secondo te tra "che" e "cui"? Discutine con un compagno.

e. I pronomi "che" e "cui" possono riferirsi a:

a. cose ☐

b. persone ☐

c. cose e persone ☐

Do you speak Italian? **5**

13 Esercizio scritto - Pronomi relativi

*Unisci le frasi seguenti sostituendo con un **pronome relativo** l'elemento ripetuto, come nell'esempio.*

Es: Ho comprato un nuovo dizionario. Nel nuovo dizionario ci sono molte schede grammaticali.
Ho comprato un nuovo dizionario in cui ci sono molte schede grammaticali.

1. Durante il mio semestre in Italia ho conosciuto molti studenti.
   Gli studenti provenivano da ogni parte del mondo.

2. I miei compagni di corso amavano studiare in una biblioteca.
   Nella biblioteca era possibile prendere in prestito testi di autori italiani contemporanei.

3. Molte persone preferiscono memorizzare liste di parole.
   Potrebbero usare le parole nella vita quotidiana.

4. Per praticare l'italiano guardo molti film.
   I film vengono proiettati nelle arene durante l'estate.

14 Esercizio orale - Pronomi relativi

*Forma delle frasi utilizzando i **pronomi relativi**, come negli esempi.*

corso on-line / provare / interessante
Il corso on-line che ho provato è interessante.
seminario / iscriversi / faticoso
Il seminario a cui mi sono iscritto è faticoso.

compagno / uscire / simpatico   scuola di lingue / studiare / professionale
dizionario / comprare / moderno   semestre in Italia / fare / formativo
insegnante / conoscere / noioso

15 Ascolto - Due italiani all'estero

a. Chiudi il libro, ascolta il dialogo e poi confrontati con un compagno.

b. Ascolta ancora il dialogo e completa la tabella.

Esperienza del ragazzo

Esperienza della ragazza

La ragazza racconta un episodio in cui, a causa di un uso improprio dell'inglese, si è sentita in imbarazzo. Qual è? Parlane con un compagno.

16 Parliamo - Che figuraccia!

Ti è mai capitato di fare una brutta figura o di trovarti in una situazione imbarazzante?
Parlane con un compagno.

17 Scriviamo - Racconta il tuo arrivo all'università

Scrivi un breve testo in cui racconti il tuo primo periodo all'università: emozioni, paure, difficoltà e piaceri di una matricola.

Caffè culturale

Queste immagini rappresentano alcuni momenti delle vita degli studenti nella città di Bologna. Come immagini la loro vita?

▌CON OCCHI DI STRANIERO

REBECCA L. *viene da Manhattan e studia letteratura inglese e italiano all'università. Ha studiato a Bologna per un semestre, durante il quale ha viaggiato (e mangiato) un sacco. Ha vissuto anche a Roma, la sua città italiana preferita.*

Uno studente americano in Italia

Il primo giorno del mio semestre all'Università di Bologna, sono entrata nel mio appartamento e ho sentito una ragazza che parlava da sola, a volte quasi gridando. Ho capito subito che era Maria, la mia *coinquilina*[1] italiana, ed ero *sconvolta*[2]: "Dev'essere pazza!", ho pensato. Quando è uscita dalla camera, mi ha spiegato che aveva un esame il giorno seguente; ecco la mia introduzione al sistema italiano degli esami orali. Abitando con Maria, ho imparato molte cose sulla vita degli studenti italiani. Noi per esempio, non mangiavamo mai Annie's Macaroni & Cheese come fanno gli universitari americani; ogni sera invece preparavamo grandi cene, con i tortellini freschi, fatti a mano dalla nonna della mia amica. Parlavamo per ore di politica e …attenzione: gli studenti italiani sono molto più preparati a discutere e litigare di noi americani, grazie anche agli esami orali! Comunque, ero molto contenta di essere in un luogo in cui gli studenti non hanno sempre fretta. Dopo le lunghissime cene, andavamo in piazza, gli studenti suonavano la chitarra, cantavano, bevevano e giocavano anche a frisbee! Uno spazio che assomigliava in qualche modo ad un campus americano anche se era un luogo più aperto. Lì si incontravano anche persone che non andavano all'università.

C'era una varietà che non si trova nei campus americani, chiusi a chiave! Ma la mia amica mi ha aiutato a capire tanto altro. Per esempio, il sistema universitario è così disorganizzato - e senza e-mail! - che una lezione può essere cancellata senza preavviso. *Non importa*[3] però, perché andare alle lezioni non è obbligatorio. Maria non ci andava mai e leggeva tutto a casa, una studentessa molto indipendente. Anch'io lo sono diventata. Per un esame ho dovuto studiare *Petrarca*, *Machiavelli* e *Calvino*[4] da sola, ma mi è mancato il rapporto stretto tra professori e studenti che c'è nella mia università americana. Maria mi ha spiegato che l'università italiana può diventare come un "parcheggio", alcuni studenti ci mettono tanto tempo per laurearsi. Conosco qualche studente che ha 28 anni e che non si è ancora laureato, e non ha fatto i "gap year". Questo è abbastanza comune e succede per varie ragioni. Per esempio dopo un esame orale, se a uno studente non piace il voto, può rifiutarlo e ridare l'esame più tardi. Le università italiane poi costano molto di meno delle università americane e quindi, i genitori possono pagare le tasse universitarie anche per periodi abbastanza lunghi. Alla fine del corso, gli studenti devono scrivere una tesi, ma a quel punto, dopo tanti esami orali, hanno dimenticato come scrivere. Maria, ha molta paura di scrivere la sua tesi; lei potrebbe raccontarla, ma non scriverla. Anche se l'Università di Bologna fosse "un parcheggio," è un parcheggio bellissimo, dove ho fatto parte di un sistema più libero che dà allo studente l'opportunità di imparare da solo, di esprimersi bene, e di godersi la cultura della piazza, con tanta musica, tanta danza e tanta vivacità.

[1] roommate, apartment-mate; [2] I was scared, upset; [3] It doesn't matter; [4] Petrarca - 14th century poet; Machiavelli - Renaissance author of The Prince, inventor of Political Science; Calvino - 20th century novelist.

Quali aspetti del sistema universitario italiano ti hanno maggiormente colpito positivamente o negativamente?

Studente fuori sede [1]? Ahi ahi ahi...

a cura di Marta Ferrucci

Cosa succede quando nella città nella quale si è nati e si è cresciuti non c'è l'università, oppure non c'è il corso di laurea che si è sempre sognato di studiare? Chi può *permetterselo* [2], chi riesce a convincere i genitori, emigra verso una città universitaria (in genere l'esodo è da sud verso nord, come al solito!) che risponda ai requisiti che si hanno in mente. Ma cosa si trova a dover affrontare concretamente una *matricola* [3] che sceglie un *ateneo* [4] lontano da casa? La maggior parte dei fuori sede rinuncia in partenza ad un *alloggio* [5] presso la Casa dello Studente visto l'esiguo numero di posti messi a disposizione dagli *enti* [6] per il diritto allo studio. Pochissime sono anche le *borse di studio* [7] a sostegno del *reddito* [8] e quindi ci si trova a dover affrontare moltissime spese, e tra queste l'iscrizione all'università e l'*acquisto* [9] dei libri di testo rappresentano solo una piccolissima parte dell'ammontare complessivo.

Invitiamo gli studenti fuori sede di tutta Italia a denunciare pubblicamente i loro disagi.

Manda una mail con tutta la tua storia a marta.ferrucci@studentimediagroup.it

Inviato da: Gianni
Titolo: Re: non è vero

Vivere fuori sede è un'esperienza irripetibile e splendida! Però i problemi sono tanti: dal "problema casa" (affitti *alle stelle* [10] - 190 euro al mese per un posto in una doppia - contratti irregolari o inesistenti, ecc.), al problema "integrazione": spesso gli studenti fuori sede sono visti dalla popolazione come degli "alieni" che non hanno rispetto della città in cui vivono, ma che devono solo essere "*sfruttati*" [11] economicamente.

Per non parlare dei tanti problemi all'interno dell'università, dal professore che *fa il bello e il cattivo tempo* [12] *fregandosene* [13] degli studenti, alle strutture che non funzionano. Ciao!

Inviato da: Davide
Titolo: Pro e contro

Sono uno studente iscritto alla facoltà di economia a Milano e penso che vivere lontani da casa sia un'esperienza unica e irripetibile che comporta vantaggi e svantaggi. I vantaggi sono che si impara a convivere con persone anche molto diverse da noi (io che vengo dal nord condivido la casa con un siciliano e vi assicuro che è un'esperienza che regala sorprese e *spunti* [14] di discussione tutti i giorni). Tuttavia dal punto di vista economico comporta un impegno non indifferente perché oltre all'affitto ci sono le *bollette* [15], i libri di scuola, la spesa da fare ecc... Ciao a tutti!

(adattato da *www.studenti.it*)

---

[1] *Student from out of town;* [2] *to afford it;* [3] *freshman, first-year student;* [4] *university;* [5] *housing;* [6] *agencies;* [7] *scholarships;* [8] *income;* [9] *purchase;* [10] *"in the stars", out of reach;* [11] *exploited;* [12] *moody;* [13] *not caring about;* [14] *topics;* [15] *monthly bills.*

Dopo avere letto le e-mail la tua idea della vita degli studenti universitari italiani è cambiata?

■ L'ITALIA IN RETE

Ti piacerebbe passare un semestre di studio all'università di Bologna?
Vai su www.unibo.it e cerca di scoprire quali corsi vengono offerti, il prezzo delle tasse universitarie e quali sono le procedure accademiche per studiare in Italia.

Vivere in città

1 **Parliamo - Città italiane**

Osserva le foto. Secondo te quali potrebbero essere i lati positivi e i problemi maggiori di vivere in una grande città italiana?

2 **Lettura - Di che città si parla?**

Leggi le descrizioni di queste tre città italiane e prova a indovinare quali sono, scrivendo il loro nome negli spazi vuoti e associando a ogni descrizione una delle foto nella pagina seguente.

Questa città sfugge a ogni definizione. Aristocratica e disordinata, luogo in cui raffinatezza e degrado vivono fianco a fianco, _____ è la città delle grandi contraddizioni.
Cercare di avere il controllo su qualcosa sarebbe il modo peggiore per conoscerla, se ne resterebbe irritati. Invece, seguendo il ritmo si scoprono i lati più sorprendenti e autentici: la disponibilità della gente, la simpatia e la capacità di sorridere anche quando tutto va storto, la teatralità dei gesti e della lingua. Per il resto le bellezze architettoniche e paesaggistiche sono eloquenti: i panorami dalle colline, il fascino dei castelli e del patrimonio artistico. Così a _____ si riesce a perdonare ogni cosa, soprattutto grazie a quel magnifico golfo baciato dal sole e dalle acque di un mare turchese, su cui domina l'imponente vulcano.

Difficile definire i numerosi volti di _____. Più di qualunque altra città italiana è metropoli, polo di attrazione di energie culturali, finanziarie, economiche ed artistiche. Città che si è trasformata da centro industriale a centro artistico e culturale, come dimostrano i progetti di recupero delle ex aree industriali: il quartiere Bicocca, ad esempio, che accoglie le nuove sedi dell'Università, e che fa spazio all'arte nel futuristico Teatro degli Arcimboldi, o l'ex fabbrica della Nestlè, oggi teatro atelier di Armani.
Resiste al tempo la città antica, con le opere di Leonardo e Bramante, le chiese, i musei.
Considerata la città del lavoro e della moda, del traffico e della nebbia, _____ pur non smentendo del tutto questa fama, è capace in realtà di riservare grandi sorprese.

Pensando a _____ la mente si affolla di immagini derivate da cartoline, film e canzoni. Innumerevoli citazioni che contribuiscono ad alimentare idee, suggestioni, sensazioni con cui ciascuno di noi dà forma alla Città Eterna.

Monumentale, magnificente e sempre diversa, così appare _____, come l'immenso palcoscenico di un teatro in cui cambia costantemente la scenografia, trascinando lo spettatore in epoche diverse. Fra le intricate viuzze medievali, le ridondanti piazze barocche, i maestosi monumenti, o dalle alture dei suoi colli, sulle sponde del Tevere e nei parchi archeologici si rinnova la meraviglia negli occhi e nel cuore di chi osserva. Così, immersi in questa nuova condizione, gli aspetti negativi, che pure esistono, si riducono a semplici rumori fuori scena.

(adattato da *www.discoveritalia.it*)

3 Parliamo - Vivere in una grande città italiana

Immagina di doverti trasferire per un anno in una di queste tre città. Quale sceglieresti? E secondo te quali potrebbero essere aspetti negativi e problemi di questa città? Parlane con un compagno.

4 Scriviamo - Indovina che città è

Pensa a una città famosa e scrivine una breve descrizione senza rivelarne il nome, sul modello delle descrizioni che hai letto nell'attività precedente.

5 Ascolto - Sarebbe stato meglio

CD 13   *a. Chiudi il libro, ascolta il dialogo e poi confrontati con un compagno.*

b. Riascolta la conversazione e rispondi alle domande.

1. Di che cosa si lamenta la donna?

2. Di che cosa si lamenta il ragazzo?

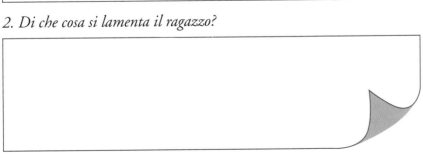

Vivere in città

6

« Ritorno – Un accenno | Main | Milano, traffico e biciclette »

L'Università Humboldt a Berlino

15/09/2005

Uno degli ultimi giorni in cui ero a Berlino sono entrato all'Università Humboldt, davanti alla quale mi è capitato di passare spesso durante le visite a Berlino negli anni passati. Il portone d'ingresso non l'avevo più spinto dal 1995, dieci anni fa, quando me ne ero andato dopo un semestre trascorso a studiarci.

5 Mi sono messo a vagare, cercando di recuperare dalla mia memoria qualcosa che non c'era più. Dov'erano le aule in cui seguivo le lezioni? Ogni tanto mi sembrava di riconoscere qualcosa: la caffetteria, un corridoio a forma di elle con al muro la bacheca degli annunci, un atrio con i distributori automatici di bevande. Davanti alla bacheca con gli annunci delle case in condivisione mi sono fermato a osservare un ragazzo che

10 li leggeva. Forse stava cercando dove stare a Berlino: l'ho invidiato, perché lui iniziava qualcosa che io avevo già finito. (…)

Nel luglio del 1997 si concludeva il mio incarico di assistente di italiano in una scuola del Nordreno-Vestfalia e tornavo in Italia. Il mio errore è stato, in quel luglio del 1997, non andare a Berlino. Allora avrei ancora fatto in tempo. Avevo già terminato l'univer-

15 sità in Italia - diversamente dal febbraio 1995, quando finì la mia borsa di studio per un semestre all'Università Humboldt - e non avevo niente di solido tra le mani.

Non ho rischiato. Non ho voluto rischiare.

Che cosa sarebbe successo se invece...?

Sarei, ora, berlinese da otto anni? Mi sarei davvero integrato in quella città che, undi-

20 ci anni fa, mi faceva gioire e soffrire allo stesso tempo? Chi mi dice che non avrei rimpianto di non essere tornato in Italia? Certo è che, non avrei mai trovato il lavoro che ho ancora adesso; non avrei mai cominciato a tradurre - e non avrei il piccolo capitale di una quindicina di libri tradotti e pubblicati -; non avrei mai nemmeno conosciuto M.S., con il quale sono comunque stato più di cinque anni; non avrei comprato la

25 casa in cui abito - e che m'incatenerà ancora per altri sette anni con il mutuo da saldare -; non avrei forse aperto questo weblog su cui sto scrivendo ora - e grazie al quale ho conosciuto qualche persona che è diventata importante per me -; sarei stato più in buona salute - forse, ma non ci giurerei. Non è troppo tardi, mi dico a volte, per cambiare. È troppo tardi, mi dico altre volte, per cambiare radicalmente. Più il tempo

30 passa, più tutto diventa difficile. (…)

17:35 in Due giri intorno al mio ombelico, Germanica | Permalink

Secondo te che sentimento rappresenta l'autore in questa pagina? Parlane con un compagno.

7 **Riflettiamo - Condizionale passato**

G 6.2

*a. Cerca nel testo dell'attività 6 i seguenti verbi coniugati al **condizionale passato** e scrivi le forme che trovi accanto all'infinito. I verbi sono in ordine.*

fare: ....

succedere: ....

integrarsi: ....

rimpiangere: ....

trovare: ....

cominciare: ....

conoscere: ....

comprare: ....

aprire: ....

essere: ....

*b. Come si forma il **condizionale passato** di un verbo secondo te? Parlane con un compagno e poi insieme scrivete qui sotto la regola.*

....

....

....

*c. Lavora con un compagno. Provate a spiegare perché in queste frasi si usa il **condizionale passato**.*

....

....

....

8 **Esercizio orale - Che avrebbe fatto?**

Quattro chiacchiere con l'ultimo vj che ha messo piede a MTV, Victor Chissano.

Come sei arrivato in tv?

A dir la verità in quel periodo volevo andare a vivere per un po' di tempo a Londra, invece mi hanno chiamato da MTV perché mi avevano visto in alcune apparizioni in Rai. Ho fatto il provino e mentre ero in Senegal mi hanno chiamato per dirmi che era andato bene, che potevo andare a Milano a lavorare! (...)

Victor voleva andare a vivere a Londra. Secondo te che avrebbe fatto lì? Gioca con un compagno.
A turno avete al massimo dieci secondi per dire una cosa che avrebbe fatto. Per ogni nuova cosa
che dici guadagni un punto, ma se sbagli la forma del condizionale passato perdi un punto.
Vince chi ha più punti quando l'insegnante ferma il gioco.

Vivere in città

6

9 Esercizio scritto - Riscrittura al passato
Riscrivi il seguente brano cambiando il tempo dal presente al passato.

… è una cosa che non dovrei scrivere (mia madre riesce sempre a scoprire tutto e non so come), ma mi serve una mano… è da più di un anno che sono innamorata di un ragazzo (di 18 anni) splendido … beh sì insomma stiamo insieme, ma c'è un problema: lui abita dall'altra parte dell'Italia! Abita vicino a Torino e io a Treviso, non ci vediamo da un sacco… comunque io ho un piano in mente... è una specie di piccola sorpresa.
Vorrei scappare da lui! Non per sempre, solo per 2 giorni… beh partirei di mattina presto, verso le 8 e arriverei nel tardo pomeriggio. L'unico problema è la notte. Dove la passerei? A casa sua?

> *…__era__ una cosa che…*

 10 Trascrizione - Esprimere un rimpianto
CD 14
Ora riascolterai molte volte un brano della conversazione che hai ascoltato nell'attività 5. Prova a trascrivere tutto quello che ascolti.

Signora: *Mah, anziché*...
....
....
Ragazzo: ....
....
....*una biblioteca…*

11 Esercizio orale - E voi che avreste fatto? STUDENTE A
*Lavora con un compagno. A turno, prima ascolta la notizia di **B**, scegli la reazione nella tua lista di destra e rispondi usando il condizionale passato. Poi scambiatevi i ruoli: dai una notizia dalla tua lista di sinistra, **B** deve scegliere la reazione nella sua lista di destra, e rispondere usando il condizionale passato.*

Es: Notizia dello studente B   **Reazione dello studente A**
Stanno costruendo una banca. ➔ *costruire una banca / costruire un asilo nido*

⬇

Anziché costruire una banca, io **avrei costruito** un asilo nido.

NOTIZIE

~~Stanno costruendo un parcheggio.~~
Stanno costruendo nuovi uffici.
Hanno chiuso la biblioteca.
Aprono un altro negozio di scarpe.
Ho comprato un motorino.

REAZIONI

aprire un centro commerciale / aprire un mercato
~~costruire una banca / costruire un asilo nido~~
aprire il centro alle auto / migliorare i mezzi pubblici
andare al mare / andare a votare
costruire un cinema multisala / riaprire il parco pubblico

11 Esercizio orale - E voi che avreste fatto? STUDENTE B

*Lavora con un compagno. A turno, prima dai una notizia dalla tua lista di sinistra a **A**, **A** deve scegliere la reazione nella sua lista di destra, e rispondere usando il condizionale passato. Poi scambiatevi i ruoli: ascolta la notizia di **A**, scegli la reazione nella tua lista di destra e rispondi usando il condizionale passato.*

Es: Notizia dello studente A
Stanno costruendo un parcheggio.

Reazione dello studente B
costruire un parcheggio / aggiungere una linea della metropolitana

Anziché costruire un parcheggio, io **avrei aggiunto** una linea della metropolitana.

NOTIZIE

~~Stanno costruendo una banca.~~
Costruiscono un cinema multisala qui.
Siamo andati al mare ieri.
Hanno deciso di aprire il centro alle auto.
Aprono un centro commerciale.

REAZIONI

aprire un altro negozio di scarpe / aprire una farmacia
comprare un motorino / prendere una bicicletta
~~*costruire un parcheggio / aggiungere una linea della metro*~~
costruire nuovi uffici / costruire degli appartamenti
chiudere la biblioteca / sforzarsi di promuoverla

12 Parliamo - Vietato…

Quali di questi divieti pensate abbiano senso e quali invece no? Perché? Parlatene in piccoli gruppi.

Divieto di:
- fumare nei luoghi pubblici
- usare il cellulare nei luoghi pubblici
- fotografare nei musei
- portare a spasso il cane senza guinzaglio
- entrare con un cane in un locale pubblico
- portare il cane in spiaggia
- entrare in una chiesa con i pantaloncini
- ascoltare il Walkman in un mezzo pubblico
- suonare il clacson
- ……………………………………………………

CD 15

13 Ascolto - Guardi che è vietato!

a. *Chiudi il libro, ascolta il dialogo e poi confrontati un compagno.*

b. *Riascolta la conversazione e rispondi insieme a un compagno alle domande.*

● Perché discutono la donna e l'uomo?
● Chi ha ragione secondo te?

14 Parliamo - Guarda che è vietato!

In coppia dividetevi i ruoli e improvvisate una conversazione.

A	B
Sei una donna di circa 40 anni e sei su un treno Eurostar tra Roma e Venezia. Hai dimenticato di spegnere il cellulare, sai che è vietato usarlo su questo treno, ma ti ha chiamato un'amica disperata perché il marito l'ha lasciata. Mentre parli con lei un altro passeggero del treno si avvicina e…	Sei sul treno per Venezia, domani hai un esame importante all'università e devi studiare, ma una donna sul treno continua a parlare al cellulare e non riesci a concentrarti. Allora ti alzi, ti avvicini a lei e…

15 Lettura - La traversata dei vecchietti

Leggi il racconto, poi copri il testo e insieme a un compagno ordina i disegni nella pagina successiva secondo la giusta sequenza.

C'erano due vecchietti che dovevano attraversare la strada. Avevano saputo che dall'altra parte c'era un giardino pubblico con un laghetto. Ai vecchietti, che si chiamavano Aldo e Alberto, sarebbe piaciuto molto andarci.

Così cercarono di attraversare la strada, ma era l'ora di punta e c'era un flusso continuo di macchine.

- Cerchiamo un semaforo - disse Aldo.

- Buon'idea - disse Alberto.

Camminarono finché ne trovarono uno, ma l'ingorgo era tale che le auto erano ferme anche sulle strisce pedonali.

Aldo cercò di avanzare di qualche metro, ma fu subito respinto indietro a suon di clacson e male parole. Allora disse: proviamo a passare in un momento in cui tutti sono fermi. Ma l'ingorgo era tale che, anche se i vecchietti erano magri come acciughe, non riuscirono a passare.

Era quasi sera quando a Aldo venne un'altra idea.

- Mi sdraio in mezzo alla strada e faccio finta di essere morto - disse - quando le auto si fermano tu attraversi veloce, poi mi alzo e passo io.

- Non possiamo fallire - disse Alberto.

Allora Aldo si sdraiò in mezzo alla strada, ma arrivò un'auto nera e non frenò, gli diede una gran

botta e lo mandò quasi dall'altra parte della strada.
- Forza che ce la fai! - gridò Alberto.
Ma passò una grossa moto e con una
gran botta rispedì Aldo dalla parte
sbagliata.
Il vecchietto rimbalzò in tal modo tre o
quattro volte e alla fine si ritrovò tutto
acciaccato al punto di partenza.
-"Che facciamo?" chiese.

(da *Il bar sotto il mare* di Stefano Benni, Feltrinelli, 1987, Milano)

16 Riflettiamo - Passato remoto

G 4.5

a. *Nel testo Stefano Benni usa un nuovo tempo dell'indicativo che si chiama **passato remoto** e che non abbiamo ancora studiato in questo corso. Trova nel testo tutti i verbi che secondo te sono coniugati in questo nuovo tempo e sottolineali. Quanti sono?* ....

b. *Inserisci i verbi che hai sottolineato nello schema.*

	verbi regolari			verbi irregolari
	-ARE	**-ERE**	**-IRE**	
III persona singolare				.... (chiedere) .... (dare) .... (dire) .... (essere) .... (venire)
III persona plurale				

c. *Come vedi nel testo non ci sono forme regolari di passato remoto per i verbi in -ERE. Questo perché la maggioranza dei verbi in -ERE ha il passato remoto irregolare. Ora completa le forme della terza persona singolare e plurale del passato remoto dei verbi regolari, aiutandoti con gli esempi che hai trovato nel testo e provando a dedurre le forme che ancora mancano.*

		TROV**ARE**	POT**ERE**	RIUSC**IRE**
I	singolare	trov...	pot**ei** (pot**etti**)	riusc**ii**
II	singolare	trov**asti**	pot...	riusc**isti**
III	singolare	trov...	pot... (pot**ette**)	riusc...
I	plurale	trov**ammo**	pot**emmo**	riusc...
II	plurale	trov...	pot**este**	riusc**iste**
III	plurale	trov...	pot... (pot**ettero**)	riusc...

d. *Ora completa lo schema della coniugazione del passato remoto dei seguenti verbi irregolari: inserisci prima le forme della terza persona che hai trovato nel testo e poi prova a dedurre le forme che ancora mancano.*

		SCRIVERE	CHIEDERE	AVERE	VENIRE	DARE	DIRE	FARE	ESSERE
singolare	I	scrissi	chiesi	ebbi	....	....	....	feci	fui
singolare	II	scrivesti	chiedesti	avesti	....	desti	dicesti	facesti	fosti
singolare	III	scrisse	....	ebbe	....	....	....	fece	....
plurale	I	scrivemmo	chiedemmo	....	venimmo	....	dicemmo	facemmo	fummo
plurale	II	scriveste	chiedeste	aveste	....	deste	diceste	....	foste
plurale	III	scrissero	chiesero	....	....	diedero	....	....	furono

e. *Quando raccontiamo qualcosa che sentiamo lontano da noi, o perché è molto lontano nel tempo, o perché non ha grande influenza sul nostro presente, usiamo il passato remoto al posto di un altro tempo passato dell'indicativo. Qual è questo tempo secondo te?*

....

17 Scriviamo - Riuscirono i vecchietti…?

Riuscirono i due vecchietti a raggiungere il parco? Se sì, come? Continua la storia per iscritto usando il passato remoto.

18 Esercizio orale - Luoghi celebri STUDENTE A

A turno uno di voi due (A o B) deve indovinare che cosa accadde molto tempo fa nel luogo rappresentato nella foto che trova a sinistra nel libro. L'altro studente nel riquadro a destra ha una lista di 5 indizi che può dare al suo compagno per aiutarlo. Li darà però solo su richiesta del compagno, nell'ordine in cui sono nella lista e coniugando il verbo tra parentesi al passato remoto. Vince il gioco chi di voi indovina con il numero minore di indizi.

◀**Che cosa accadde qui molto tempo fa?**

Indizi per la foto dello studente B
1. In questo luogo (cambiare) la vita di un italiano famoso, ma non è in Italia.
2. Qui (cominciare) la storia moderna.
3. Una famoso viaggio (avere) inizio da questo porto.
4. Tre navi (partire) da qui per questo viaggio famoso.
5. Il viaggio (iniziare) nel 1492.

È il porto di Palos in Portogallo, da cui partì Cristoforo Colombo con la Nina, la Pinta e la Santa Maria.

18 Esercizio orale - Luoghi celebri STUDENTE B

A turno uno di voi due (A o B) deve indovinare che cosa accadde molto tempo fa nel luogo rappresentato nella foto che trova a sinistra nel libro. L'altro studente nel riquadro a destra ha una lista di 5 indizi che può dare al suo compagno per aiutarlo. Li darà però solo su richiesta del compagno, nell'ordine in cui sono nella lista e coniugando il verbo tra parentesi al passato remoto. Vince il gioco chi di voi indovina con il numero minore di indizi.

◀ **Che cosa accadde qui molto tempo fa?**

Indizi per la foto dello studente A
1. In questa casa (abitare) una donna famosa.
2. Forse questa donna non (esistere) veramente, ma (diventare) molto famosa grazie a uno scrittore.
3. Questa donna (essere) protagonista di una grande storia d'amore.
4. Lei non (potere) vivere questa storia d'amore perché la famiglia era contraria.
5. Shakespeare (scrivere) una delle sue tragedie più famose su questa storia.

È la casa di Giulietta Capuleti a Verona, con il balcone da cui parlava a Romeo nella tragedia di Shakespeare.

19 Esercizio scritto - Riscrittura

È il 2030, Franz e Francesco ricordano l'esperienza ormai lontana dell'Erasmus. Riscrivi i testi usando il passato remoto.

Franz, Erasmus a Como - 2002	Franz, Erasmus a Como - 2002
… sono andato nell'autunno 2002 a Como per fare l'Erasmus, per un anno. All'inizio era molto difficile parlare e capire l'italiano (…), ma il corso d'italiano organizzato dall'università mi ha aiutato molto. Dopo 2 mesi i grandi problemi con la lingua erano passati, anche grazie all'aiuto degli altri studenti che hanno avuto una pazienza grandissima con me.	....

Francesco, Erasmus a Madrid - 2005	Francesco, Erasmus a Madrid - 2005
All'arrivo non ho avuto particolari problemi, all'aeroporto ho preso la metropolitana e in 20 minuti sono arrivato in centro. Non avevo ancora trovato casa, ma alla partenza avevo già preso contatti per vedere alcuni appartamenti; le prime due notti le ho passate in ostello e dopo un paio di visite ho trovato sistemazione in un appartamento con altri 4 studenti, 2 ragazze spagnole, un ragazzo francese e un altro ragazzo italiano.	....

Vivere in città

6

Caffè culturale

■ PER FARCI UN'IDEA

Queste foto sono state scattate da un ragazzo americano, Alexander B., a Centocelle, il quartiere della periferia di Roma in cui abita. Che cosa ti colpisce in queste foto?
Che idea ti fai di questo quartiere guardandole? Come sarebbe per te vivere in questo quartiere?

■ CON OCCHI DI STRANIERO

ALEXANDER B.
ha passato in Italia buona parte del 1999 e del 2001 per imparare la lingua italiana. Dal 2005 vive e lavora a Roma.

La periferia romana

Poiché volevo capire, c'era bisogno d'immagini.

Antiche o solo eterne. Ocra, giallo, salmone, verde; ombra, un sole splendente, palazzi del dopo-guerra. Per arrivare devi *percorrere*[1] strade ricoperte di *rifiuti*[2], strade piene di propaganda politica. *In comune a sinistra. Un futuro più sicuro. Scegliamo di andare avanti! Questo è amore per Roma.* Devi attraversare i vecchi binari del tram.

A sudest, le montagne.

Ormai gli acquedotti rotti. Storia di pietre, mattoni. Il clamore troppo umano. Tetti pieni di parabole. Arcobaleni di *bucato*[3]. *Aoh! Che sta' a fà? Va' a lavorà!*[4] Sul tetto un ragazzino con un triciclo, faceva circoli. Tosse d'autobus, *uggiolio*[5] di motorini. *Spazio disponibile.* Le persone sempre all'angolo. Il mercato, *SPQR*[6], Tabaccaio, Pizzeria, la Gazzetta dello Sport, Euro-tel Western Union Internet Point, Camera dei Deputati dell'Ulivo, Fotocopie, La Spesa, Macelleria, Erborista, il partito della Rifondazione Comunista, Vinaio, Casalinghi, Farmacia, Bar, Profumeria, Caffè, *Elettrodomestici*[7], Fiorista, fontanelle, centro sociale, piazze, le chiese.

Qua e là, alberi.

Terrazze di fiori. La quiete momentanea fra l'una e le quattro di pomeriggio. *Ti amo per sempre.* Voce fra le pareti dal corridoio, *urla*[8] di ragazzini da fuori. I vicoli vicino il parco. I piatti di plastica sul *marciapiede*[9] per i gatti. Il *lupetto*[10], la palla da calcio, un crocifisso. Sigarette sul pavimento. La birra italiana. *La lotta continua.* Ogni mattina, dentro i mezzi per arrivare al centro, i gomiti, *maledizioni*[11] sotto voce, le umiliazioni quotidiane. I *clacson*[12]. Mai un momento privato. L'umiltà del *sudore*[13]. Romani, Rumeni, Cinesi, Bangladeshi, Nigeriani, Peruviani, Ucraini, Polacchi, Turchi, Egiziane. La città eterna. Anziani che camminano, per mano, *sottobraccio*[14]. Da qualche parte un cane. Il viola dei pini. Le *rondini*[15] al tramonto.

[1] *cross through;* [2] *litter, refuse;* [3] *laundry;* [4] *Roman dialect meaning, "Hey, what are you doing? Going to work!;* [5] *whining;* [6] *Senatus Populusque Romanus ("The Senate and the People of Rome"), initials found throughout the Roman Empire but especially in Rome that mark any official building, decree. etc;* [7] *electrical appliances;* [8] *screams, yells;* [9] *sidewalk;* [10] *"Lupetto" means "wolf cub". The wolf cub is the emblem of Roma, one of the city's two soccer teams;* [11] *curses;* [12] *car horns;* [13] *sweat;* [14] *arm in arm;* [15] *swallows.*

Che cosa hanno aggiunto le parole di Alexander all'idea che ti eri fatto di Centocelle guardando le foto?
Rimani della stessa opinione su come sarebbe per te abitarci?

la Repubblica.it Home Repubblica TV Politica Cronaca News Control Cronache dalle Città Economia Esteri Ambiente   Foto Multimedia Ora per Ora Annunci
Sport Motori Persone Star Control Lavoro Scuola&Giovani Spettacoli&Cultura Style&Design Tecno&Scienze Viaggi Arte Week-In Meteo

Roma, esperimento di *riqualificazione*[1] nello scalo del Nuovo Salario
Via il grigio grazie a due artisti metropolitani e all'accordo con Rfi

L'arte contro il degrado urbano i "writers" ridipingono la stazione

ROMA - Alla città, dicono, vogliono "*cambiare i connotati*[2]", usando i colori delle bombolette spray e le forme dell'arte urbana. Per rendere vivibile lo spazio cittadino, perché diventi un piacere anche uscire di casa, in periferia, per spostarsi verso il centro. Sintetica, ma chiara la missione estetica alla base del progetto "Qart", che punta a riqualificare strade, muri, piazze, scuole, le aree comuni che *appartengono*[3] a tutti e a nessuno. Come? Sostituendo il grigio del cemento con il colore, la creatività e un linguaggio vicino a quello dei writers. Con la *benedizione*[4] delle istituzioni. Hanno cominciato dal *recupero*[5] "visivo" della stazione del Nuovo Salario, un piccolo scalo della ferrovia metropolitana della capitale, alla periferia nord. "È il nostro quartiere", spiega Simone Pallotta, ex writer, oggi a capo dell'associazione Zerouno3nove, che ha *messo a punto*[6] il progetto di riqualificazione insieme alla RFI - Rete Ferroviaria Italiana, società delle infrastrutture del Gruppo Ferrovie dello Stato. "Ma non è solo per questo motivo che *abbiamo a cuore*[7] la piena riuscita dell'iniziativa. Vogliamo riavvicinare i luoghi pubblici alle persone che tutti i giorni li attraversano, trasformare quegli spazi asettici in ambienti 'umani', vitali".

La fermata "Nuovo Salario" prima e dopo l'intervento dei writers

E lo strumento più appropriato è l'arte: quella di Blu e Etnik, due tra gli artisti più apprezzati nel panorama italiano dei writers. In cinque giorni hanno decorato la stazione, trasformato i muri *sudici*[8] di corridoi e sottopassaggi in un tripudio di arancio e giallo. "È ora di superare la concezione di edificio pubblico esclusivamente come contenitore di servizi - prosegue Pallotta -. Il nostro è un progetto pensato in primo luogo per i cittadini, da cittadini".
In effetti la stazione - di una città come di un quartiere - è ben più di un biglietto da visita: è l'ambiente che *accoglie*[9] il viaggiatore finalmente *giunto alla meta*[10]. Per i writers, l'esperimento del Nuovo Salario è una conquista: quella di uno spazio "legale" su cui esprimersi, un esempio positivo che gli altri "graffitari" apprezzeranno e - si suppone - rispetteranno. E questo, dicono dalla Zerouno3nove, è solo l'inizio: sono in programma altri interventi nei quartieri degradati e in altre zone della capitale.

(da *www.repubblica.it*)

[1]*renewal;* [2]*change the image;* [3]*belong;* [4]*blessing;* [5]*restoration;* [6]*brought into focus;* [7]*we have taken to heart;* [8]*filthy;* [9]*gathers in, welcomes;* [10]*arrived at his/her destination.*

Che opinione hai di questa iniziativa? Ti sembra che affronti in modo efficace il problema della riqualificazione della periferia delle grandi città?

■ L'ITALIA IN RETE

Google™ Italia

Web   Immagini   Gruppi   Directory   News   altro »

Roma quartiere Quarto Miglio

Cerca con Google   Mi sento fortunato

Il sistema più completo per la ricerca di immagini su Web.

Immagina di dover passare un anno a Roma per lavoro, lo stipendio non è alto ma è una buona esperienza.
Puoi scegliere tra due appartamenti in due diversi quartieri periferici della città, il quartiere Montesacro e il quartiere Quarto Miglio. Cerca su internet informazioni su questi quartieri e decidi quale dei due appartamenti scegliere.

Luoghi comuni

1 Parliamo - Luoghi comuni sugli italiani

Quali sono i luoghi comuni sugli italiani? Osserva le foto seguenti e parla con un compagno.
Aggiungeresti altri stereotipi che di solito vengono associati agli italiani?

2 Ascolto - Campioni del mondo!

CD 16
a. *Chiudi il libro, ascolta il dialogo e poi confrontati con un compagno.*
b. *Ascolta ancora il dialogo e rispondi alle domande.*

1. Per quale evento il ragazzo è felice?
2. Perché il ragazzo critica un giornalista tedesco?
3. Come vengono descritti i giocatori della nazionale italiana in particolare e gli italiani in generale dal giornalista tedesco?
4. Quali reazioni ha provocato l'articolo in questione?

3 Scriviamo - Noi, vittime del pregiudizio
Scrivi una lista degli stereotipi che nel mondo vengono associati ai tuoi connazionali.

Es: Gli americani mangiano solo hamburger e patatine.

 4 Lettura - Gli stereotipi sui vari popoli

Gli italiani: gesticolano, ma hanno uno stile impeccabile

di Raffaele Mastrolonardo

Pare che gli italiani siano famosi per la pasta e il vizio di gesticolare, che i francesi abbiano una particolare predilezione per la sofisticatezza e il romanticismo, che i tedeschi amino la puntualità e la birra. Non si sa quali stereotipi circondino i boliviani, gli etiopi o gli australiani. Al contrario molti ritengono che gli indonesiani tendano a sopprimere le emozioni e che invece i tailandesi si divertano. A supplire a questa mancanza interviene una vera e propria cartina geografica del pregiudizio, un atlante mondiale delle caratteristiche propriamente o impropriamente attribuite alle genti di ogni latitudine. Realizzata da un blogger tedesco, a molti sembra che la mappa raccolga dicerie e caratteristiche appiccicate a quasi tutti i popoli del mondo. La fonte di questo vero e proprio repertorio dei luoghi comuni applicati allo straniero è ovviamente Google, il più popolare motore di ricerca della terra che, in questo caso, scandaglia la conoscenza collettiva della rete a caccia delle etichette assegnate agli individui in base alla nazionalità.

(da *www.corriere.it*)

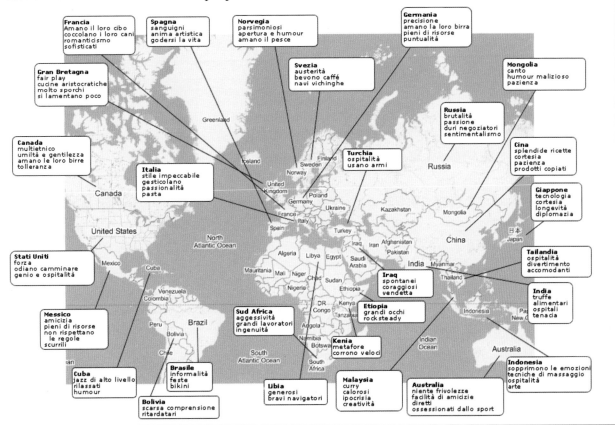

Che cosa ne pensi? Quali sono gli effetti degli stereotipi? Parlane con un compagno.

5 Riflettiamo - Congiuntivo presente

7.1 - 7.5.1

a. Rileggi il testo dell'attività 4 e scrivi nella tabella le frasi che seguono le seguenti espressioni.

Pare che	*gli italiani siano famosi*
Molti ritengono che	
Sembra che	

*b. I verbi che seguono le espressioni precedenti sono al modo **congiuntivo presente**.*
Inseriscili nella tabella negli spazi giusti.

	AMARE		TENDERE		DIVERTIRSI
io	_____	*io*	tenda	*io*	mi diverta
tu	ami	*tu*	_____	*tu*	ti diverta
lui/lei	ami	*lui/lei*	tenda	*lui/lei*	_____
noi	amiamo	*noi*	_____	*noi*	ci divertiamo
voi	amiate	*voi*	tendiate	*voi*	vi divertiate
loro	_____	*loro*	_____	*loro*	
	AVERE		RACCOGLIERE		ESSERE
io	abbia	*io*	raccolga	*io*	sia
tu	_____	*tu*	raccolga	*tu*	sia
lui/lei	abbia	*lui/lei*	_____	*lui/lei*	_____
noi	_____	*noi*	raccogliamo	*noi*	siamo
voi	abbiate	*voi*	raccogliate	*voi*	siate
loro		*loro*	raccolgano	*loro*	_____

c. Completa la tabella deducendo le forme mancanti.

*d. Osserva ancora le frasi al punto **a**. Secondo te perché si usa il congiuntivo in queste frasi?*
Quale caratteristica le accomuna? Parlane con un compagno e scrivete le vostre ipotesi.

....
....
....

6 Esercizio scritto - Riscrittura

Riscrivi le frasi dell'attività 3 in forma di opinioni soggettive.

Es: Gli americani mangiano solo hamburger e patatine. =
Molti credono che gli americani <u>mangino</u> solo hamburger e patatine.

Luoghi comuni

7

7 Riflettiamo - Congiuntivo presente e passato

G 7.2

a. Riascolta la conversazione dell'attività 2 e completa le frasi seguenti, scegliendo tra le tre possibilità quella usata nel dialogo.

Credo **sia stata / è stata / stia** una provocazione

Pensano che **sono / sono stati / siano** dei simulatori

Mi sembra che **hanno frainteso / abbiano frainteso / fraintendono**

Penso **è / sia / sarà** un'immagine datata

Penso che **hanno ricevuto / ricevevano / abbiano ricevuto** moltissime lettere di protesta

b. Inserisci le forme verbali nella tabella.

Congiuntivo presente	Congiuntivo passato
....	....
....	....
....	....

c. Come si forma il **congiuntivo passato?** *Quando si usa? Parlane con un compagno e scrivete la vostra ipotesi.*

....
....
....

8 Esercizio orale - Congiuntivo presente e passato

Lavorando con un compagno trasforma le seguenti affermazioni in opinioni soggettive.

Es: In Italia il calcio è lo sport più popolare. =
    Pare che in Italia il calcio sia lo sport più popolare.

Gli italiani sono mammoni.

I calciatori fanno finta di farsi male.

Il giornalista tedesco ha scritto un articolo provocatorio.

Il cibo in Italia ha un valore culturale.

Il giornalista tedesco ha scritto un articolo provocatorio.

I lettori del giornale hanno protestato.

La finale dei mondiali di calcio è stata noiosa.

Luoghi **comuni** e realtà sulle **persone** con sindrome di Down

In Italia nascono ogni anno circa 650/700 bambini
con Sindrome di Down (SD),
cioè quasi due al giorno.
Attualmente vivono in Italia circa 49.000 persone con SD, delle quali:
1. 11.000 sotto i 14 anni
2. 13.000 tra i 14 e i 24 anni
3. 25.000 sopra i 25 anni

a. Le immagini seguenti rappresentano alcuni stereotipi ricorrenti sulle persone con Sindrome di Down. Immagina quali possano essere e scrivili accanto.

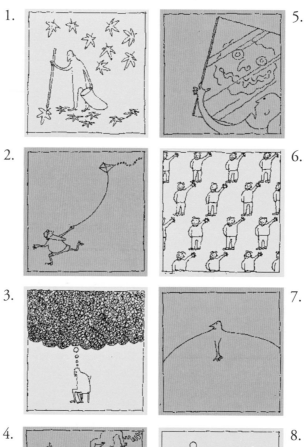

1.

5.

2.

6.

3.

7.

4.

8. *I Down hanno genitori anziani*

b. Associa gli stereotipi della lista alle definizioni sottostanti, come nell'esempio.

1. I Down non vivono a lungo

2. I Down possono eseguire solo lavori ripetitivi che non implichino responsabilità

3. Le persone Down sono grasse

4. I Down sono tutti uguali

5. Gli individui Down sono degli "infelici"

6. Le persone Down si vedono brutte

7. Le persone Down sono degli eterni bambini

8. I Down hanno genitori anziani

	Realtà
	Le uniche caratteristiche che hanno in comune sono un cromosoma in più rispetto agli altri (47 invece che 46), un deficit mentale e alcuni aspetti somatici. Ma ogni persona con Sindrome di Down (SD) è diversa dall'altra e le differenze dipendono da fattori costituzionali, dal tipo di educazione ricevuta in famiglia e a scuola.
	La durata della vita è aumentata enormemente. Oggi, grazie al progresso della medicina, l'80% delle persone con SD raggiunge i 55 anni e 1 su 10 i 70 anni.
	Sono sempre più numerosi gli esempi di persone con SD che - grazie ad un inserimento mirato - possono svolgere mansioni che implicano anche l'uso di macchinari complicati, sono in grado di risolvere problemi nuovi con creatività e assumere responsabilità.
8	Anche se il rischio di avere un bambino Down per una donna giovane è più basso, attualmente il 75% circa dei neonati con SD ha genitori sotto i 35 anni. Il dato è legato alla differente distribuzione dei nati nella popolazione: nascono in assoluto più bambini da donne giovani che da donne anziane.
	I tratti specifici caratteriali di ognuno sono del tutto soggettivi, per cui, in base alla storia personale, alle caratteristiche individuali, alla propria rete di relazioni sociali, ogni individuo con SD sviluppa un certo tipo di personalità piuttosto che un altro.
	Così come avviene per tutte le persone, anche gli individui con SD crescono e maturano, giungendo allo stadio di adulto: i loro bisogni e le loro esigenze sono relazionati a queste diverse fasi della loro vita. È quindi importante che, come tutti gli altri, agiscano in prima persona, siano i protagonisti delle proprie scelte e ricevano da sé e dagli altri la considerazione che permetta loro di sentirsi adulti.
	Qualche individuo con SD ha accettato il proprio aspetto fisico, per cui, piacendosi, cura molto la propria persona e si sente a proprio agio. Altre persone Down, invece, non hanno ben accettato alcune loro caratteristiche fisiche a causa delle quali, hanno sviluppato un complesso d'inferiorità.
	La costituzione fisica delle persone con SD è relazionata a caratteristiche individuali, allo stile di vita e alla dieta alimentare seguita. Ogni persona è diversa, quindi il discorso non è generalizzabile.

(da *www3.unibo.it/avl/org/down*)

 Esercizio scritto - Congiuntivo
Riscrivi gi stereotipi trasformandoli in affermazioni soggettive.

Es: I Down sono tutti uguali. ⇒ **Molti pensano che** i Down **siano** tutti uguali.

11 Riflettiamo - Aggettivi e pronomi indefiniti

*a. Le parole evidenziate in **neretto** nei brani seguenti sono **aggettivi** e **pronomi indefiniti**, cioè aggettivi e pronomi che si riferiscono a una persona o una cosa generica, non specifica. Rileggi i brani e decidi quali delle parole evidenziate sono aggettivi indefiniti e quali invece sono pronomi indefiniti.*

pronome

Le uniche caratteristiche che hanno in comune sono un cromosoma in più rispetto agli **altri** (47 invece che 46), un deficit mentale e **alcuni** aspetti somatici. Ma **ogni** persona con Sindrome di Down (SD) è diversa dall'**altra** e le differenze dipendono da fattori costituzionali, dal tipo di educazione ricevuta in famiglia e a scuola.

I tratti specifici caratteriali di **ognuno** sono del tutto soggettivi, per cui, in base alla storia personale, alle caratteristiche individuali, alla propria rete di relazioni sociali, **ogni** individuo con SD sviluppa un certo tipo di personalità piuttosto che un **altro**.

Così come avviene per **tutte** le persone, anche gli individui con SD crescono e maturano, giungendo allo stadio di adulto: i loro bisogni e le loro esigenze sono relazionati a queste diverse fasi della loro vita.

Qualche individuo con SD ha accettato il proprio aspetto fisico, per cui, piacendosi, cura molto la propria persona e si sente a proprio agio. **Altre** persone Down, invece, non hanno ben accettato **alcune** loro caratteristiche fisiche a causa delle quali, hanno sviluppato un complesso d'inferiorità.

b. Ora inserisci nello schema le parole evidenziate nei brani precedenti.

INDEFINITI			
AGGETTIVI		**PRONOMI**	
SINGOLARE	**PLURALE**	**SINGOLARE**	**PLURALE**
_____ (cosa e persona)		Qualcuno (persona) Qualcosa (cosa)	
Alcuno / _____	_____ / _____	_____ /Alcuna	_____ / Alcune
Ogni		_____ (persona)	
Tutto / _____	_____ / _____	_____ / Tutta	Tutti / _____
_____ / _____ (cosa e persona)		Nessuno / Nessuna (persona) _____ (cosa)	
Altro / _____	_____ / _____	_____ / _____	_____ / Altre

*c. Completa lo schema del punto **b.** inserendo gli **aggettivi** ed i **pronomi indefiniti** della lista.*

AGGETTIVI	PRONOMI
Alcuna Altri Nessuna Tutta Nessuno Tutti Altra	Alcuni Tutto Niente Alcuno Tutte

*d. Osservando i testi al punto **a.** prova a spiegare ad un tuo compagno che differenza c'è tra* **qualche** *e* **alcuni/alcune** *e poi scrivete qui sotto la vostra ipotesi.*

....

....

e. E che differenza c'è tra **ogni** *e* **tutti/tutte***? Scrivete qui sotto la vostra ipotesi.*

....

....

12 Combinazioni - Aggettivi e pronomi indefiniti

*Forma delle frasi con gli **aggettivi** ed i **pronomi indefiniti** dello schema precedente, come nell'esempio.*

1. Qualche	individuo è vittima	l'uno dall'altro.
2. Ogni	utilizza gli stereotipi	di pregiudizi.
3. Ognuno	persona rifiuta	per conoscere gli altri.
4. Tutti	pregiudizi ostacolano	lo scambio culturale.
5. Alcuni	i down sono diversi	le altre culture.

13 Parliamo - Discriminazioni

Secondo te quali sono le categorie che più spesso vengono discriminate a causa di stereotipi e pregiudizi radicati? Parlane con un compagno.

14 Scriviamo - Manifesto contro la discriminazione

Cerca una fotografia in una rivista, pensa ad uno slogan e componi un manifesto per una campagna sociale contro la discriminazione.

Caffè culturale

Permesso di soggiorno per :

asilo politico   ragioni umanitarie   STUDIO E TURISMO

lavoro subordinato   lavoro autonomo

esercizi delle funzioni di ministro di culto

Qui sono indicate alcune tipologie di permesso di soggiorno, il documento necessario al trasferimento in Italia. Parlando con un compagno prova a spiegare le differenze.

■ CON OCCHI DI STRANIERO

 MONICA R. *è nata in Brasile, è una psicologa. Si è trasferita in Italia nel 2005. Ha frequentato un master all'Università "Roma Tre" presso la facoltà di Scienze della formazione.*

NON È CHE MI MANCA UN TIMBRO?!

Quando penso all'immigrazione subito mi viene in mente la burocrazia.

Sono voluta venire in Italia per un semplice motivo: l'amore. Il mio ragazzo è italiano è vero, ma ho conosciuto prima l'Italia che lui. Da adolescente ho fatto un viaggio e mi sono innamorata subito di questo bellissimo paese e immaginavo come sarebbe stato viverci, così non è stato difficile decidere di *trasferirmi*[1]. Alla fine l'opportunità è andata insieme con il desiderio …

Ma come fare per soggiornare regolarmente in Italia visto che sono *extracomunitaria*[2]?

La possibilità di avere un visto di ingresso era per esempio studiare. Scelto un Master all'Università di Roma Tre, c'era bisogno di fare tutto un procedimento burocratico. Qui inizia la mia odissea tra uffici, certificazioni, timbri e *marche da bollo*[3]. In questo labirinto non c'era mai una risposta precisa che mi aiutasse a sapere i tempi e i modi per ottenere il documento. Con perseveranza e insistenza al Consolato Italiano di San Paolo, tra file e traduzioni, cercavo di consegnare tutto il necessario per raggiungere il mio obiettivo mentre il mio ragazzo qui a Roma agevolava l'arrivo pensando all'alloggio e ai contatti con l'Università. L'impressione che avevo mentre aspettavo il "supremo" consenso era di essere già partita, si aprivano alcune porte e se ne chiudevano altre.

Partire ha significato *congedarsi*[4] dalle cose che stavo facendo e questo aspetto dell'immigrazione non ha niente di burocratico perché non è un tempo cronologico bensì logico; una logica che rispetta altre regole.

Infatti pensate che sia finita qui? Macché!

Appena arrivata mi sono presentata in Questura per richiedere quello che avevo già chiesto e ottenuto dal Consolato, solo che adesso il certificato aveva un altro nome: *permesso di soggiorno*[5]. Oltre che presentare di nuovo tutti i documenti dovevo dimostrare il possesso di una determinata quantità di soldi: l'assurdo di questa situazione è che mi hanno chiesto le fotocopie dei "traveller's cheques". Immaginate voi la scena, io in una *copisteria*[6] che chiedo le fotocopie dei soldi! Solo in Italia! Ho aspettato cinque mesi un documento di soggiorno che vale un anno; e come farò alla scadenza? Questo è un altro capitolo e non voglio annoiarvi.

Oltre che la burocrazia, l'emigrazione è una esperienza complessa perché coinvolge tanti aspetti: lasciare le persone più care, abbandonare le proprie abitudini e predisporsi a cambiare vita - che non è cosa facile. Nonostante le difficoltà, gli adattamenti, le scoperte e le novità in cui mi sono trovata come per esempio l'ambiente universitario romano, mi stimolano ad imparare e conoscere di più questa società. La lingua oltre che uno strumento di comunicazione è stata per me una *sfida*[7]. Sebbene conoscessi l'italiano abbastanza da capire e parlare già al mio arrivo, mi sono resa conto che una lingua non coinvolge solo la conoscenza della grammatica e del vocabolario bensì della cultura. Mi sono trovata in tante situazioni dove non sapevo se le persone stavano *litigando*[8] oppure *chiacchierando*[9], insieme a tutto quel modo di gesticolare a cui gli italiani sono abituati. Il tono in cui si parla e le espressioni, anche corporee, delle lingue portano altri significati che vivere qui mi aiuta a capire.

Per concludere posso dire che la mia esperienza migratoria è completamente diversa da quella di un rifugiato politico o di una persona che scappa dalla fame e dalla povertà per cercare "la libertà", nonostante tutto questa strada è una avventura per quelli che accettano il rischio: "chi non risica non rosica".

---

[1]*to move*; [2]*non-citizen of the European Union*; [3]*official stamps that must be attached to certain legal documents*; [4]*to bid farewell*; [5]*visitor's permit*; [6]*photocopy shop*; [7]*challenge*; [8]*arguing*; [9]*chatting*.

In base alla testimonianza di Monica che cosa pensi delle norme sull'immigrazione in Italia?

CaritasItaliana   organismo pastorale della CEI

L'ITALIA DEL 2006
Sono uomini e donne in percentuale eguale, vengono dall'Europa hanno tra i 15 e i 44 anni e si stabiliscono al Nord o a Roma.

Roma - Alla fine del 2005, gli immigrati regolari in Italia erano 3.035.000, il 5,2% della popolazione, *in pratica*[1] uno ogni 20 residenti: ma tra dieci anni la loro incidenza sarà *raddoppiata*[2]. Ad aggiornare la contabilità del fenomeno è il Rapporto Immigrazione Caritas/Migrantes 2006.
Questo dato colloca il nostro tra i grandi Paesi europei di immigrazione: Germania (7.287.980), Spagna (3.371.394), Francia (3.263.186), Gran Bretagna (2.857.000).
L'aumento[3], dovuto in parte ai nuovi arrivi (187 mila), in parte alle nascite di figli di cittadini stranieri (52 mila), nel prossimo futuro sarà ancora più consistente. Se si tiene conto del nostro deficit demografico e della *pressione*[4] dei Paesi d'origine - avvertono i ricercatori Caritas - è realistico stimare l'impatto in entrata in almeno 300 unità l'anno. Gli immigrati - rileva il dossier - "diventeranno sempre più l'unico fattore di crescita demografica in grado di rimediare alla prevalenza dei *decessi*[5] sulle nascite".
Roma e Milano detengono, rispettivamente l'11,4% e il 10,9% della popolazione straniera. La Lombardia è la prima regione perché accoglie da sola quasi un quarto del numero complessivo. Al Nord si trova il 59,2% degli stranieri, al centro il 27% e nel meridione il 13,5%. Ogni 10 stranieri, cinque sono europei, due africani, due asiatici e uno americano: trent'anni fa erano euroamericani nove su 10. Gli originari dell'Est europeo sono circa un milione, tra questi i principali gruppi sono quello albanese e ucraino mentre tra i comunitari quello polacco. Per l'Africa, spicca quello marocchino, per l'Asia quelli cinese e filippino, per l'America quelli peruviano e statunitense. Parità fra i sessi, il 50,1% è uomo, il 49,9% donne. Per il 70% (contro il 47,5% degli italiani) si concentrano nella fascia di età 15-44 anni. La *fecondità*[6] delle donne immigrate è maggiore delle italiane: 2,4 figli contro 1,2; nel 2005 sono nati 52 mila bambini ed hanno inciso per il 9,4% sulle nuove nascite. Tra i marocchini i figli sono 4 per donna, tra i polacchi e i rumeni 1,7. Tra le immigrate ci sono più divorziate rispetto alle italiane (2,5% contro l'1,7%).
Rispetto alla *fede*[7], il 49,1% si riferisce a cristiani (circa un milione e mezzo), il 33,2% a musulmani (circa un milione), il 4,4% a religioni orientali.
I *minori*[8] stranieri sono 586 mila, pari ad un quinto della popolazione straniera, un'incidenza maggiore rispetto a quella degli italiani. Essi hanno conosciuto quasi un raddoppio nel corso degli ultimi 5 anni (nel 2001 erano 326 mila) ed in oltre la metà dei casi (56%) si tratta di persone nate in Italia. Gli studenti con cittadinanza straniera sono 424.683 e tra due anni supereranno il mezzo milione.

(da *www.caritasitaliana.it*)

[1]*in practice;* [2]*doubled;* [3]*the increase;* [4]*pressure;* [5]*deaths;* [6]*fertility rate;* [7]*faith, religion;* [8]*minors.*

Questo articolo ha confermato o modificato in qualche modo la tua idea sulla composizione della società italiana?

■ L'ITALIA IN RETE

Immagina di dover passare un anno in Italia per lavoro o per studio.
Cerca su Internet le informazioni relative ai documenti da richiedere.

Parole, parole, parole...

1 **Parliamo - Comunicazione**

Osserva le seguenti foto. Di quali di questi mezzi di comunicazione ti servi abitualmente?
Con quale frequenza? Parlane con un compagno.

2 Lettura - Media e testi

a. Abbina i messaggi ai media corrispondenti.

n°__ telefono   n°__ e-mail   n°__ sms   n°__ cellulare   n°__ lettera

1. Senti, ho trovato un parcheggio, ti richiamo fra cinque minuti, d'accordo?

2. Prenotato tavolo 20.30 da Tuttifrutti. Sono a piedi xciò prendi la macchina.

3. Ciao, scusami se ti rispondo solo adesso, ma negli ultimi giorni non ho avuto tempo di controllare la posta. Per sabato comunque siamo d'accordo, ti chiamo quando stiamo per arrivare. Ti abbraccio Marina

4. Gentile Signora Torcello, è con piacere che Le inviamo il programma dei corsi di francese presso il nostro Istituto, come da Lei richiesto.

5. Non ti immagini che è successo ieri sera. Allora, stavamo aspettando Carla quando un tipo si è fermato per chiederci un'informazione. Mi sembrava una faccia conosciuta, però non riuscivo a ricordare dove l'avevo visto…

b. Confronta i tuoi abbinamenti con un compagno.

 3 Ascolto - Ma io il cellulare non lo voglio!

CD 17   *Chiudi il libro, ascolta l'intervista e poi confrontati con un compagno.*

Lettura - Intervista a Brenda Laurel

Leggi questa intervista a Brenda Laurel, una delle prime donne ad essersi occupata di videogiochi e creatrice lei stessa di vari giochi destinati ad un pubblico di ragazze. Dopo aver letto l'intervista completa le risposte di Brenda con le domande che trovi nella pagina seguente.

● ....……

1. Ho avuto il mio primo lavoro nel 1977, a Columbus, nell'Ohio, per una piccola società che precedette il boom dei videogiochi. Andai all'Atari nel 1979, per il grande viaggio di Atari nel mondo dei videogiochi.

● ....……

2. Dopo l'Atari lavorai per altre società di videogiochi; poi mi presi del tempo per terminare il mio Ph.D. in teatro sulla fantasia interattiva. Mi sono unita alla Interval Research Corporation nel 1992 per condurre la ricerca sulla differenza fra i sessi nella tecnologia, a causa della mia esperienza nel business dei videogiochi e anche perché nella mia carriera avevo notato che i videogiochi erano stati costruiti principalmente per i ragazzi.

● *E quando si trovava all'Interval pensava di creare qualcosa di specifico per le ragazze?*

3. Originariamente, all'Interval volevamo capire cosa poteva motivare una ragazza a sentirsi a proprio agio con un computer. Pensavamo che il pubblico femminile avesse bisogno di un prodotto adeguato alle sue esigenze per avvicinarsi alla tecnologia. Credevamo che sino ad allora le ragazze non avessero mai avuto un videogioco con cui identificarsi.

● ....……

4. Nella nostra ricerca, all'Interval prima e alla Purple Moon poi, notammo che sia i ragazzi che le ragazze pensavano che i videogame si rivolgessero prevalentemente ai maschi e quando chiedemmo alle ragazze la ragione per cui non amavano i videogiochi che esistevano, la risposta fu che li trovavano noiosi. Quando gli domandammo le ragioni che scatenavano la noia, risposero che i personaggi non erano interessanti. Le ragazze sono interessate alle narrazioni complesse, amano riuscire a risolvere un problema in tanti modi, mentre i ragazzi si interessano ai giochi che hanno una serie di soluzioni che portano ad un punteggio elevato che gli permette di dimostrare la loro bravura.

● ....……

5. La Purple Moon fu creata nel 1996. La nostra ricerca cominciò nel 1992: sono stati necessari, dunque, ben quattro anni di lavoro. Siamo impegnati in tre progetti differenti, tutti indirizzati alle ragazze fra gli otto ed i dodici anni.

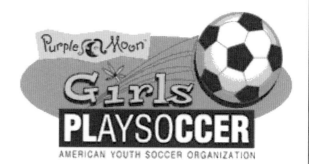

● ....……

6. Abbiamo scelto di lavorare per le ragazze fra gli otto ed i dodici anni perché sappiamo che, intorno agli undici dodici anni quando giungono all'adolescenza, sono al più alto rischio di allontanamento dalla tecnologia. Abbiamo scelto l'età fra gli otto ed i dodici anni perché abbiamo pensato che fosse l'età giusta per farle sentire a loro agio con la tecnologia.

● ....……

7. Quando Purple Moon parlò alle ragazze della parola "avventura", ricevemmo una serie di definizioni diverse da quelle date dai ragazzi. Per una ragazza avventura vuol dire esplorazione e scoperta; non significa vincere o perdere. La loro attenzione si concentra sulle relazioni, gli amici sono sempre parte del concetto di avventura. Le ragazze amano esplorare in tanti modi diversi, anziché seguire un'unica via per risolvere un problema. "The Rockets World", per esempio, è incentrato sull'idea di come saranno da adulte; questo è il gioco al quale le ragazze giocano tutto il tempo: come sarò quando andrò al liceo? Immaginano i dettagli della loro vita. Si tratta di fantasie sul comportamento.

● ....……

8. Assolutamente sì. Il sito della Purple Moon è un ottimo esempio di comunità virtuale. Non voglio vantarmi, ma da quando abbiamo lanciato il sito, in settembre, abbiamo avuto 20 milioni di pagine, e 40.000 utenti registrati, ragazze fra gli otto ed i dodici anni, per la maggior parte. Tutto questo è per me la riprova che le comunità virtuali esistono e che hanno un pubblico che non eravamo neanche certi che esistesse già in rete.

(da *www.mediamente.rai.it*)

a. Qual è la Sua impressione sul modo di usare il computer da parte delle donne?

b. Non pensa che otto anni siano ancora pochi per lavorare al computer, o per avere un gioco con cui interagire? Perché avete scelto questa età?

c. Quando si è formata esattamente la Purple Moon?

d. Nei giochi che tipo di avventura può essere più femminile?

e. Lei crede nelle comunità virtuali?

f. Lei è co-fondatrice della Purple Moon. Quando ha cominciato ad interessarsi ai computer, alla multimedialità?

g. In seguito Lei divenne consulente per molte società. Può descriverci la Sua esperienza?

5 **Riflettiamo - Congiuntivo imperfetto e trapassato**   G 7.3 - 7.4

a. Rileggi il testo dell'attività 4 e completa le seguenti frasi tratte dal testo, come nell'esempio.

	frase principale (nel passato)	frase dipendente
1	Pensavamo che	*il pubblico femminile avesse bisogno di un prodotto adeguato alle sue esigenze...*
2	Credevamo che	
3	Nella nostra ricerca […] notammo che sia i ragazzi che le ragazze pensavano che	
4	Abbiamo scelto l'età fra gli otto e i dodici anni perché abbiamo pensato che	
5	Tutto questo è per me la riprova che le comunità virtuali esistono e che hanno un pubblico che non eravamo neanche certi che	

b. In ciascuna frase dipendente c'è un verbo al congiuntivo. Sottolinealo ed insieme ad un compagno prova a spiegare perché si usa il congiuntivo.

*c. Di questi 5 verbi che hai sottolineato, 4 sono al **congiuntivo imperfetto** ed 1 è al **congiuntivo trapassato**. Qual è quello al **congiuntivo trapassato**?*

*d. Come si forma il **congiuntivo trapassato**?*

e. Adesso completa lo schema deducendo le forme verbali mancanti.

CONGIUNTIVO IMPERFETTO				
VERBI REGOLARI				
	parlare	**avere**	**aprire**	**essere**
io	parlassi	....	....	fossi
tu	parlassi	....	aprissi	....
lui/lei/Lei	....	avesse	....	....
noi	....	....	aprissimo	....
voi	parlaste	....	....	foste
loro	....	avessero	....	....

f. Osserva le frasi e completa le seguenti affermazioni.

	frase principale	frase dipendente
1.	*Credevamo che*	sino ad allora le ragazze non **avessero** mai **avuto** un videogioco con cui identificarsi.

Quando la frase dipendente è in una posizione di **anteriorità**, cioè indica un'azione passata rispetto a quella della principale, il verbo nella dipendente è al: ....

	frase principale	frase dipendente
2.	Le ragazze *pensavano che*	i video game **si rivolgessero** prevalentemente ai maschi…

Quando la frase dipendente è in una posizione di **contemporaneità**, cioè indica un'azione contemporanea a quella della principale, il verbo nella dipendente è al: ....

	frase principale	frase dipendente
3.	*Volevamo che*	in futuro i videogiochi **interessassero** anche le ragazze.

Quando la frase dipendente è in una posizione di **posteriorità**, cioè indica un'azione futura rispetto alla principale, il verbo nella dipendente è al: ....

6 Esercizio orale - Congiuntivo imperfetto e trapassato

a. Prova ad indovinare se il tuo compagno…

1. ha la playstation	☐	o odia i videogame ☐
2. preferisce il caffè	☐	o il tè ☐
3. mangia la carne	☐	o è vegetariano ☐
4. ha studiato lo spagnolo	☐	o ha studiato il francese ☐
5. è stato in Europa	☐	o non ha mai lasciato gli USA ☐
6. è single	☐	o ha un compagno/una compagna ☐
7. è un dormiglione	☐	o si alza presto ☐
8. pratica regolarmente uno sport	☐	o non fa nessuno sport ☐
9. ha imparato a suonare il piano	☐	o non sa suonare nessuno strumento ☐
10. ama ballare	☐	o non ama ballare ☐

b. Adesso intervista il tuo compagno per capire se hai indovinato i suoi gusti e le sue abitudini. In caso contrario replica secondo il modello.

Es: ■ Penso che tu abbia la playstation.	■ Penso che tu abbia la playstation.
▼ Sì, ce l'ho.	▼ No, non ce l'ho.
	■ Ah, pensavo che l'avessi.

CD 18

7 Trascrizione - Esprimere un parere

a. Ora riascolterai molte volte un brano della conversazione che hai ascoltato nell'attività 3. Prova a trascrivere tutto quello che ascolti.

Uomo: *Pensavo che* ....
....
...., *ricevere magari una cosa che…*

Donna: *Va be' io…*

Uomo: *…anche per il nostro rapporto…*

Donna: *Ma sì, ma io* ....
....
insomma, non ti ho potuto avvertire, sono arrivata un po' in ritardo,
ma può capitare…

8 Lettura - E-mail: la nicotina della nuova era

a. Leggi il testo.

1 Prima era la sigaretta a creare dipendenza nei giovani delle nuove generazioni, ora invece si fa avanti la spietata concorrenza dell'e-mail, lo rivela uno studio commissionato da Symantec (software per la sicurezza dei computer), secondo il quale il 75% degli intervistati ha dichiarato di non poter fare a meno della posta elettronica.

2 Trascorri ore ed ore davanti al monitor del tuo computer con la speranza di vedere apparire sullo schermo l'indicazione "new mail"? Ebbene fai molta attenzione poiché potresti far parte della nuova tipologia di utente "dipendente". Secondo una ricerca commissionata dalla Symantec la mail-dipendenza dilaga e colpisce l'individuo durante tutto il giorno. Il primo check è alle 8.40, ma si tratta di quello del lavoro, perché in realtà un vero dipendente da posta elettronica si collega con la sua casella molto prima di arrivare in ufficio (alcuni già alle 6) e la maggior parte effettua l'ultima connessione della giornata intorno alle 17 (tuttavia non sono pochi quelli che arrivano anche a mezzanotte). Il 72% utilizza la posta elettronica anche fuori ufficio in situazioni non lavorative, il 40% in vacanza e il 38% durante le assenze per malattia.

3 La categoria dell'utente "dipendente" rappresenta il 21% degli intervistati. Fortunatamente il 49% del campione sostiene di avere nei confronti della posta elettronica un atteggiamento "rilassato", mentre il 10% rappresentato dai "tecnofobici" preferisce la "snail-mail", cioè la posta tradizionale. Infine, il restante 6% è costituito dai "bombardati", che subiscono l'e-mail e hanno difficoltà a farvi fronte.

4 Secondo la ricerca, nel 2005 il numero di e-mail da gestire per persona è aumentato notevolmente: il 91% delle imprese ammette infatti che negli ultimi dodici mesi i messaggi di posta elettronica sono aumentati in media del 47%, con un conseguente aumento del tempo dedicato alla consultazione e alla gestione. Addirittura, il 52% degli intervistati dichiara di dedicare anche più di due ore al giorno tra invio e ricezione di e-mail (il 15 % vi dedica quattro ore al giorno).

5 Si può, insomma, parlare di dipendenza fisica dall'inviare e ricevere e-mail al pari di quella provocata da droga o alcool? Secondo la S.I.I.Pa.C. (società italiana di intervento delle patologie convulsive), ovviamente parlando in termini oggettivi, la posta elettronica non induce cambiamenti biochimici, quindi non si può parlare di dipendenza in termini strettamente medici o fisici, ma psicologici. Si possono verificare situazioni di abuso che nascondono difficoltà interiori quali la paura di comunicare. Il virtuale diventa così un'alternativa al dolore e alla solitudine. La mancanza del contatto diretto, lo schermo protettivo fornito dall'interfaccia digitale, consente una difesa fisica ed emotiva, per cui comunicare ed interagire appare più facile della realtà. Se l'ultima patologia da internet continuerà a diffondersi, comunicare con un monitor sarà dunque prassi quotidiana.

(da *www.babel.it*)

b. Abbina i paragrafi ai seguenti titoli.

a. L'uso della posta elettronica aumenta sempre di più   n°____
b. Nasce una nuova tipologia di utente: il dipendente da posta elettronica   n°____
c. Le e-mail danno dipendenza come le sigarette   n°____
d. La dipendenza non è fisica ma psicologica   n°____
e. Le differenti categorie di utenti   n°____

9 Scriviamo - Un'e-mail

Nel dialogo dell'attività 3, Carlo ha regalato un cellulare alla sua ragazza ma lei sembra non aver gradito il pensiero. Carlo, essendoci rimasto male, ha deciso di sfogarsi scrivendo un'e-mail al suo migliore amico. Scrivi l'e-mail che immagini possa aver scritto.

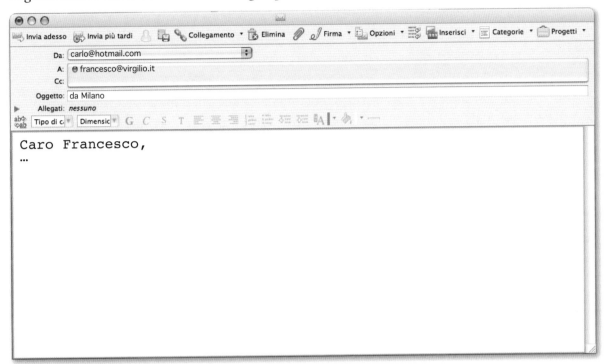

10 Parliamo - E tu?

Qual è il tuo rapporto con internet? Lo usi solo per scrivere e-mail?
Con quale frequenza apri la tua casella di posta elettronica?
Con quale tipo di utente ("dipendente", "rilassato", "tecnofobico", "bombardato") ti identifichi?
Sei d'accordo con la tesi espressa dall'autore dell'articolo riguardo quella che lui definisce "l'ultima patologia da internet"?
Parlane con un compagno.

11 Esercizio scritto - Riscrittura al passato

Immagina che tra mille anni degli antropologi scrivano un articolo sulle varie etnie che hanno popolato il mondo nel XXI secolo. Riscrivi il seguente testo, apparso nell'attività 4 della lezione 7, al passato.

Gli italiani: gesticolano, ma hanno uno stile impeccabile

Pare che gli italiani siano famosi per la pasta e il vizio di gesticolare, che i francesi abbiano una particolare predilezione per la sofisticatezza e il romanticismo, che i tedeschi amino la puntualità e la birra. Non si sa quali stereotipi circondino i boliviani, gli etiopi o gli australiani. Al contrario molti ritengono che gli indonesiani tendano a sopprimere le emozioni e che invece i tailandesi si divertano. A supplire a questa mancanza interviene una vera e propria cartina geografica del pregiudizio, un atlante mondiale delle caratteristiche propriamente o impropriamente attribuite alle genti di ogni latitudine. Realizzata da un blogger tedesco, a molti sembra che la mappa raccolga dicerie e caratteristiche appiccicate a quasi tutti i popoli del mondo. La fonte di questo vero e proprio repertorio dei luoghi comuni applicati allo straniero è ovviamente Google, il più popolare motore di ricerca della terra che, in questo caso, scandaglia la conoscenza collettiva della rete a caccia delle etichette assegnate agli individui in base alla nazionalità.

Gli italiani: **gesticolavano** *ma...*

12 Riflettiamo - Connettivi

Completa il testo, già apparso nell'attività 8, scegliendo i connettivi giusti.
Aiutati con le spiegazioni ai lati del testo.

G 18.1

segnala che il concetto è in contrasto con un'affermazione fatta precedentemente

Prima era la sigaretta a creare dipendenza nei giovani delle nuove generazioni, ora ***invece/infatti/per cui*** si fa avanti la spietata concorrenza dell'e-mail, lo rivela uno studio commissionato da Symantec (software per la sicurezza dei computer), secondo il quale il 75% degli intervistati ha dichiarato di non poter fare a meno della posta elettronica.

introduce una causa

Trascorri ore ed ore davanti al monitor del tuo computer con la speranza di vedere apparire sullo schermo l'indicazione "new mail"? Ebbene fai molta attenzione ***così/quindi/poiché*** potresti far parte della nuova tipologia di utente "dipendente". Secondo una ricerca commissionata dalla Symantec la mail-dipendenza dilaga e colpisce l'individuo durante tutto il giorno. Il primo check è alle 8.40, ***poi/ma/allora*** si tratta di quello del lavoro, ***perché/infatti/infine*** in realtà un vero dipendente da posta elettronica si collega con la sua casella molto prima di arrivare in ufficio (alcuni già alle 6) e la maggior parte effettua l'ultima connessione della giornata intorno alle 17 (***poiché/tuttavia/poi*** non sono pochi quelli che arrivano anche a mezzanotte). Il 72% utilizza la posta elettronica anche fuori ufficio in situazioni non lavorative, il 40% in vacanza e il 38% durante le assenze per malattia.

introduce una spiegazione ad un'affermazione fatta precedentemente

introduce un concetto che limita quanto detto nella frase precedente

introduce un concetto che limita quanto detto nella frase precedente

segnala che il concetto è in contrasto con un'affermazione fatta precedentemente

La categoria dell'utente "dipendente" rappresenta il 21% degli intervistati. Fortunatamente il 49% del campione sostiene di avere nei confronti della posta elettronica un atteggiamento "rilassato", ***per cui/infine/mentre*** il 10% rappresentato dai "tecnofobici" preferisce la "snail-mail", ***cioè/anche se/infatti*** la posta tradizionale. ***Dunque/Infine/Insomma***, il restante 6% è costituito dai "bombardati", che subiscono l'e-mail e hanno difficoltà a farvi fronte.

specifica quanto detto precedentemente

conclude un concetto espresso precedentemente

introduce un'affermazione che conferma quanto detto precedentmente

Secondo la ricerca, nel 2005 il numero di e-mail da gestire per persona è aumentato notevolmente: il 91% delle imprese ammette ***allora/infatti/così*** che negli ultimi dodici mesi i messaggi di posta elettronica sono aumentati in media del 47%, con un conseguente aumento del tempo dedicato alla consultazione e alla gestione. ***Addirittura/Tuttavia/Poi***, il 52% degli intervistati dichiara di dedicare anche più di due ore al giorno tra invio e ricezione di e-mail (il 15 % vi dedica quattro ore al giorno).

introduce un'informazione che toglie qualsiasi dubbio a quanto detto precedentemente e lo conferma

segnala la sintesi di un concetto espresso precedentemente

Si può, ***invece/insomma/ma***, parlare di dipendenza fisica dall'inviare e ricevere e-mail al pari di quella provocata da droga o alcool? Secondo la S.I.I.Pa.C. (società italiana di intervento delle patologie convulsive), ovviamente parlando in termini oggettivi, la posta elettronica non induce cambiamenti biochimici, ***invece/cioè/quindi*** non si può parlare di dipendenza in termini strettamente medici o fisici, ***ma/mentre/infine*** psicologici. Si possono verificare situazioni di abuso che nascondono difficoltà interiori quali la paura di comunicare. Il virtuale diventa ***anche se/così/poi*** un'alternativa al dolore e alla solitudine. La mancanza del contatto diretto, lo schermo protettivo fornito dall'interfaccia digitale, consente una difesa fisica ed emotiva, ***per cui/infatti/invece*** comunicare ed interagire appare più facile della realtà. Se l'ultima patologia da internet continuerà a diffondersi, comunicare con un monitor sarà ***poiché/dunque/però*** prassi quotidiana.

introduce la logica conseguenza dei fatti precedentemente raccontati

introduce un'informazione che toglie qualsiasi dubbio a quanto detto precedentemente e lo conferma

fa riferimento a quanto detto subito prima

introduce la conseguenza dei fatti appena raccontati

introduce la logica conseguenza dei fatti precedentemente raccontati

(da *www.babel.it*)

13 Lessico - È una parola di origine…

a. Formate due gruppi. Vince il gruppo che riesce a scoprire l'origine delle seguenti parole straniere entrate nella lingua italiana. Potete scegliere tra le queste lingue: eschimese, francese, giapponese, sanscrito, inglese, latino, spagnolo, tedesco, turco.

dossier   ex aequo   tournée   yogurt   telenovela   blitz   qui pro quo   harèm

choc   in extremis   leit motiv   record   karma   karaoke   kayak   non plus ultra

parure   premier   bunker   hacienda   soufflé   équipe

b. Formate due nuovi gruppi. Vince il gruppo che riesce a trovare il maggior numero di parole inglesi di uso comune nella lingua italiana.

14 Ascolto - SOS italiano

CD 19

a. Chiudi il libro, ascolta l'intervista e poi confrontati con un compagno.

b. Ascolta l'intervista e segna con una X i temi trattati. Verifica in coppia e poi in plenum.

Tutela della lingua italiana   ☐
Ruolo dei nuovi mezzi di comunicazione   ☐
Uso dei dialetti nelle scuole   ☐
Posizione dell'italiano tra le lingue studiate nel mondo   ☐

c. Ascolta di nuovo e metti una X sull'affermazione esatta.

	sì	no
a. In Italia esiste già un'istituzione per la tutela dell'italiano.	☐	☐
b. Secondo Masi per tutelare l'italiano bisognerebbe introdurre dei divieti.	☐	☐
c. L'unità linguistica italiana è stata realizzata da radio e TV.	☐	☐
d. Secondo Masi bisognerebbe sensibilizzare i ragazzi a un uso più attento della lingua.	☐	☐

Caffè culturale

PER FARCI UN'IDEA

Recenti pubblicazioni evidenziano come l'Italia sia uno dei paesi più cellularizzati d'Europa ed è ai primi posti anche della "classifica" mondiale.

- 50 milioni: numeri di telefonia mobile in Italia;
- 10 anni: periodo in cui il mercato della telefonia cellulare in Italia si è saturato (per l'automobile ne sono serviti 50);
- 75,3%: italiani che hanno almeno un telefono cellulare.

(da *http://fuoriaula.univr.it*)

Per gli italiani il cellulare è uno strumento ormai indispensabile. Quali pensi che siano gli argomenti di cui si parla maggiormente in Italia nelle conversazioni che si svolgono al cellulare?

CON OCCHI DI STRANIERO

TERRY TAZIOLI
è americano, vive a Seattle, ma viene spesso in Italia.
È Travel Editor/Recruiter per il Seattle Times.

Cellulari italiani

Mi era venuta un'idea geniale: essendo probabilmente il solo studente nella storia del sistema scolastico italiano (pubblico e privato) ad aver imparato a parlare l'italiano prima di poterlo effettivamente capire, avevo deciso di tuffarmi in un impegnativo corso intensivo da autodidatta. Avevo stabilito di farlo a Roma nelle strade, nei bar, nei ristoranti, nei negozi di scarpe (per cui ho una debolezza). *Mi sarei accostato*[1] ad un romano che si trovasse nei *paraggi*[2], avrei aperto la mia copia consumata del *Messaggero*[3] e, fingendo di leggere, avrei provato a tradurre qualunque conversazione si stesse svolgendo intorno a me. Lo so, la mamma mi ha insegnato che è maleducazione, ma si trattava di un'importante impresa intellettuale.

Inoltre non volevo diventare il primo studente della storia cacciato da *Italiaidea* (la scuola d'italiano che frequentavo), a causa dei suoi regressi.

Per evitare che ciò avvenisse ho deciso che il cellulare sarebbe diventato il mio migliore amico ed insegnante. Infatti, mi sono presto convinto del fatto che per l'italiano il cellulare è come un'appendice. Non credo di aver mai visto una persona senza il cellulare in costante uso. Altrettanto velocemente ho pregustato il piacere di ascoltare conversazioni fingendo di essere la persona all'altro capo del telefono.

Mi era sembrata un'idea fantastica!

Ma ben presto mi sono accorto che ciò significava interpretare, quasi esclusivamente, il ruolo della mamma. Dopo le prime conversazioni mi sono infatti reso conto che il numero più spesso digitato sul cellulare di ogni italiano, specialmente se maschio, appartiene alla mamma: *"Mamma, è pronta la mia camicia? Mamma, che hai cucinato? Mamma, la mia ragazza non è come te! Mamma, la mia ragazza non sa cucinare! Mamma, la mia ragazza m'ha lasciato!"*

Andando a scuola una mattina, mi sono fermato davanti ad un bar per ascoltare un giovanotto in giacca e cravatta, con occhiali da sole che, mentre *avviava*[4] il suo scooter, parlava con la mamma - della sua ragazza, ovviamente - o almeno così presumevo.

Alla fine è partito, parlando, gesticolando e tenendo in mano un caffè da portar via. Non ce l'ha fatta. *Si è schiantato*[5] contro una *staccionata*[6] di legno che circondava il cantiere di una ristrutturazione. Io ho raccolto il suo cellulare, mentre altri ridendo lo tiravano fuori dalla polvere del cantiere. La mamma era ancora al telefono e strillava disperata! Ho provato a consolarla, mentre il figlio *si spolverava*[7] la giacca ed i pantaloni ma non ci sono riuscito. Gli ho restituito immediatamente il telefono sorridendo e me ne sono andato, ancora incerto se lei stesse urlandomi contro perché supponeva che fossi un poliziotto noncurante, un ladro o colui per cui il figlio *stava mollando*[8] la ragazza.

Sono certo che a Roma saranno tutti felici di sapere che da allora non spio più le conversazioni telefoniche. Ora mi limito ad ascoltare i CD di italiano.

[1] *I would sidle up to;* [2] *vicinity;* [3] *Rome's main daily newspaper;* [4] *started up;* [5] *He crashed;* [6] *consruction barrier;* [7] *dusted off;* [8] *was dumping.*

Dopo aver letto l'articolo di Terry Tazioli, le tue ipotesi sugli argomenti di cui si parla maggiormente al cellulare in Italia sono state confermate o smentite?
Credi che il rapporto madre-figlio in Italia sia veramente come lo descrive l'autore del testo?

la Repubblica.it

Home Repubblica TV Politica Cronaca News Control Cronache dalle Città Economia Esteri Ambiente   Foto Multimedia Ora per Ora Annunci
Sport Motori Persone Star Control Lavoro Scuola&Giovani Spettacoli&Cultura Style&Design Tecno&Scienze Viaggi Arte Week-In Meteo

Sentenza[1] del Tribunale[2] di Roma secondo il quale la signora denunciata dall'ex marito violava[3] l'obbligo di assistenza[4]

Non richiamava il figlio al cellulare
Donna condannata ad un mese

ROMA - Non ha richiamato il figlio sul cellulare, ed è stata condannata ad un mese di reclusione[5] dal Tribunale penale[6] di Roma. I giudici hanno deciso che la signora violava gli obblighi di assistenza familiare che i genitori, questo dice il codice[7], hanno nei confronti dei figli minorenni. La donna, 46 anni, separata e con un figlio di quindici anni, è stata convocata in tribunale a causa di una denuncia presentata nel 2000 dall'ex marito contro la ex moglie, accusata di essere venuta meno agli obblighi di assistenza morale e materiale nei confronti del figlio.

In sostanza l'uomo accusava la ex consorte di non aver richiamato il figlio, nonostante le ripetute telefonate di quest'ultimo. E questo è bastato ai giudici per decidere che la donna dovesse essere condannata. I magistrati[8] hanno richiamato, nella sentenza con cui hanno dato 1 mese di reclusione alla donna, proprio quanto denunciato dall'ex marito. "Il ragazzo telefonava - è detto nelle motivazioni - alla madre e lei non richiamava al telefonino. Prometteva che avrebbe richiamato, ma non lo faceva mai". Quanto basta per il tribunale di Roma per evadere gli obblighi di assistenza familiare. L'avvocato della donna ha ovviamente annunciato che impugnerà[9] la sentenza.

(da *www.repubblica.it*)

---

[1]*Sentence;* [2]*Court;* [3]*violated;* [4]*support;* [5]*incarceration;* [6]*Criminal Court;* [7]*legal code, law;* [8]*judges;* [9]*will appeal.*

Se tu fossi stato il giudice avresti condannato la madre del ragazzo?
Al posto del padre come ti saresti comportato?
Cosa ne pensi del comportamento tenuto dai genitori del ragazzo?

Web   Immagini   Gruppi   Directory   News   **altro »**

galateo + cellulare

(Cerca con Google) (Mi sento fortunato)

Il sistema più completo per la ricerca di immagini su Web.

Cerca su internet quali sono le regole di buona educazione da seguire nell'uso del cellulare per non fare la figura del maleducato.

Invito alla lettura

1 Parliamo - Leggere

a. Completa il questionario.

1. Che cosa leggi di solito e con che frequenza? E perché?

quotidiani	☐	riviste	☐
fumetti	☐	racconti	☐
romanzi d'amore	☐	romanzi d'avventura	☐
romanzi storici	☐	gialli	☐
libri di fantascienza	☐	poesie	☐
saggi	☐	guide turistiche	☐
libri di cucina	☐	altro: _____	

2. Dove leggi di solito?

in treno / in metropolitana / in autobus

sul divano ☐

nella vasca da bagno ☐

a tavola ☐

dal medico ☐

dal parrucchiere ☐

altro: _____

3. Come leggi?

sottolinei ☐

leggi subito la fine ☐

ti scrivi delle frasi o dei pensieri ☐

rileggi più volte la stessa pagina ☐

altro: _____ ☐

4. Come scegli le tue letture?

a caso ☐

sulla base di recensioni lette ☐

su consiglio di altre persone ☐

b. Confronta le tue risposte con quelle di un compagno e, dove possibile, motivale.

c. Immagina che il tuo compagno deve fare un lungo viaggio in treno. Quale libro gli consiglieresti di portarsi sulla base dei suoi gusti?

2 Ascolto - Di che parla?

CD 20

a. Chiudi il libro, ascolta il dialogo e poi confrontati con un compagno.

b. Ascolta il dialogo e prendi nota di ciò che le due donne dicono di questi tre libri.

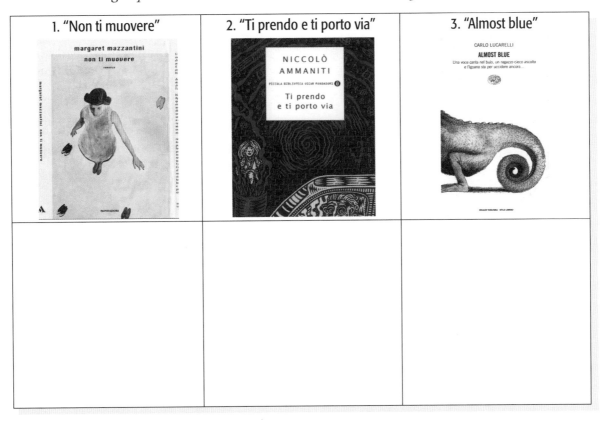

1. "Non ti muovere"	2. "Ti prendo e ti porto via"	3. "Almost blue"

3 Lettura - Recensioni

a. Ecco tre brevi recensioni. Leggile e prova ad indovinare a quale dei tre libri si riferiscono.

n° ____ Una giornata di pioggia e di uccelli che sporcano le strade, una ragazza di quindici anni che scivola e cade dal motorino. Una corsa in ambulanza verso l'ospedale. Lo stesso dove il padre lavora come chirurgo. Timoteo, il padre, rimane in attesa in un salotto vicino alla camera operatoria. E proprio in questa attesa quest'uomo parla a sua figlia Angela, parla a se stesso nel silenzio che lo circonda. Con precisione chirurgica Timoteo rivela ora alla figlia gli scompensi della sua vita, del suo cuore.

n° ____ Nessuno vuole ammetterlo ma a Bologna c'è un assassino: è l'Iguana, che assume di volta in volta l'identità delle sue vittime. Tocca a Grazia cercare di prenderlo, e più delle sofisticate tecnologie che usa, le serviranno l'intuito e la capacità di ascolto di Simone, cieco dalla nascita, Un thriller nervoso e impeccabile, una storia d'amore e solitudine.

n° ____ Il mare c'è ma non si vede a Ischiano Scalo, un paesino di quattro case accanto a una laguna piena di zanzare. Questo è lo scenario nel quale si svolgono due tormentate storie d'amore. Pietro e Gloria sono due ragazzini. Lei è bella, sicura e un po' arrogante, lui è timido, irresoluto, sognatore. Eppure un sentimento strano che assomiglia curiosamente all'amore li attrae ... Dopo anni di assenza, torna a Ischiano anche Graziano Biglia, logoro playboy. Qui conosce una donna sola e misteriosa. Dovrebbero appartenere a due universi lontani, ma in fondo è proprio tra i poli opposti che scoccano scintille, così...

b. Quale di questi libri ti interesserebbe leggere e quale compreresti per fare un regalo?
Parlane con un compagno.

a. Riascolta la conversazione dell'attività 2 e completa le frasi seguenti, scegliendo tra le tre possibilità quella usata nel dialogo.

● Nadia, questo lo conosci?
■ Sì, l'ho letto qualche anno fa, è molto bello, a patto che ti **piacciano / piacciono / piaci** i gialli!

● Ah, è un giallo? Credevo che **parlasse / parli / parlava** di jazz.
■ No, è un romanzo poliziesco, si intitola «Almost blue» perché uno dei protagonisti, che **è / sia / sia stato** cieco, è un appassionato di musica jazz.

● Fa' vedere ... «Non ti muovere» ... ah, sì, sì, ne ho sentito parlare, è la storia di un padre che immagina di parlare con la figlia prima che lei **muoia / muore / è morta**.
■ No, la figlia non muore. Comunque sì, lui le parla mentre lei **è / sia / è stata** in coma e le racconta della donna che ha segretamente amato.

■ Ammanniti lo conosci?
● No, veramente no, mai sentito.
■ Ho letto un suo libro che mi **è piaciuto / sia piaciuto / abbia piaciuto** molto, si chiama «Ti prendo e ti porto via».

*b. Lavora con un compagno: osservate il testo della conversazione nell'attività precedente, provate a spiegare quando si usa il **congiuntivo** e scrivete qui la vostra ipotesi.*

....
....
....

5 Esercizio scritto - Congiuntivo
*Collega le frasi e coniuga al **congiuntivo** i verbi indicati tra parentesi.*

1. È una lettura stimolante a patto che tu non

2. Voglio leggere quel libro prima che

3. È un personaggio simpatico a patto che ti

4. Vorrei regalarle quel romanzo prima che lei

5. È una storia commovente a patto che tu

a. le librerie lo _____ (esaurire).

b. _____ (piacere) i racconti umoristici.

c. _____ (tornare) all'Università.

d. _____ (essere) una persona emotiva.

e. _____ (essere) una persona pigra.

6 Parliamo - Vorrei regalare un libro

In coppia, dividetevi i ruoli e improvvisate una conversazione.

Studente A: Cliente

È il compleanno di un tuo caro amico e hai deciso di regalargli un libro, ma non sai ancora quale. Vai in una libreria e fatti consigliare.

Studente B: Commesso

Lavori in una libreria. Un/Una cliente (uno dei soliti/una delle solite con le idee poco chiare) ti chiede un consiglio per fare un regalo ad un amico.

7 Lettura - Per una biblioteca globale

a. Guarda il disegno e fai delle ipotesi su quale potrebbe essere il contenuto dell'articolo che leggerai nella pagina successiva.

Un sito Usa organizza un sistema di scambio internazionale. A ogni volume viene associato un numero di riconoscimento.

Un libro (gratis) in ogni luogo dal Web, ecco la biblioteca globale

Il tam tam su Internet: in un anno 45 mila volumi sono stati «sparsi» in cinque continenti.

Quando lo scorso giugno Judy Andrews trovò un libro abbandonato su una sedia dell'aeroporto di Los Angeles, pensò di essere stata fortunata. Dopo tutto si trattava di uno degli ultimi successi di John Grisham, uno dei suoi autori preferiti. Ma quello che la giovane Judy non sapeva è che si trattava di un incontro non casuale.

E infatti guardando più accuratamente scoprì una piccola nota sulla copertina. Diceva: «Per favore leggimi. Non sono stato perduto. Sto girando il mondo in cerca di amici». Superata la sorpresa, Judy capì che si trattava di qualcosa di più di un semplice libro. Era un invito a partecipare ad un esperimento sociologico globale, organizzato da un sito Internet chiamato *bookcrossing.com*, il cui obiettivo è trasformare il nostro mondo in una enorme biblioteca. (...).

L'idea è quasi banale, e forse proprio per questo rivoluzionaria. Sul sito si chiede a tutti i lettori che amano visceralmente la letteratura di registrare loro e i loro libri on line e cominciare poi a distribuirli nei bar, sulle sedie dei cinema, sui tavoli dei ristoranti. Insomma, ovunque.

A ogni libro registrato su *bookcrossing* viene assegnato un numero di identificazione e un'etichetta di registrazione che può essere stampata e attaccata sul volume. La nota spiega brevemente il funzionamento del gioco e chiede a chi ritrova il libro di andare sul sito per indicare dove l'ha trovato e di quale volume si tratti.

In questo modo il nuovo proprietario temporaneo può leggerlo e poi rimetterlo in circolo, mentre quello originario può sempre tenerlo sotto occhio e sapere se finisce in buone mani. (...) Da un anno a questa parte l'esercito degli scambialibro è salito a 24.000 unità sparse in 50 Paesi del mondo, per un traffico di oltre 45.000 libri di tutti i tipi: novelle, racconti, saggi e romanzi sparsi ai quattro angoli del globo. E ogni giorno ci sono un centinaio di nuovi partecipanti. «Il trucco per far funzionare il sistema - spiega ancora Hoernbaker, uno dei fondatori del sito, - è associare il libro giusto al posto giusto. Per esempio *Sulla strada* di Jack Kerouac è stato lasciato in una stazione di benzina vicino a New York ed è arrivato di mano in mano fino al Messico».

Chiaramente non tutti i libri arrivano a destinazione. Al momento solo un 10 o un 15% dei volumi liberati viene trovato da una persona che si aggiunge alla catena.

(da *www.repubblica.it*)

b. Trova per ogni significato l'espressione corrispondente nel testo, come nell'esempio.

espressione del testo	significato
abbandonato	lasciato
	era
	programmato
	con molta attenzione
	finalità
	moltissimo, con passione
	in ogni luogo
	controllarlo
	distribuite casualmente
	storie brevi
	mondo

8 Parliamo - Che libro lasceresti?

Immagina di partecipare al bookcrossing, quale libro lasceresti? Dove lo lasceresti? Perché?
Parlane con un compagno.

9 Riflettiamo - Il passivo

G 11.1

a. *Trova nell'articolo che hai letto i seguenti verbi coniugati nella forma passiva e completa la tabella.*
I verbi sono in ordine.

verbo	forma passiva	modo e tempo	ausiliare
Associare	*viene associato*	*indicativo presente*	*venire*
Spargere			
Perdere			
Assegnare			
Stampare			
Lasciare			
Trovare			

b. *In italiano secondo te come si forma il passivo di un verbo?*

c. *Osserva la tabella precedente. Quanti e quali verbi ausiliari si possono usare per formare il passivo? C'è una differenza tra loro? Quando si usa uno e quando si usa l'altro?*
Parlane con un compagno.

10 Esercizio scritto - Notizie, notizie ...

Ecco alcune brevi notizie tratte da un giornale. Trasformale al passivo secondo l'esempio.

Es: La prossima settimana il Governo presenterà la nuova legge sulla maternità.
La nuova legge sulla maternità sarà/verrà presentata dal Governo la prossima settimana.

a. Sophia Loren ha consegnato l'Oscar a Benigni.
b. Più di 300.000 persone visitano la Biennale di Venezia.
c. Gli antichi Romani preparavano già la pizza.
d. I giapponesi hanno inventato un melone quadrato.

e. La radio ha confermato la notizia dello sciopero nazionale.
f. Tutto il Paese ha ascoltato il discorso del Presidente in TV.
g. La prossima settimana il sindaco inaugurerà la mostra sugli Etruschi.

11 Trascrizione - Dare un consiglio

CD 21

Ora riascolterai molte volte un brano della conversazione che hai ascoltato nell'attività 2.
Prova a trascrivere tutto quello che ascolti.

● *Ah! Quasi quasi* ....

▪ *Tu* ....

....

● *Fa' vedere* ....

....

....*muoia.*

12 Esercizio orale - Superlativi relativi

Forma delle frasi secondo il modello.

Es: Storia d'amore / bello / leggere   È una delle storie d'amore più belle che abbia mai letto.

Film / triste / vedere
Città / interessante / visitare
Ristorante / caro / provare

Ragazzo / noioso / incontrare
Corso / divertente / frequentare
Viaggio / emozionante / fare

13 Lettura - Ciao, bentrovato!

Leggi l'etichetta del bookcrossing.

Ciao, bentrovato!

Io sono un libro molto speciale perché non mi piace stare chiuso in libreria.
Desidero essere letto e poi lasciato libero, perché altre persone possano leggermi.

Prendimi, leggimi e poi lasciami libero! In un bar, su un treno, in una sala d'aspetto o dove preferisci!

Per segnalare il mio ritrovamento, e per sapere dove sono stato e chi mi ha letto prima di te, vai sul sito

www.debris.it/bookcrossing

e digita il mio numero personale (che trovi qui sotto). Così potrai continuare la mia storia! Grazie!

BCID

LIBRO RILASCIATO DA: _____

14 Riflettiamo - *Perché* + congiuntivo/indicativo

 7.5.6

a. *Trova nel testo le frasi che contengono la parola* **perché***.*

b. *Lavora con un compagno: provate a spiegare quando* **perché** *è seguito dall'indicativo e quando dal congiuntivo e scrivete qui la vostra ipotesi.*

....

....

....

Invito alla lettura

9

15 Esercizio scritto - *Perché* + congiuntivo/indicativo

*Completa le frasi coniugando i verbi al **congiuntivo** o all'**indicativo**.*

a. Il bookcrossing è un'iniziativa creata perché *(diffondersi)* _____ la pratica della lettura.

b. L'etichetta è utile perché *(spiegare)* _____ il funzionamento del gioco.

c. La lettura è un'abitudine salutare perché *(stimolare)* _____ la fantasia.

d. Le persone abbandonano i libri perché nuovi lettori *(potere)* _____ trovarli.

e. L'iniziativa è rivoluzionaria perché *(proporre)* _____ qualcosa di molto semplice.

16 Scriviamo - Recensione di un libro

Seguendo gli esempi dell'attività 3 scrivi la recensione di un libro che ti ha conquistato.

17 Ascolto - Un reclamo

a. Chiudi il libro, ascolta il dialogo e poi confrontati un compagno.

b. Riascolta la telefonata e rispondi alle domande.

1. Perché il cliente telefona alla Omnibook?
   ....
   ....

2. Con chi parla il cliente?
   ....
   ....

3. L'interlocutore aiuta il cliente a risolvere il suo problema?
   ....
   ....

4. Che cosa decide di fare il cliente?
   ....
   ....

18 Parliamo - Una telefonata

In coppia dividetevi i ruoli e improvvisate una telefonata.

Studente A: Cliente
In un catalogo hai ordinato un regalo di compleanno per tua madre. La merce ordinata è arrivata troppo tardi.
Vuoi essere rimborsato delle spese.

Studente B: Impiegato Call Center
Un cliente ti telefona perché la merce che aveva ordinato è arrivata in ritardo. Scusati, cerca di giustificare il ritardo e spiega al cliente che non può essere rimborsato.

Caffè culturale

■ PER FARCI UN'IDEA

*Osserva la copertina del libro qui accanto.
Leggi il titolo ed immagina di cosa parla
e di quale genere di letteratura si tratta.*

■ CON OCCHI DI STRANIERO

AMARA LAKHOUS *è nato ad Algeri nel 1970,
vive a Roma dal 1995. Si è laureato in filosofia
all'Università di Algeri e in antropologia
culturale alla Sapienza di Roma.*

**Come ti definiresti: uno scrittore algerino, uno scrittore
italiano o…?**
Forse sono algerino-italiano o forse italiano-algerino o né italiano né algerino. Questo non riguarda solo la scrittura, riguarda l'identità esistenziale. La mia è un'identità aperta, e
questo comporta anche dei rischi, perché ciascuno ha bisogno di punti di *riferimento*[1]. La vita è un'avventura.
Ti definiresti uno scrittore italofono?
È una bella domanda. Io ho scritto il libro in arabo e poi l'ho
riscritto in italiano.
Non l'hai *tradotto*[2]?
No, l'ho riscritto. Io sono entrato due volte nelle classifiche del
Corriere della Sera dei libri più venduti in Italia e sono stato inserito nella letteratura italiana e non nella letteratura straniera.
Anche questa per me è stata una bella sorpresa. La cosa certa è
che il problema è l'identità della letteratura italiana: chi è lo
scrittore italiano? Quello che è nato in Italia? Quello che ha un
nome italiano? Quello che ha un passaporto italiano? Quello
che scrive in italiano? Questa è la novità di questo dibattito. È
una novità che *coinvolge*[3] tanti altri scrittori. Comunque ognuno ha la sua storia. Ci sono scrittori che sono nati in Italia, che
sono figli di immigrati, poi ci sono altri scrittori che sono arrivati in Italia, dieci anni fa, quindici anni fa e hanno cominciato a scrivere qui, poi ci sono quelli che hanno cominciato già a
scrivere nel paese d'origine, come me, e sono arrivati in Italia
ed hanno continuato a scrivere nella lingua d'origine e poi
successivamente hanno fatto questo *passo in avanti*[4], di riscri-
vere, partendo naturalmente da un testo scritto. In fondo il
mio italiano è un po' strano, è un italiano volutamente arabiz-
zato, se vai ad analizzare alcuni passaggi trovi metafore, immagini, modi di dire della lingua araba.
**Chi è il lettore che legge il libro in arabo e chi lo legge in
italiano?**
Sono molto diversi. Hanno modi diversi di capire questa
realtà che ho cercato di raccontare.

In Italia ci sono vari livelli di lettura. C'è la lettura accademi-
ca, lo studio del linguaggio, sul *meticciato*[5] linguistico. Poi ci
sono i lettori semplici, quelli che comprano i libri, che li re-
galano agli amici.
C'è molto della tua esperienza personale nel libro?
Per esempio la conoscenza di Piazza Vittorio?
Io ho sempre pensato allo scrittore *immerso*[6] in una realtà. Io
ho bisogno di parlare con la gente, di ascoltare, di *spiare*[7]
delle volte. Osservo molto, quindi questo romanzo è frutto
di un'esperienza vissuta. Ho abitato per sei anni a Piazza
Vittorio, senza quell'esperienza questo romanzo non potrebbe esistere.
**In ambito accademico la narrativa degli scrittori stranieri
spesso viene considerata "la voce degli *esclusi*[8]". Che ne
pensi?**
Questo riguarda la produzione dei primi scrittori "immigrati" che era di tipo sociologico, antropologico. Loro racconta-
vano la sofferenza della migrazione. Ne abbiamo esempi importanti: "L'immigrato" di Salam Methnani e "Io venditore
di elefanti" di Pap Khouma, come prototipo di questa prima
letteratura, basata fondamentalmente sull'autobiografia. Nel
mio lavoro sicuramente c'è sociologia, c'è antropologia, c'è la
conoscenza della realtà, però c'è un lavoro sul linguaggio, c'è
immaginazione, c'è ironia, c'è letteratura. Io non volevo scrivere un *saggio*[9], volevo scrivere un romanzo. Sono uscito dal-
l'autobiografia per raccontare la realtà, ho usato alcuni spunti autobiografici, ma alla fine il vero protagonista è Piazza
Vittorio, il luogo che diventa personaggio.
I personaggi del libro non ci sono, non esistono fisicamente,
in ogni personaggio ho messo tanti ricordi.
**Come spieghi la scelta di non parlare solo degli italiani
piuttosto che degli stranieri, ma di tutte le distinzioni tra
le persone, quelle regionali, quelle di ceto sociale?**
Io ho cercato di raccontare l'Italia multietnica, non solo degli
immigrati, ma anche dei napoletani e dei milanesi per esempio.
**Hai pensato all'idea di usare il romanzo come sceneggia-
tura per un film?**
Ho già venduto i diritti, li ha comprati un produttore italiano. C'è anche l'idea di farne uno spettacolo teatrale.

(Intervista di Chiara Sandri)

[1]*reference;* [2]*translated;* [3]*involves, includes;* [4]*step forward;* [5]*mixed-race;* [6]*immersed;* [7]*to spy on;* [8]*excluded;* [9]*essay.*

Secondo te che cosa si intende per letteratura italofona?

IL POTERE DELLE PAROLE - IMMIGRATI, RAZZISMO E CONOSCENZA

di Paolo Fallai

Non bisogna *fidarsi*[1] di questo romanzo. Comincia a portarti fuori strada fin dal titolo **"Scontro di civiltà per un ascensore a Piazza Vittorio"**, accattivante, ironico, *ammiccante*[2]. E poi c'è lui, **Amara Lakhous**, l'autore che bisogna assolutamente incontrare per rendersi conto che è fatto di un *impasto*[3] di sorrisi, Algeria, nostalgia, paura, *testardaggine*[4] e capacità. La sua storia: è nato nel 1970, si è *laureato*[5] in Filosofia ad Algeri e nel 1994 ha cominciato a lavorare per la radio algerina. Neanche un anno dopo ha dovuto scegliere dove voleva stare con qualche chance di sopravvivenza: è arrivato a Roma nel 1995, un *clandestino*[6] come tanti. Qui ha imparato l'italiano, ha conquistato il lavoro e i documenti, si è poi iscritto all'università laureandosi in Antropologia culturale alla Sapienza. Oggi lavora come giornalista all'agenzia Adnkronos e scrive *romanzi*[7] che non si sa bene come prendere. La prima lettura dello "Scontro di civiltà per un ascensore a Piazza Vittorio" è come bere un bicchiere d'acqua. Fila via nel tempo strettamente necessario per *goderselo*[8]. È un romanzo polifonico. Ognuno dei personaggi racconta la storia dal suo punto di vista, col suo linguaggio, il suo "spartito", ma il perché lo scopriremo dopo. Solo il personaggio principale interviene ripetutamente con i suoi "ululati" e un diario che segue un proprio calendario emotivo. Al centro c'è un *omicidio*[9], ma di questo fatto di sangue si parla pochissimo. Quel che conta veramente è l'assenza del protagonista, tale Amedeo. Che è sempre pronto ad aiutare tutti gli altri, dal cuoco iraniano che odia la pizza e viene sbattuto a lavare i piatti, alla portiera napoletana che si ostina a scambiare un bengalese per un pachistano facendolo imbestialire. Amedeo ha una parola buona per tutti, un aiuto per tutti: per la signora anziana a cui è rimasto solo l'affetto per il cane e che lo perde, alla *badante*[10] peruviana che muore di nostalgia e di solitudine. Amedeo è scomparso. Su questo il romanzo si arrampica agilmente. E sembra sia lì, nel ruolo di questo benefattore del piccolo popolo di piazza Vittorio, il *nodo centrale*[11] di tutta la storia. E invece… Come va a finire lo scoprirà solo chi avrà voglia di godersi la lettura. Per prendere consapevolezza che il vero protagonista della storia, di tutta questa storia di immigrazione, integrazione, amicizia, solidarietà, polizia, vino e *piccioni*[12] di piazza Santa Maria Maggiore, è il linguaggio. Amedeo è il personaggio principale perché conosce l'italiano e le lingue degli immigrati, è un traduttore. Possiede il potere delle parole: si fa capire dalla disperazione, ma anche dall'autorità. È capace di offrire parole di consolazione e indicazioni pratiche su un permesso di soggiorno. Accidenti! Questo benedetto scrittore algerino è stato capace di sbatterci in faccia una ovvietà rivoluzionaria. Senza parole, e senza conoscenza, nascono *diffidenza*[13], disperazione, violenza. Dove non ci sono parole prospera l'illegalità. Altro che novella d'immigrazione scritta da un immigrato. **Amara Lakhous** parla di noi. E lo fa con tanta padronanza da riproporre i personaggi italiani quasi meglio degli stranieri, magari esagerando un po' quando si spinge nelle terre incerte del dialetto. Ma insomma, se lo può permettere. "Scontro di civiltà per un ascensore a Piazza Vittorio" è già un piccolo caso editoriale. Non solo perché le vendite procedono spedite, ma perché - come accade solo alla letteratura - toccando corde autentiche, la sua diffusione è affidata a una *magia*[14] che nessuna campagna pubblicitaria potrebbe uguagliare. La settimana scorsa era addirittura al nono posto della classifica di vendite proposta dal Corriere della Sera. Nella sezione "italiani". **Amara Lakhous** era commosso.

(da amaralakhous.com)

[1]*to trust;* [2]*teasing, tongue-in-cheek;* [3]*mixture;* [4]*obstinacy;* [5]*received a college degree;* [6]*illegal alien;* [7]*novels;* [8]*to enjoy oneself;* [9]*murder;* [10]*nanny;* [11]*central drama;* [12]*pigeons;* [13]*diffidence, distrust;* [14]*magic.*

Dopo aver letto la recensione di questo libro hai voglia di leggerlo, o no? Vorresti visitare Piazza Vittorio?

■ L'ITALIA IN RETE

Cerca su Internet informazioni su Amara Lakhous.

La famiglia cambia faccia

1 Parliamo - Ritratti di famiglia

a. Osserva le foto e immagina quali potrebbero essere le caratteristiche di queste famiglie italiane.

b. Qual è la situazione nel tuo Paese? Quale di queste famiglie senti più vicina?

2 Lettura - L'Italia cambia faccia

Ricostruisci l'articolo mettendo in ordine i quattro brani: 1____ 2____ 3____ 4____

La denatalità del Belpaese su Newsweek: solo 1,18 figli per donna. Culle sempre più vuote in tutta Europa
L'Italia cambia faccia, è il paese dei figli unici
Abbiamo il tasso di natalità più basso al mondo

A. Forse Golini esagera, ma è certo che le chiassose famiglie radunate intorno al tavolo sono ormai in via d'estinzione. E non solo in Italia. La dimensione delle famiglie si sta letteralmente restringendo in molte zone della terra, in particolare nei paesi più ricchi.

Chi l'avrebbe mai detto? Trenta anni fa la maggiore preoccupazione era che il crescente aumento della popolazione mondiale decimasse le risorse della terra. Oggi nel mondo siamo 6 miliardi ma il tasso di crescita è sceso all'1,2 per cento. Una migliore contraccezione, maternità posticipate, un numero maggiore di donne nel mondo del lavoro e una diffusa migrazione dalle aree rurali del pianeta verso le aree urbane hanno giocato un ruolo decisivo nel decremento delle nascite. Esiste però anche un'altra ragione perché nascono meno bambini, anche se gli stressati genitori non lo ammettono: con un solo figlio tutto è più semplice e più economico.

B. Quella della signora non è la semplice preoccupazione di una nonna. L'Italia, con una media di 1,18 bambini per donna, occupa il posto più in basso della classifica mondiale della natalità. Questo significa che ogni anno ci sono più morti che nascite, un fenomeno che i demografi chiamano "fertilità inferiore alla sostituzione": praticamente, a questo ritmo, soltanto una massiccia immigrazione potrà riuscire a mantenere costante la popolazione. Il demografo Antonio Golini, dell'Università La Sapienza di Roma, afferma che, già ora, il paese comincia a dipendere dalla forza economica rappresentata dagli immigrati. "L'Italia non sarà più italiana - spiega il demografo - Sarà la fine di questa società così come la conosciamo".

C. Il sociologo francese Jean-Claude Kaufman attribuisce l'aumento delle famiglie con un figlio unico alla "crescita dell'individualismo". Con un figlio solo è più facile portare la famiglia in un ristorante a quattro stelle o in un safari in Tanzania. Vivere in un piccolo appartamento di una metropoli è più fattibile e se parliamo poi di educazione non c'è confronto: i figli unici hanno molte più possibilità dei loro amici con fratelli di frequentare prestigiose scuole private.

Il declino nella crescita della popolazione sta avvenendo quasi esclusivamente nelle nazioni maggiormente sviluppate: secondo le Nazioni Unite, entro il 2050, i paesi più poveri avranno triplicato la loro popolazione. Per quella data, nove persone su dieci vivranno in un paese in via di sviluppo. Anche l'età della popolazione mondiale aumenta rapidamente: il numero di ultrasessantenni nei prossimi 50 anni triplicherà e gli over 80 saranno cinque volte di più.

D. Nei giorni di sole, le nonne del quartiere Testaccio, a Roma, accompagnano i nipoti ai giardinetti per farli giocare con altri bambini. Maria Ceccani osserva con attenzione il nipotino Fabrizio di tre anni, mentre si azzuffa con un compagno per un autocarro ribaltabile. "Non ha né fratelli, né sorelle. E nemmeno cugini" spiega con rammarico. "Hanno sbagliato ad avere solo un figlio. Non faccio altro che ripeterlo a mio figlio: fanne un altro, fanne un altro". Ma il figlio e la nuora della signora Ceccani non sembrano affatto propensi ad avere un altro bimbo, e una delle ragioni è che vivono ancora con lei. "Una volta le famiglie italiane avevano molti bambini", continua la signora Ceccani, "ma oggi le mamme lavorano e non hanno tempo per una famiglia numerosa. È una vergogna".

a. Verifica il risultato dell'attività precedente, poi cerca nel testo gli avverbi che corrispondono agli aggettivi nella tabella della prossima pagina. Infine confrontati con un compagno.

La denatalità del Belpaese su Newsweek: solo 1,18 figli per donna.
Culle sempre più vuote in tutta Europa
L'Italia cambia faccia, è il paese dei figli unici
Abbiamo il tasso di natalità più basso al mondo

Nei giorni di sole, le nonne del quartiere Testaccio, a Roma, accompagnano i nipoti ai giardinetti per farli giocare con altri bambini. Maria Ceccani osserva con attenzione il nipotino Fabrizio di tre anni, mentre si azzuffa con un compagno per un autocarro ribaltabile. "Non ha né fratelli, né sorelle. E nemmeno cugini" spiega con rammarico. "Hanno sbagliato ad avere solo un figlio. Non faccio altro che ripeterlo a mio figlio: fanne un altro, fanne un altro". Ma il figlio e la nuora della signora Ceccani non sembrano affatto propensi ad avere un altro bimbo, e una delle ragioni è che vivono ancora con lei. "Una volta le famiglie italiane avevano molti bambini", continua la signora Ceccani, "ma oggi le mamme lavorano e non hanno tempo per una famiglia numerosa. È una vergogna".

Quella della signora non è la semplice preoccupazione di una nonna. L'Italia, con una media di 1,18 bambini per donna, occupa il posto più in basso della classifica mondiale della natalità. Questo significa che ogni anno ci sono più morti che nascite, un fenomeno che i demografi chiamano "fertilità inferiore alla sostituzione": in pratica, a questo ritmo, soltanto una massiccia immigrazione potrà riuscire a mantenere costante la popolazione. Il demografo Antonio Golini, dell'Università La Sapienza di Roma, afferma che, già ora, il Paese comincia a dipendere dalla forza economica rappresentata dagli immigrati. "L'Italia non sarà più italiana - spiega il demografo - Sarà la fine di questa società così come la conosciamo".

Forse Golini esagera, ma è certo che le chiassose famiglie radunate intorno al tavolo sono ormai in via d'estinzione. E non solo in Italia. La dimensione delle famiglie si sta letteralmente restringendo in molte zone della terra, in particolare nei paesi più ricchi.

Chi l'avrebbe mai detto? Trenta anni fa la maggiore preoccupazione era che il crescente aumento della popolazione mondiale decimasse le risorse della Terra. Oggi nel mondo siamo 6 miliardi ma il tasso di crescita è sceso all'1,2 per cento. Una migliore contraccezione, maternità posticipate, un numero maggiore di donne nel mondo del lavoro e una diffusa migrazione dalle aree rurali del pianeta verso le aree urbane hanno giocato un ruolo decisivo nel decremento delle nascite. Esiste però anche un'altra ragione perché nascono meno bambini, anche se gli stressati genitori non lo ammettono: con un solo figlio tutto è più semplice e più economico.

Il sociologo francese Jean-Claude Kaufman attribuisce l'aumento delle famiglie con un figlio unico alla "crescita dell'individualismo". Con un figlio solo è più facile portare la famiglia in un ristorante a quattro stelle o in un safari in Tanzania. Vivere in un piccolo appartamento di una metropoli è più fattibile e se parliamo poi di educazione non c'è confronto: i figli unici hanno molte più possibilità dei loro amici con fratelli di frequentare prestigiose scuole private.

Il declino nella crescita della popolazione sta avvenendo quasi esclusivamente nelle nazioni maggiormente sviluppate: secondo le Nazioni Unite, entro il 2050, i paesi più poveri avranno triplicato la loro popolazione. Per quella data, nove persone su dieci vivranno in un paese in via di sviluppo. Anche l'età della popolazione mondiale aumenta rapidamente: il numero di ultrasessantenni nei prossimi 50 anni triplicherà e gli over 80 saranno cinque volte di più.

(da *Newsweek/la Repubblica*)

```
        semplicemente  ◄────── semplice
                                letterale ──────►  _____
        _____  ◄────── esclusivo
                                maggiore ──────►  _____
        _____  ◄────── rapido
        felicemente  ◄────── felice
```

b. *Osserva gli esempi nella colonna di sinistra. Secondo te come si formano gli avverbi in italiano?*

c. *Osserva gli esempi nella colonna di destra. Gli avverbi derivati dagli aggettivi che finiscono in* **-le** *e* **-ore** *si comportano in un modo particolare. Come?*

4 Esercizio scritto - Avverbio o aggettivo?
Completa le frasi con gli aggettivi opportunamente concordati oppure con gli avverbi, come nell'esempio.

1. Il nipotino della signora Ceccani è molto *(vivace)* _____vivace_____ e gioca *(allegro)* ___allegramente___ con gli altri bambini.
2. La società italiana sta cambiando *(rapido)* _____ essendoci sempre meno bambini.
3. Questo fenomeno dipende *(probabile)* _____ dal fatto che un maggior numero di donne lavora ma non *(principale)* _____ da ciò.
4. La crescita dell'individualismo non è il motivo *(principale)* _____ della denatalità nel Belpaese ma non è da sottovalutare.
5. I figli unici frequentano più *(facile)* _____ esclusive scuole private.
6. Avendo un solo figlio le famiglie italiane possono portare più *(frequente)* _____ la famiglia in un ristorante a quattro stelle o in un safari in Tanzania.
7. Il declino della crescita della popolazione è un fenomeno quasi *(esclusivo)* _____ dei paesi *(maggiore)* _____ sviluppati.
8. L'età della popolazione mondiale è aumentata *(notevole)* _____ ed il numero degli over 80 è sempre più *(alto)* _____.

5 Esercizio orale - Mima l'avverbio
L'insegnante divide la classe in due gruppi A e B. Ogni studente scriverà su un foglietto un avverbio. Uno studente del gruppo A prende un foglietto del gruppo B ed ha 2 minuti di tempo per mimare l'avverbio agli studenti del proprio gruppo. Se il gruppo indovina vince un punto. Il turno passa poi al gruppo B.

6 Parliamo - Come sarà la famiglia tra 50 anni?

Osserva le immagini ed i titoli di giornale.
Come credi che cambierà la famiglia nei prossimi 50 anni nel tuo Paese?
Ed in Italia?

Via dal lavoro, papà resta a casa è boom di congedi per i figli

Istat, crescono i single i "mammoni" e i computer

Record della "mamma-nonna" a 56 anni partorisce 2 gemelli

L'esercito dei nonni gli amici dei nipotini
Si prendono cura dei più piccoli, danno consigli e aiutano i genitori a crescerli bene

7 Ascolto - Nonni e nipoti

CD 23

a. Chiudi il libro, ascolta il dialogo e poi confrontati un compagno.

b. Leggi i seguenti passaggi tratti da un articolo del "Corriere della Sera". Riascolta la conversazione e di' a quale notizia in particolare si riferisce la discussione fra padre e figlia.

1	2	3	4
In Italia i nonni sono, secondo l'Istat, oltre 10 milioni e 800 mila, il 38% della popolazione. La metà ha uno o due nipoti. Nel 58% dei casi i nipoti hanno meno di 14 anni.	La popolazione dei figli si è ridotta perché le mamme ne fanno di meno e si decidono tardi. Una tendenza che dovrebbe facilitare il ruolo di nonno e di nonna.	I grandi caricano di impegni i bambini, dalla ginnastica alle lingue straniere alle lezioni di musica. E i bambini hanno poco tempo per sé stessi, perfino per annoiarsi.	Oggi i nonni vanno in viaggio con gli amici, la sera al cinema o al ristorante, hanno meno tempo e pazienza. Sebbene siano figure centrali nello sviluppo del bambino, per i nipotini resta poco spazio.

La famiglia cambia faccia

10

8 Trascrizione - Riportare e commentare una notizia

CD 24

Ora ascolterai molte volte un brano della conversazione che hai ascoltato nell'attività 7.
Prova a trascrivere tutto quello che ascolti.

Figlia: *Papà, hai letto questo* ....

Padre: ....
....

Figlia: ....
....
....

Padre: ....
....
.... *meno disponibili, anzi!*

9 Riflettiamo - Congiuntivo

G 7.5.6

a. Nel testo della trascrizione dell'attività 8 ci sono due verbi coniugati al congiuntivo.
Per uno dei due verbi l'uso del congiuntivo è determinato da una congiunzione. Quale?

....

b. Nei testi che hai letto nell'attività 7 c'è una congiunzione che ha lo stesso significato di
quella che hai appena trovato. Qual è?

....

c. Anche questa congiunzione richiede il congiuntivo?

....

10 Lettura - Un articolo di giornale

Osserva la fotografia e fai delle ipotesi
su quale potrebbe essere l'argomento
dell'articolo di giornale che leggerai
nella pagina successiva.

La famiglia cambia faccia

10

Italiani mammoni? No, genitori "possessivi"

Italiani mammoni? Se mai il contrario. Non sono loro a non volersene andare di casa, ma i genitori italici che sono fin troppo propensi a dare il nido ai loro piccoli ma che si guardano bene dal fornire le ali per spiccare il volo. In altre parole, i genitori italiani metterebbero in atto vere e proprie strategie per "costringere" la prole a non andarsene di casa o comunque ad andarsene il più tardi possibile. A sostenere questa "rivoluzione copernicana" sono due ricercatori, uno che lavora a Londra e uno a San Francisco, guarda caso entrambi italiani, visto che rispondono ai nomi, rispettivamente, di Marco Manacorda ed Enrico Moretti.

LO STUDIO - I due hanno appena pubblicato sulla rivista Centrepiece uno studio nel quale declinano i motivi, dati alla mano, per cui sarebbero non i figli, bensì i genitori a guadagnare da questa situazione. "In Italia l'80% dei giovani tra i 18 ed i 30 anni vive con i genitori: una percentuale enorme in confronto al 50% dei britannici e al 40% degli statunitensi" fanno notare Manacorda e Moretti. Secondo loro il fenomeno è dovuto al fatto che, al contrario dei genitori anglosassoni, a quelli italiani "piace avere i propri figli intorno e pur di convincerli a vivere con loro sono disposti a corromperli in cambio di favori e soldi".

BENEFICI - I genitori traggono beneficio dalla compagnia e dai servizi che i figli possono offrire e soprattutto, secondo la ricerca, dall'opportunità di costringere i figli a osservare le loro regole. Mentre quindi per i genitori la situazione risulta vantaggiosa, al contrario i giovani si trovano con le ali tarpate, sono spesso disoccupati, viaggiano di meno e faticano a mettere su famiglia. "Il prezzo che i giovani italiani si trovano a pagare è una scarsa indipendenza e, a lungo termine, poca soddisfazione nella vita. In conclusione, riteniamo che i genitori italiani si sforzino molto per farsi amare dalla loro prole, ma in un certo senso comprano questo amore in cambio dell'indipendenza dei figli", hanno concluso i ricercatori.

(da *www.corriere.it*)

11 Riflettiamo - Condizionale presente $\quad\quad\quad\quad\quad\quad\quad\quad\quad\quad$ 6.1
Cerca nel testo A i due verbi coniugati al **condizionale presente**.
Perché in queste frasi si usa il **condizionale presente**?

....

....

....

12 Esercizio scritto - Riscrivi le notizie

*Riscrivi le seguenti notizie date come certe in notizie riferite e non verificate personalmente usando il **condizionale presente** come nell'esempio.*

1. I genitori **traggono** beneficio, secondo la ricerca, dall'opportunità di costringere i figli a osservare le loro regole.

   *I genitori **trarrebbero** beneficio, secondo la ricerca, dall'opportunità di costringere i figli a osservare le loro regole.*

2. I giovani italiani sono i primi in classifica in Europa quanto a difficoltà a lasciare il tetto familiare.

   ....

   ....

3. Secondo una ricerca mamme e papà italici danno "molto nido" e "niente ali" ai figli e li "costringono" a non andarsene di casa.

   ....

   ....

4. Al contrario dei genitori anglosassoni, a quelli italiani piace avere i propri figli intorno e pur di convincerli a vivere con loro sono disposti a corromperli in cambio di favori e soldi.

   ....

   ....

5. In Italia l'80% dei giovani tra i 18 ed i 30 anni vive con i genitori: una percentuale enorme in confronto al 50% dei britannici e al 40% degli statunitensi.

   ....

   ....

6. Per il 21% degli uomini e il 33% delle donne restare in casa è soprattutto comodo, perché ci sono pasti pronti, casa pulita e vestiti lavati.

   ....

   ....

7. Si resta il più possibile in famiglia perché come la mamma non vuol bene nessuno.

   ....

8. E il mammismo, a detta degli esperti, resta nell'ambito della famiglia un valido paracadute.

   ....

   ....

13 Parliamo - Andiamo a vivere insieme!

In coppia dividetevi i ruoli e improvvisate una conversazione.

A

Sei una ragazza di 23 anni che vuole andare a convivere. Vivere da soli significa imparare a prendersi le proprie responsabilità ed aiuta a diventare più sicuri di sé ed a saper fronteggiare le difficoltà della vita. Prova a convincere il tuo fidanzato.

B

Sei un ragazzo di 29 anni che vive ancora con i suoi. Sei dell'idea che dopo tutto quello che i tuoi hanno fatto per te, sia il minimo mostrargli riconoscenza rimanendo a vivere con loro, permettendogli così di affrontare tranquillamente la propria vecchiaia. La tua fidanzata vorrebbe vivere con te. Prova a spiegarle le tue ragioni.

14 Esercizio scritto - Nonostante, sebbene…

Osserva le vignette e scrivi delle frasi utilizzando una delle congiunzioni della lista seguita dal congiuntivo.

nonostante   sebbene   prima che   affinché   a patto che   purché

15 Ascolto - *Radio 24*: Un nuovo fenomeno nella famiglia italiana
CD 25

a. Chiudi il libro, ascolta il dialogo e poi confrontati con un compagno.

b. Riascolta il dialogo e rispondi alle seguenti domande.

1. Che cosa si intende nell'ascolto con *la sindrome del figliol prodigo?*
2. Qual è il punto di vista delle due persone intervistate rispetto alla difficoltà da parte dei giovani di distaccarsi dalla famiglia?

16 Scriviamo - Caro figliolo…
Scrivi una lettera a un tuo ipotetico figlio che ha espresso il desiderio di tornare a vivere con te.

Sei un genitore e sei molto contento di poter finalmente vivere senza figli. Hai cominciato a svolgere diverse attività per le quali non avevi tempo in passato e hai tempo per i tuoi hobby. Hai il sospetto che tuo figlio voglia tornare a vivere con te e tuo marito/tua moglie e, anche se non vuoi ammetterlo, non ne hai nessuna voglia.

Appendice

TESTO B

Mammoni per necessità e non per scelta di vita

I giovani italiani non possono andarsene da casa, perché uno stipendio da neoassunto (quando c'è) non copre nemmeno le spese di affitto. D'accordo con i genitori restano allora in famiglia per continuare ad investire nella preparazione professionale in vista di un lavoro più qualificato e retribuito. I giovani italiani sono i primi in classifica in Europa quanto a difficoltà a lasciare il tetto familiare. Ancora una volta viene registrato il triste primato. Ora si tratta di una ricerca condotta su 2.780 single da Parship.it, società di incontri on-line che opera in 10 paesi europei e che ha diffuso una sintesi dello studio. "Siamo un popolo di mammoni - si legge nella ricerca - Se mediamente il 48% dei single europei condivide il tetto con i genitori, in Italia il risultato è decisamente più forte: con un bell' 83%, siamo certamente quelli che con più difficoltà vanno a vivere da soli". Italiani seguiti a ruota, anche se con un bel distacco, dagli spagnoli, con un 61% di giovani che ancora rimane nel proprio "nido"; i più indipendenti, invece, sono gli svizzeri: solo il 26% di loro vive ancora in famiglia. Ma quali sono i motivi per cui i single faticano ad abbandonare il tetto familiare? Gli intervistati non hanno esitazioni: per il 21% degli uomini e il 33% delle donne restare in casa è soprattutto comodo, perché ci sono pasti pronti, casa pulita e vestiti lavati. Ma anche perché è gratis, o quasi: "il fatto che l'intero stipendio resti per sé - si legge nella ricerca - è un incentivo a non uscire dalle pareti domestiche per il 4% degli uomini e l'8% delle donne". Ma soprattutto per il 33% delle donne uno dei freni più importanti ad abbandonare i genitori è la scarsa autonomia e indipendenza pratica (contro il 23% degli uomini); per il 44% degli uomini, invece, la differenza sta nella necessità economica: restare a casa non è una scelta, ma una strada al momento senza via d'uscita (e le donne che la pensano allo stesso modo sono il 23%). E infine, una piccola minoranza che però ricorda i veri e propri "mammoni": per il 7% degli uomini e il 5% delle donne, si resta il più possibile in famiglia perché "come la mamma non vuol bene nessuno". E il mammismo, a detta degli esperti, resta nell'ambito della famiglia un valido paracadute.

(da *www.iltempo.it*)

▮ PER FARCI UN'IDEA

VEDO CHE RIPONE PARECCHIA FIDUCIA PER QUESTO COLLOQUIO...

SONO L'AMICO DEL PRESIDENTE

Questa vignetta ironizza su un problema molto sentito in Italia, quello della raccomandazione. Questa è la definizione che della raccomandazione dà Wikipedia (http://it.wikipedia.org):

"Nel linguaggio comune la raccomandazione consiste in una pratica, largamente diffusa, di segnalare qualcuno con il chiaro intento di porlo in una situazione di vantaggio rispetto ad altri in particolari situazioni (selezioni, concorsi, ecc.)."

Secondo te tale "pratica" è realmente diffusa in Italia? O si tratta piuttosto di uno stereotipo ormai superato e duro a morire?

▮ CON OCCHI DI STRANIERO

ADAM L. *è americano.*
Vive a Roma da otto anni e lavora nel campo dell'insegnamento dell'inglese come lingua straniera.

Gli amici degli amici

"Gli amici degli amici sono i miei amici". I consolati italiani dovrebbero stampare questo motto su tutti i visti rilasciati a stranieri che vengono in Italia per studio o per lavoro per chiarire subito che in Italia quasi tutto si muove solo attraverso conoscenze e relazioni familiari, dalla scelta di un dottore alla ricerca del lavoro, dall'acquisto di un computer allo *sbrigo*[1] di pratiche burocratiche: se non conosci nessuno sei perduto.
Facciamo un esempio. Il mio primo anno a Roma l'ho passato cercando casa. Gli appartamenti qui non solo sono carissimi, ma anche molto difficili da trovare, soprattutto in affitto. Quando parlavo con i miei amici italiani e mi lamentavo di quanto complicato fosse trovare casa a Roma, la risposta era invariabilmente "Dovete *spargere*[2] la voce, prima o poi tramite amici di amici la trovate". Io però insistevo e ogni martedì e venerdì mi alzavo all'alba per correre in edicola e comprare *Porta Portese*, il giornale di annunci più popolare a Roma e il modo migliore per trovare un appartamento in affitto qui (ciò non significa necessariamente che funzioni tanto bene). Poi selezionavo gli annunci che sembravano interessanti e verso le 8 di mattina F., il mio compagno, che è italiano, cominciava a telefonare (il mio italiano allora non era granché). La maggior parte delle volte la risposta era che l'appartamento era già affittato, il che significava in genere che, vista la *penuria*[3] di appartamenti disponibili, avevano chiamato già tantissime persone e i proprietari avevano così tanti appuntamenti per mostrare la casa da *arrischiarsi*[4] a rifiutarne altri.

Se l'appartamento invece era incredibilmente ancora sul mercato, il proprietario investigava la nostra situazione finanziaria e personale, mostrando una diffidenza che *rasentava*[5] la maleducazione. F. non sembrava sorprendersi, era come se per lui fosse normale che queste persone ci trattassero come potenziali *minacce*[6], visto che non eravamo membri della loro famiglia e non eravamo stati presentati da amici e parenti. Mi ricordo una conversazione particolarmente paradossale una mattina in cui, dopo una ventina di telefonate a *vuoto*[7], F. chiama *l'ennesimo*[8] numero e gli risponde una signora di una certa età con uno spiccato accento *calabrese*[9]:
F.: "Buongiorno, chiamo per l'annuncio pubblicato su Porta Portese…"
Signora: "Ma Lei è romano?"
F.: "Sì, ma…"
Signora: "Perché di romani noi non ne vogliamo".
F.: "Sì, ma io chiamo per un amico americano che non parla molto bene l'italiano".
Signora: "Noi di stranieri non ne vogliamo!"
Se poi eravamo così fortunati da riuscire a vedere un appartamento, quello che trovavamo era in genere pazzesco. Non credereste a quello che la gente aveva il coraggio di proporre a chi non era parente, amico o amico degli amici: appartamenti senza finestre, senza riscaldamento, con bagni così piccoli che per fare la doccia bisognava sedersi sulla *tazza*[10], "arredati" con mobili vecchi che sarebbero stati buoni solo per la *discarica*[11]. Credo che certa gente affitterebbe anche un armadio se trovasse qualcuno disposto a pagare per viverci dentro.
Insomma, se si vive in Italia con uno stipendio normale e si cerca casa, meglio avere una famiglia numerosa, o unirsi a qualcuno con una famiglia numerosa, o in alternativa bisogna sforzarsi di essere molto socievoli e trovare un sacco di amici. E amici di amici.

[1]*getting taken care of bureaucratic matters;* [2]*to spread;* [3]*scarcity;* [4]*to risk;* [5]*to scrape against;* [6]*threats;* [7]*fruitless;* [8]*the umpteenth;* [9]*Calabrian;* [10]*the toilet;* [11]*trash heap.*

Dopo aver letto l'articolo di Adam L. l'idea che avevi del "fenomeno" della raccomandazione in Italia è stata confermata o smentita?

■ NOTIZIE DALL'ITALIA

Leggi il seguente articolo ripreso dal sito internet di Vincenzo Pisano, laureato in Economia e Commercio.

Home	Curriculum	Attività	Eventi	Articoli	E-mail

Vincenzo Pisano.com - Cinderella Man

IL MIO CASO *di Vincenzo Pisano*

Pur avendo buone amicizie e conoscenze, per un fatto di *orgoglio*[1] ho preferito non disturbarle. Per me, chiedere una raccomandazione è pur sempre una *brutta figura*[2]. Inoltre, una *spintarella*[3] ad entrare mi svaluterebbe, *ammassandomi*[4] nella *coltre*[5] grigia e piatta dei *senatori a vita*[6] che *funesta*[7] il nostro paese.

Io non ho bisogno di raccomandazioni. Io mi raccomando da solo. È una sorta di raccomandazione dove sono io il *candidato*[8] ed il *raccomandante*[9]. Per arrivare dove? Beh, una mente pensante può arrivare ovunque. Io sono come l'acqua. L'acqua non si può fermare. Essa va dalle *sorgenti*[10] fino al mare. È inevitabile. Essa *travolge*[11] gli ostacoli piccoli, passa attraverso quelli di media importanza, *devia il proprio corso*[12] di fronte a quelli grandi ed arriva lo stesso al mare.

Naturalmente, non avendo alcun monsignore o *potentato politico*[13] alle spalle ci metterò più tempo e lungo la mia strada *accumulerò*[14] maggiore frustrazione, perché i figli di nessuno devono lottare più degli altri. Avrò la soddisfazione di sentire mie tutte le mete raggiunte e non stare in stato *debitorio*[15] a livello psicologico come avviene a tutti i raccomandati d'Italia.

La speranza è che non sia un *muro di gomma*[16], una lotta contro i mulini al vento, la mia.

Purtroppo, questa spiacevole sensazione si avverte nell'aria, soprattutto qui al Sud, la sensazione che in questo paese ci siano caste di privilegiati che hanno amicizie e conoscenze *in virtù delle quali*[17] entrano ovunque, a cui fanno da *controparte*[18] tutti coloro che, dovendosi basare sulle proprie forze, vengono scavalcati dai primi e solo in pochi fortunati casi riescono a *spuntarla*[19] per davvero. Secondo questa sensazione, infatti, il più delle volte i figli di nessuno si collocherebbero semplicemente ai margini, in un'ampia cerchia di esclusi fatta di persone che *si arrangiano*[20] o che preferiscono emigrare verso aree più sviluppate del paese, se non addirittura all'estero.

Io mi auguro tutti i giorni che non sia così, perché sarebbe una situazione che grida vendetta *al cospetto*[21] di Dio, soprattutto quando sono gli uomini di Chiesa a *perpetrarla*[22], favorendo nipoti, parenti ed amici, una situazione che *invoca*[23] una guerra civile in Italia.

Disperdo questi fantasmi e vado avanti, convinto di riuscirci da solo.

So solo che quando riuscirò nell'impresa mi sembrerà di aver preso il mio Midnight Express, quello verso la vera libertà.

(adattato da www.vincenzopisano.com)

[1]*pride;* [2]*to look bad;* [3]*a little push;* [4]*adding me to the mass;* [5]*heavy blanket;* [6]*senators;* [7]*to plague;* [8]*candidate;* [9]*person giving a recommendation;* [10]*the source;* [11]*overcomes;* [12]*change one's course;* [13]*political potentate;* [14]*I will accumulate;* [15]*indebted;* [16]*a rubber wall;* [17]*by virtue of which;* [18]*opposite;* [19]*to succeed in achieving a goal;* [20]*to get by;* [21]*in the face of;* [22]*to perpetrate;* [23]*invokes.*

Credi che Vincenzo Pisano, l'autore dell'articolo, sia un caso isolato o che qualcosa stia cambiando in Italia? Pensi che prima o poi ce la farà ad ottenere un buon posto di lavoro senza raccomandazione?

■ L'ITALIA IN RETE

Cerca in internet un articolo in cui si parla di ciò che pensano i giovani della raccomandazione nel campo del lavoro.

Tradizioni italiane

1 Parliamo - Paese che vai, usanze che trovi

Queste immagini si riferiscono a 5 tradizioni provenienti da diverse regioni italiane.
Di che tradizioni potrebbe trattarsi secondo te?

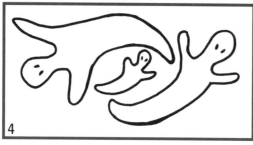

2 Lettura - Paese che vai, usanze che trovi

a. Ora leggi le descrizioni di queste 5 tradizioni e collega a ognuna una delle immagini dell'attività
precedente.

SAN GIOVANNI (24 giugno)

La Notte di San Giovanni le streghe, in groppa ai diavoli o a cavallo delle scope, arrivavano in volo.

I romani, allora, suonando campanelli e campanacci, accorrevano da tutte le parti. E, tenendo in alto torce e lanterne accese, cercavano di vedere le streghe volare nel buio. Uscendo, lasciavano davanti alle porte e alle finestre, scope e barattoli di sale grosso per impedire alle streghe di entrare nelle case. Essendo, infatti, la strega curiosa per natura, prima di entrare avrebbe dovuto fermarsi per contare tutti i fili della scopa e tutti i grani di sale uno per uno. Così sarebbe passato il tempo breve della notte più corta dell'anno. E il sole l'avrebbe spazzata via, con le ultime ombre.

(da *www.folklore.it*)

LA PROCESSIONE DI SAN DOMENICO

Cocullo è il centro del culto di San Domenico di Sora ed è noto per uno dei riti più singolari che si conoscano, quello praticato dai "serpari", il primo giovedì di Maggio di ogni anno, in occasione della festa del Santo. In questa circostanza viene portata in processione la statua del Santo, cui sono attorcigliati numerosi serpenti vivi.

I "serpari" si tramandano di generazione in generazione l'abilità della cattura dei serpenti. Essi cominciano a catturare questi rettili nelle prime giornate primaverili di sole, quando sono ancora intorpiditi. Nel folclore popolare San Domenico di Sora è considerato il protettore contro i morsi dei cani rabbiosi e dei serpenti velenosi, soprattutto delle vipere, che abbondano nella zona.

(da *angolohermes.interfree.it*)

TARANTISMO

Il tarantismo era una malattia che, in base ad antiche credenze popolari dell'Italia meridionale, era provocata dal morso di un ragno il cui nome è *taranta*. Il morso della taranta riguardava per lo più donne, contadine che nei mesi più caldi dell'anno erano impegnate nei lavori agricoli ed erano quindi le più esposte al contatto con il ragno. Chi era morso cadeva in uno stato di depressione e inerzia, dal cui torpore si destava al suono di una musica segnata dal ritmo dei tamburelli. Attraverso la musica e la danza era possibile guarire i tarantati, con un vero e proprio esorcismo musicale. I musicisti cominciavano a suonare la *pizzica*, una musica dal ritmo sfrenato, e il tarantato cominciava a danzare e cantare per lunghe ore sino allo sfinimento. La credenza voleva infatti che così la *taranta* si consumasse e soffrisse sino ad essere annientata.

(da *it.wikipedia.org*)

SANTA LUCIA

La Chiesa celebra la sua festa il 13 dicembre; antecedentemente all'introduzione del calendario moderno (1582) la festa cadeva in prossimità del giorno del solstizio d'inverno, da cui il detto "Santa Lucia il giorno più corto che ci sia".
In alcune regioni dell'Italia settentrionale esiste una tradizione legata ai doni portati da Santa Lucia.
I bambini scrivono una lettera alla Santa, elencando i regali che vorrebbero ricevere da lei. In alcuni casi i doni vengono posati sui davanzali delle finestre. In altri la Santa suona un campanello per annunciare il suo arrivo e i bimbi buoni (che si aspettano dei doni e non il carbone riservato ai bambini cattivi) corrono a letto perché se la Santa li vede tirerà loro della cenere o della sabbia negli occhi, accecandoli. Per ingraziarsi la Santa e l'asinello che l'aiuta a portare i doni, è uso lasciare del cibo per lei (solitamente un panino, delle arance, dei mandarini, del latte ma ciò varia a seconda della tradizione famigliare) e per l'asinello (dell'acqua, del fieno, del sale, della crusca o dello zucchero).

(da *it.wikipedia.org*)

I MORTI

Il 2 novembre in Sicilia si festeggia "La festa dei morti", una ricorrenza molto amata dai bambini, a cui i genitori fanno credere che, se sono stati bravi riceveranno dei doni. I regali sotto l'albero di Natale o per la Befana sono usanze non strettamente legate alla Sicilia, dove i doni li portano i morti.
Come vuole la tradizione, la sera prima i bimbi vanno a letto con la speranza d'essere ricordati da nonni e familiari trapassati. Sul tardi i genitori preparano le "sorprese" con giocattoli, dolci tipici o vestiario e li nascondono per casa.
La mattina del 2 novembre, i bambini son pronti alla ricerca dei regali, ma prima recitano la seguente frase:

(da *it.wikipedia.org*)

Armi santi, armi santi,
Iu sugnu unu e vùatri síti tanti:
Mentri sugnu 'ntra stu munnu di guai
cosi di morti mittitimìnni assai.
Tradotto in italiano significa
Anime sante, anime sante
Io sono uno e voi siete tante
Mentre sono in questo mondo di guai
Cose di morti (regali) portatemene molte
Alla fine del gioco, si va al cimitero a portare fiori ed accendere ceri e lumini accanto alle lapidi dei parenti morti.

(da *spaces.msn.com*)

b. Tra queste tradizioni ce n'è una che ti piace particolarmente o una che non ti piace per niente?

3 Riflettiamo - Pronomi relativi

[G] 14.2

a. Cerca nei testi dell'attività 2 tutti i pronomi relativi. Quanti sono? ....

*b. Nella lezione 5 hai visto che il pronome **cui** si usa in genere dopo una preposizione. In questi testi però ci sono due frasi dove **cui** è usato senza una preposizione. Cercale nei testi e scrivile qui sotto nell'ordine in cui sono:*

1)..
..

2)..
..

*c. In italiano c'è una preposizione che è possibile usare o non usare prima del pronome **cui**.*

Nella frase numero 1, per esempio questa preposizione non è stata usata.
*Secondo te quale preposizione è possibile aggiungere nella frase prima di **cui**?*

..

*d. Nella frase numero 2 il pronome **cui** ha una posizione inusuale. Quale?*

..
..

*e. Che significato ha secondo te il pronome **cui** in questa frase?*

..
..

4 Esercizio scritto - Pronomi relativi

Qui di seguito troverai delle frasi tratte da testi che hai letto nelle lezioni precedenti.
Completale con i pronomi relativi opportuni e, quando necessario, con le preposizioni.

1. A ogni libro registrato su *bookcrossing* viene assegnato un numero di identificazione e un'etichetta di registrazione _____ può essere stampata e attaccata sul volume.

2. Era un invito a partecipare ad un esperimento sociologico globale, organizzato da un sito Internet chiamato bookCrossing.com, il _____ obiettivo è trasformare il nostro mondo in una enorme biblioteca.

3. Dopo l'Atari lavorai per altre società di video-giochi; e poi mi presi anche del tempo _____ non lavorai per terminare il mio Ph.D. in teatro _____ era, penso, il primo dottorato al mondo sulla fantasia interattiva.

4. Aristocratica e disordinata, luogo _____ raffinatezza e degrado vivono fianco a fianco, Napoli è la città delle grandi contraddizioni.

5. A Napoli si riesce a perdonare ogni cosa, soprattutto grazie a quel magnifico golfo baciato dal sole e dalle acque di un mare turchese, _____ domina l'imponente vulcano.

6. Pensando a Roma la mente si affolla di immagini derivate da cartoline, film e canzoni. Innumerevoli citazioni _____ contribuiscono ad alimentare idee, suggestioni, sensazioni _____ ciascuno di noi dà forma alla Città Eterna.

7. Uno degli ultimi giorni _____ ero a Berlino sono entrato all'Università Humboldt, sull'Unter den Linden, davanti _____ mi è capitato di passare spesso durante le visite a Berlino negli anni passati.

5 Ascolto - Natale con i tuoi...

CD 26

a. Chiudi il libro, ascolta il dialogo e poi confrontati un compagno.

b. Riascolta la conversazione e rispondi alle domande.

1. I due stanno uscendo per festeggiare il Natale. Come lo festeggeranno?

2. Perché Gianni non è contento?

6 Parliamo - W la tradizione?

Secondo te è importante preservare le tradizioni di una cultura o di un paese?
Ci sono tradizioni a cui ti senti particolarmente legato?
Se sì, spiega al tuo compagno le ragioni di questo legame e il modo in cui lo esprimi.

7 Riflettiamo - Segnali discorsivi e connettivi

CD 26

a. Ascolta ancora il dialogo dell'attività 5 e completa le frasi nei due riquadri con le parole ed espressioni date sopra ciascun riquadro in ordine casuale.

MAGARI   **ALLORA**   **GUARDA CHE**   **COSÌ**   **BEH**

- _____, Gianni, ti sbrighi? Siamo già in ritardo!
- ▼ Ma se non è neanche mezzogiorno!
- _____, vuoi che comincino a mangiare senza di noi?
- ▼ _____ cominciassero senza di noi! _____ salteremmo qualche portata!
- _____ non sei mica obbligato a mangiare tutto!

MA DAI   **POI**   **PERÒ**   **MAGARI**   **EH**

- Sì, sì, va bene, va bene, ... però _____ questa volta ce ne andiamo dopo pranzo, _____!
- ▼ _____, non possiamo andarcene dopo pranzo. Sembra brutto!
- Beh, calcolando che il pranzo dura almeno fino alle cinque, a me non sembra _____ così brutto!
- ▼ Sì, _____ dai, poi si gioca a tombola, si mangia il panettone ...

b. Ora inserisci nello schema le espressioni che hai utilizzato per completare le frasi, associando a ogni espressione la definizione che ne spiega l'uso.

poi	**avverbio** = alla fine, tutto considerato	
	locuzione, con sfumatura ironica o polemica = considera che...	
	avverbio = probabilmente, forse	
	interiezione, in fine di frase sottolinea una domanda retorica = va bene, d'accordo	
	congiunzione in esclamazioni, per esprimere speranza, desiderio	
	avverbio = ma, con più forte valore avversativo	
	interiezione, per obiettare a una cosa detta dall'altra persona = bene, dunque	
	avverbio = in questo modo	
	congiunzione, per sollecitare una conclusione, per chiedere come fare o cosa accade	
	locuzione, esprime stupore, sorpresa	

*c. La parola **magari**, come hai visto, può avere due significati diversi. Alla differenza di significato corrisponde una differenza nell'uso, quale secondo te?*

....

....

Tradizioni italiane

11

8 Esercizio orale - Magari!

> Es: (loro) *cominciare* a mangiare senza di noi (noi) *saltare* qualche portata
>
> ➡ ■ Beh, vuoi che **comincino a mangiare senza di noi**?
> ▽ Magari **cominciassero senza di noi**! Così **salteremmo qualche portata**!

1. (loro) *andare* al cinema senza di noi
   (io) *guardare* la partita in TV

2. (mia madre) *scoprire* che stiamo insieme
   (io) *potere* conoscerla finalmente

3. (noi) *perdere* il treno
   (noi) *avere* un giorno in più di vacanza

4. (i miei amici) *smettere* di chiamarmi
   (tu) *studiare* ogni tanto

5. (io) *restare* bloccata/o dalla neve
   (tu) *passare* il Natale con me per una volta

6. (Mara) *annullare* la sua festa di Natale
   (io) non *dovere* comprarle un regalo

9 Parliamo - E se invece…

In coppia dividetevi i ruoli e improvvisate una conversazione.

A

Si avvicina Natale. Sei felice perché Natale è la tua festa preferita e ti piace un sacco andare in giro a fare i regali, preparare le decorazioni, organizzare il grande pranzo in famiglia, insomma adori le tradizioni legate a questa festa.

Mentre stai facendo l'albero arriva tuo fratello, che ogni anno quando si avvicina il Natale decide casualmente di partire per un lungo viaggio. Quest'anno però tu hai deciso che anche lui dovrà passarlo con tutta la famiglia. La tua missione è fargli capire quanto sia bello il Natale e come sia importante festeggiarlo in famiglia come vuole la tradizione.

B

Si avvicina il Natale. Francamente è una festa che ti mette a disagio. Non ti piace correre per negozi a fare i regali, trovi che le decorazioni siano kitsch e i lunghi pranzi di famiglia ti annoiano. Non hai mai avuto il coraggio di dirlo a tua sorella, perché lei è una fanatica del Natale e non vuoi urtare la sua sensibilità, così ogni anno trovi una scusa per partire e non passare il Natale con la tua famiglia. Oggi vai a casa di tua sorella e la trovi che già sta facendo l'albero, nonostante sia il 15 novembre. Sai già che lei proverà a convincerti a passare il Natale in famiglia. La tua missione è riuscire ad evitarlo senza offendere tua sorella.

Tradizioni italiane

11

Leggi il testo.

Una delle sorelle di mia madre abitava con mia nonna, vicino casa nostra. Non era sposata allora, e noi eravamo la sua famiglia. La chiamavo mamma Nunzia, per tutto l'amore che sentivo nei suoi abbracci e per quei sorrisi complici che sfoderava per coprire qualche marachella. Era una zia molto speciale, lo è tuttora, quando arriva con la borsa piena di regali per le mie bambine e mi bacia chiamandomi "gioia". 5

I suoi occhi verdi diffondevano allegria e s'inondavano di lacrime ad ogni mia lacrima e di tenerezza ad ogni mio sorriso. Tutti i giorni veniva a casa ad aiutare mamma con noi bambini ed io l'aspettavo come si aspetta un giorno di festa.

Non sapeva nuotare zia Nunzia, e paradossalmente quando andavamo al mare io mi attaccavo a lei perché mi sentivo al sicuro. Ci rotolavamo sulla battigia e ridevamo per 10 ore. Sono cresciuta tenendola per mano e seguendola ovunque. Quando si presentò a mia nonna l'uomo che sarebbe diventato il marito della zia e quindi mio zio, provai come un morso allo stomaco. Non era solo gelosia, ma un cambiamento radicale, uno stravolgimento delle mie certezze, dei miei punti di riferimento. Mi ci volle un po' per accettare la sua scelta e considerarla legittima. 15

Si sposò in un giorno di piena estate nel santuario di Tindari. Ricordo ancora il suo abito da sposa e il mio vestito blu e bianco a piccoli fiori. Ero in quell'età particolare che precede l'adolescenza. Né grande né piccola. Sensibile a tutto quello che mi accadeva intorno, come un'unica ferita aperta che bruciava al solo passaggio dell'aria. Guardavo quella sposa in uno stato misto all'adorazione e al rifiuto. Non riuscivo ad 20 immaginare come sarebbe stata la mia vita da quell'istante in poi.

La madonna nera del Tindari mi colpì moltissimo, come la storia del miracolo per il quale era stato costruito il santuario. Una donna, vedendo il viso della madonna e del bambino che portava in braccio aveva proferito parole di disprezzo per il colore della sua pelle. Allora un'onda enorme aveva inghiottito il suo bimbo che giocava ignaro 25 sulla spiaggia. Alle supliche della madre pentita e straziata dalla perdita del figlio, la madonna rispose con un miracolo, prosciugando una lingua di terra e restituendo il bambino sano e salvo.

I toni di quella storia che mia zia mi aveva raccontato m'inquietarono e mi riempirono di domande. Una madonna dispettosa, vendicativa…non è possibile. Al catechi- 30 smo avevo studiato che la madonna è la mamma di Gesù. Una mamma. Come poteva una mamma essere così spietata? Il giorno delle nozze di mia zia fui tormentata da questo dubbio, la cui eco si sovrapponeva alla gelosia e al senso di perdita nel vedere "mamma Nunzia" in abito bianco. E alla fine della festa mi avvicinai timidamente a quella sposa raggiante, che probabilmente non indovinava i miei pensieri, e le chiesi 35 se sarebbe tornata a casa con noi. Lei mi guardò intenerita e abbracciandomi mi spiegò che adesso aveva un compagno e che sarebbe rimasta con lui; che sarebbero partiti per la luna di miele dopo pochi giorni. Inaspettatamente il mio viso s'illuminò e saltellando felice le risposi "bene, quando partiamo?".   (da *www.blog.libero.it*)

Tradizioni italiane

11

11 Riflettiamo - Condizionale passato

a. Riscrivi la fine del racconto che hai letto nell'attività precedente seguendo l'esempio.

…alla fine della festa mi avvicinai timidamente a quella sposa raggiante, che probabilmente non indovinava i miei pensieri, e le chiesi se sarebbe tornata a casa con noi. Lei mi guardò intenerita e abbracciandomi mi spiegò che adesso aveva un compagno e che sarebbe rimasta con lui; che sarebbero partiti per la luna di miele dopo pochi giorni. Inaspettatamente il mio viso s'illuminò e saltellando felice le risposi "bene, quando partiamo?".

> *…alla fine della festa mi **avvicino** timidamente a quella sposa raggiante, che probabilmente* ....
> ....
> ....
> ....
> ....
> ....
> ....

*b. Nel testo che hai scritto non devono esserci verbi al **condizionale**. Tutti i verbi devono essere coniugati all'**indicativo**. È così? Controlla.*

*c. Secondo te, che uso ha il **condizionale passato** nel testo originale?*

....
....

12 Esercizio scritto - Riscrittura al passato

a. Riscrivi al passato la storia della Notte di San Giovanni seguendo l'indicazione.

La Notte di San Giovanni le streghe, in groppa ai diavoli o a cavallo delle scope, arrivano in volo. I romani, allora, suonando campanelli e campanacci, accorrono da tutte le parti. E, tenendo in alto torce e lanterne accese, cercano di vedere le streghe volare nel buio. Uscendo, lasciano davanti alle porte e alle finestre, scope e barattoli di sale grosso per impedire alle streghe di entrare nelle case. Essendo, infatti, la strega curiosa per natura, prima di entrare dovrà fermarsi, per contare tutti i fili della scopa e tutti i grani di sale, uno per uno.
Così passerà il tempo breve della notte più corta dell'anno. E il sole la spazzerà via, con le ultime ombre.

> *La Notte di San Giovanni le streghe, in groppa ai diavoli o a cavallo delle scope, **arrivavano** in volo* ....
> ....
> ....
> ....
> ....
> ....
> ....
> ....
> ....
> ....

b. Torna indietro all'attività 2 e leggi il testo originale per verificare quello che hai scritto.

13 Esercizio scritto - Indicativo e condizionale

Completa il testo coniugando i verbi elencati qui sotto all'indicativo imperfetto o al condizionale passato (i verbi sono in ordine).

diventare	essere	essere	accadere	guardare	riuscire	essere

Quando si presentò a mia nonna l'uomo che _____ il marito della zia e quindi mio zio, provai come un morso allo stomaco. Non _____ solo gelosia, ma un cambiamento radicale, uno stravolgimento delle mie certezze, dei miei punti di riferimento. Mi ci volle un po' per accettare la sua scelta e considerarla legittima.

Si sposò in un giorno di piena estate nel santuario di Tindari. Ricordo ancora il suo abito da sposa e il mio vestito blu e bianco a piccoli fiori. _____ in quell'età particolare che precede l'adolescenza. Né grande né piccola. Sensibile a tutto quello che mi _____ intorno, come un'unica ferita aperta che bruciava al solo passaggio dell'aria. _____ quella sposa in uno stato misto all'adorazione e al rifiuto. Non _____ ad immaginare come _____ la mia vita da quell'istante in poi.

14 Esercizio orale - Dicevano che…

Guardando le immagini descrivi come questi uomini del passato hanno immaginato il futuro usando il condizionale passato.

L'architetto Antonio Sant'Elia (1888-1916) e uno dei disegni della sua città nuova.

Leonardo da Vinci e il suo progetto di scafandro (disegno e modello).

L'uomo non volerà mai. Il volo è riservato agli angeli.

Jules Verne, autore del romanzo "Dalla terra alla luna".

Il vescovo Milton Wright, padre dei pionieri dell'aviazione Wilber and Orville Wright.

15 Trascrizione - Esprimere delusione

(CD 27)

Ora riascolterai molte volte un brano della conversazione che hai ascoltato nell'attività 5.
Prova a trascrivere tutto quello che ascolti.

Donna: *Che c'è* ....

....

Uomo: ....

....

Donna: ....

....

Uomo ....

.... *a sciare.*

16 Esercizio scritto - Mi avevi promesso che...

*Cosa direste in queste situazioni? In coppia scrivete delle frasi usando il **condizionale composto** come nell'esempio.*

Es: La tua ragazza/Il tuo ragazzo vuole passare il Natale con i suoi, invece di andare a sciare come avevate deciso.

> *Mi avevi promesso che **saremmo andati** a sciare!*

1. Un tuo amico ti chiama per dirti che non potrà venire alla tua festa di compleanno.

   _____

2. Vai dal tecnico, ma il tuo computer dopo una settimana non è ancora stato riparato.

   _____

3. Un tuo amico arriva per l'ennesima volta in ritardo.

   _____

4. Una tua amica si dimentica di portarti un libro di cui hai assolutamente bisogno.

   _____

5. Il tuo migliore amico/La tua migliore amica arriva anche questa volta da solo/-a all'appuntamento (è da tanto che vuoi conoscere il suo partner).

   _____

Tradizioni italiane

11

17 Riflettiamo - Avverbi

Cerca nel testo che hai letto nell'attività 10 gli avverbi e le locuzioni avverbiali che corrispondono alle seguenti definizioni. Gli avverbi e le locuzioni sono in ordine.

_____ = a quel tempo   _____ = anche ora

_____ = anche ora   _____ = a partire da quel momento

_____ = in ogni posto   _____ = tanto

_____ = semplicemente   _____ = ora

18 Scriviamo - Una persona importante

C'è stata una Mamma Nunzia per te nella tua infanzia?
Scrivi un breve testo per raccontare di una persona che per te è stata molto importante.

19 Ascolto - Sei festaiolo?

CD 28

a. Chiudi il libro, ascolta il dialogo e poi confrontati un compagno.

b. Riascolta la conversazione e completa la scheda.

Nome: _____ Età: _____		Nome: _____ Età: _____
	Che tipo di feste preferisce?	
	Una festa che ricorda?	
	Che pensa delle feste tradizionali?	
	Come festeggia il suo compleanno?	
	Se potesse organizzare una festa, che tipo di festa sarebbe?	

Caffè culturale

▮ PER FARCI UN'IDEA

▮ CON OCCHI DI STRANIERO

JENNIFER W.
è nata in California, è laureata in lettere e ha un Masters in storia dell'arte. È venuta a Roma come studentessa negli anni '80. Vive a Roma da più di 20 anni. È direttrice della sede di Roma di un'università americana.

ROMA TRA ANTICO E MODERNO

La scorsa primavera ero presente alla cerimonia di riapertura dell'Ara Pacis a Roma. Durante il mio primo anno da studente a Roma, negli anni 80, avevo visitato il vecchio edificio che ospitava l'antico altare della Pace Augustea. Ricordavo soprattutto lo splendido altare, ma non molto del basso, buio edificio che lo circondava.

La mia recente visita è stata assai diversa. Erano presenti il *sindaco*[1] e le autorità della città di Roma, giornalisti e fotografi, e naturalmente l'architetto americano Richard Meier, che ha progettato il nuovo Museo dell'**Ara Pacis** *(fig. 2)*, come anche un gruppetto di persone che contestavano rumorosamente il progetto, definendolo un orrore estetico.

Come molti giovani americani che non hanno familiarità con l'Europa, quando sono venuta a Roma la prima volta ero affascinata dall'antico e fuggivo il moderno. Roma per me esisteva solo come una sorta di *vetrina*[2] del suo glorioso passato.

Oggi il mio punto di vista è cambiato. Non sono meno incantata dai vicoli del centro storico, né meno colpita dalla bellezza dei palazzi antichi, tuttavia vedo Roma come una città moderna, una capitale europea che ha il bisogno (e il diritto) di presentarsi come qualcosa di più che il frutto della sua storia.

A sedurmi è stato il riuscito *recupero*[3] di vecchie strutture in varie parti di Roma, che con sensibilità e design moderni sono state adattate a nuovi usi.

Con l'*inaugurazione*[4] del **Teatro India** *(realizzato*[5] in una vecchia fabbrica di sapone, *fig. 4)* e di **MACRO** (Il Museo di Arte Contemporanea di Roma, in una vecchia fabbrica di birra, *fig. 5)* e con l'apertura al pubblico di una parte della collezione dei **Musei Capitolini** all'interno di un'antica centrale elettrica *(fig. 3)*, l'idea del "nuovo che incontra l'antico" mi ha conquistata.

Eppure ero *scettica*[6] per la costruzione del nuovo **Auditorium** *(fig. 1)* progettato da Renzo Piano (che appariva persino a me un po' come un'astronave aliena). Poi una sera l'ho visto, straordinariamente illuminato, e mi sono resa conto di quanto fosse bello. È favoloso per una grande città con milioni di abitanti avere spazi culturali *raggiungibili*[7] con il trasporto pubblico e per di più provvisti di ampi parcheggi! La struttura aggiunge sì al paesaggio urbano un elemento ultramoderno, che però trovo attraente, stimolante, internazionale.

Sono ansiosa ora di vedere i nuovi grandi progetti di Roma, il Centro Nazionale per le Arti Contemporanee di Zaha Hadid e il Centro Congressi di Massimiliano Fuksas.

Il moderno non mi appare più automaticamente indesiderabile, e il nuovo non mi sembra più *minacciare*[8] l'antico. Guardo a Roma come a una città che è sia antica che moderna. Sono affascinata dalla sua storia, ma intensamente *coinvolta*[9] nel suo presente. Non sono sicura che il nuovo edificio intorno all'Ara Pacis e la **chiesa Dives in Misericordia** di Meier *(fig. 6)* mi piacciano, ma non rendono affatto Roma meno romana per me.

[1]*mayor;* [2]*shop window, display case;* [3]*restoration;* [4]*inauguration;* [5]*made;* [6]*skeptical;* [7]*that can be reached;* [8]*to threaten;* [9]*involved.*

Come vive Jennifer questa tensione fra antico e moderno a Roma?
Sei d'accordo con le conclusioni a cui lei è arrivata?

NOTIZIE DALL'ITALIA

diario - quotidiano di architettura
ORDINE DEGLI ARCHITETTI DI ROMA E PROVINCIA
incontri architettura professione lavoro formazione ordine servizi concorsi

"Fermate i lavori all'Ara Pacis" un nuovo appello di «Italia Nostra» La nuova Ara Pacis s'affaccia sul futuro

Il progetto di Richard Meier per l'Ara Pacis a Roma: perché sì! Berlusconi: «L'Ara Pacis è una mostruosità»

PRO: Un paese che parla al passato remoto

Siamo un paese che vive del solo passato, senza un presente e senza un futuro. L'architettura moderna può e deve *convivere*[1] con quella antica ma purtroppo siamo ostaggio di personaggi che vorrebbero farci vivere in un immenso scavo archeologico come quello che recentemente è stato fatto in via dei Fori Imperiali. Un intervento che ha visto una sistemazione finale senza senso poiché è impossibile la comprensione degli spazi antichi e della storia. Una società che ha una così completa *sfiducia*[2] nell'architettura contemporanea (e quindi in sé stessa) è destinata alla catastrofe. Mentre qui si *brancola nel buio*[3] a Parigi, Berlino ed in tante altre città si vive nel presente e si progetta nel futuro. L'antico in quanto tale non è migliore del contemporaneo, l'unica distinzione che vedo è tra ciò che ha in sé della qualità e ciò che non la ha.

Michele Arcella

CONTRO: Solamente un po' di rispetto!

Non è e non può essere vero che il nostro paese, *privilegiando*[4] il suo passato, *trascura*[5] il suo presente e chiude gli occhi al suo futuro. Ho qui davanti la foto aerea di Roma e, in rapporto alla città moderna, il proprio passato è appena un piccolo triangolo racchiuso tra P.zza del Popolo e l'ansa del Tevere a nord e S. Giovanni e Porta Maggiore a sud; ebbene proprio in questa piccola e delicata e meravigliosa area dobbiamo andare a collocare l'"ARCHITETTURA MODERNA"? Ma riuscite a immaginare il Guggenheim Museum di Ghery a Piazza Augusto Imperatore? Non siamo mica a Bilbao!
C'è una Roma tanto estesa, *priva*[6] di qualità, abitata dai veri romani. Portatela qui l'"ARCHITETTURA MODERNA"; c'è tanto da fare in periferia per *avvicinare*[7] il bello ai cittadini e per migliorare il loro presente e il loro futuro.

Sergio Marzetti

(www.architettroma.it)

[1]to live together; [2]distrust, diffidence; [3]stumble in the dark; [4]giving priority to; [5]neglects; [6]devoid; [7]bring close to.

Guardando le foto e leggendo i titoli dei giornali e i due pareri pro e contro, come ti schiereresti tu nella polemica che è nata intorno al nuovo museo dell'Ara Pacis progettato dall'architetto americano Richard Meier?

L'ITALIA IN RETE

Google™
Italia

Web Immagini Gruppi Directory News altro »

Meier Ara Pacis

[Cerca con Google] [Mi sento fortunato]

Il sistema più completo per la ricerca di immagini su Web.

Cerca in rete ulteriori dati che convalidino la tua opinione a proposito del museo dell'Ara Pacis costruito da Richard Meier nel centro storico di Roma

Salviamo il nostro pianeta

1 Lessico - L'uomo e l'ambiente

Osserva le foto e abbinale al problema ambientale corrispondente.

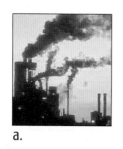
a.

b.

c.

d.

e.

f.

g.

h.

i.

l.

m.

1. Scioglimento dei ghiacciai ___
2. Elettrosmog ___
3. Inquinamento atmosferico ___
4. Utilizzo di OGM nelle coltivazioni ___
5. Disboscamento ___
6. Utilizzo di pesticidi nelle coltivazioni ___

7. Alluvioni ___
8. Buco dell'ozono ___
9. Siccità ___
10. Inquinamento delle acque ___
11. Effetto serra ___

2 Ascolto - Se l'avessi saputo…

a. Chiudi il libro, ascolta il dialogo e poi confrontati con un compagno.

b. Ascolta il dialogo e segna quello che secondo te è il problema intorno a cui ruota la conversazione.
   Puoi segnare più di una risposta.

la difficoltà ad alzarsi presto la mattina ☐
un incidente stradale ☐
l'inquinamento atmosferico ☐
la scomodità dei mezzi pubblici ☐
il traffico ☐
la scarsità di mezzi pubblici ☐

3 Lettura - Se fossi Presidente…

a. Leggi il testo. Poi rispondi alla domanda sotto all'immagine di Monica Frassoni.

Se fossi Presidente…

Sono nata a Veracruz, in Messico, nel 1963 e vivo tra Brescia e Bruxelles. Avevo cominciato la mia attività di militante del Movimento Federalista Europeo a Firenze, dove mi sono laureata in Scienze Politiche. Nel 1999 sono stata candidata dei Verdi in Belgio ed eletta deputata, prima italiana eletta all'estero, al Parlamento europeo.
Dal 2001, insieme a Daniel Cohn-Bendit, presiedo il Gruppo dei 45 deputati Verdi al Parlamento europeo.
In questi anni ho sempre lavorato a fianco di movimenti, comitati e associazioni che si battono per il rispetto delle regole in materia ambientale e pretendono il diritto di tutti i cittadini d'Europa di partecipare democraticamente alle scelte che li riguardano direttamente.

Voteresti per Monica Frassoni? Confrontati con un compagno e spiega le tue motivazioni.

Salviamo il nostro pianeta **12**

b. Leggi l'intervista a Monica Frassoni.

Cosa farebbe l'onorevole Frassoni se fosse Presidente della Commissione Europea[1]?

"Se fossi Presidente della Commissione Europea
5 presterei senza dubbio maggiore attenzione alle
politiche ambientali. Ancora recentemente la
Commissione Barroso[2] ha purtroppo dimostrato
il suo scarso interesse per l'ambiente con il
rinvio della discussione di due documenti relativi
10 all'inquinamento atmosferico e con la sua dura
opposizione a nuove leggi in materia di prodotti
chimici, protezione della natura, rifiuti o regole
per la costruzione di grandi infrastrutture.
Queste non sono questioni marginali. Il nostro
15 sviluppo economico deve basarsi su criteri di
rispetto dell'ambiente e dei diritti sociali.
La Commissione fa sempre meno per
proteggere i suoi cittadini da una visione
dell'economia che tende a mettere la crescita
20 illimitata come obiettivo, ma questo ha dei costi
in materia di degrado ambientale e di salute.
Inoltre, se fossi Presidente continuerei la
battaglia con la quale ho cominciato la mia vita
politica e cioè la Costituzione europea. Poi mi
25 farei promotrice di iniziative che favoriscano la
trasparenza delle istituzioni e il dialogo con i
cittadini, senza dimenticare politiche in grado di
facilitare l'emergenza di un vero senso di
appartenenza all'Europa, come gli scambi
30 culturali, artistici, di ricerca e tra lavoratori."

Cosa farebbe per migliorare il rapporto economico tra l'Europa ed il sud del mondo?

"Con i paesi sottosviluppati l'Europa vive un
5 rapporto conflittuale, da una parte elargiamo
ingenti fondi ma dall'altra impediamo
materialmente ai paesi più poveri di
"camminare con le loro gambe". Potremmo
aiutare l'Argentina a risollevarsi dalla crisi
10 economica se potessimo importare liberamente
l'ottima carne sudamericana. Gli agricoltori
africani che producono canna da zucchero
sono finiti in miseria a causa delle sovvenzioni
europee ai nostri agricoltori. La vera sfida è
15 come conciliare un vero aiuto ai paesi poveri
senza penalizzare l'economia europea.
In modo più generale bisognerebbe eliminare il
sistema dei sussidi alle esportazioni europee,
cancellare il debito pubblico ai paesi più poveri
20 e pagare un prezzo giusto per i prodotti
provenienti da questi paesi" afferma l'onorevole
Frassoni. "Bisogna però fissare anche delle
regole chiare per quanto riguarda i diritti dei
lavoratori ed il rispetto dell'ambiente in quei
25 paesi. Dietro i produttori di carne argentini o i
produttori di soia ogm brasiliani non ci sono
schiere di contadini che potrebbero uscire dalla
povertà ma grandi imprese agro-industriali che
pagano una miseria i loro lavoratori e
30 distruggono le loro stesse risorse naturali."

(adattato *da www.ciip.it/*)

1. La Commissione è l'istituzione politicamente indipendente che rappresenta e tutela gli interessi generali dell'Unione Europea.
È la forza motrice del sistema istituzionale dell'UE, propone cioè le leggi, le politiche e i programmi d'azione ed è responsabile
dell'attuazione delle decisioni del Parlamento e del Consiglio dei ministri.
2. Presidente della Commissione Europea al momento in cui è stato scritto l'articolo.

c. Hai cambiato idea riguardo ad un tuo eventuale voto a Monica Frassoni?
   Confrontati con un compagno.

d. Scrivi accanto alle definizioni elencate sotto, la parola o l'espressione corrispondente nel testo.
   Le definizioni sono in ordine.

1. sarei attenta _____
2. sfortunatamente _____
3. spostamento di una data _____
4. che trattano di _____
5. per ciò che riguarda _____
6. progresso, crescita _____
7. capaci di _____

8. relazione _____
9. diamo generosamente _____
10. enormi _____
11. non diamo la possibilità _____
12. aiuti economici _____
13. che arrivano _____
14. gruppi _____
15. pochissimi soldi _____

Salviamo il nostro pianeta

12

4 Riflettiamo - Frasi ipotetiche

a. Rileggi il testo dell'attività 2 e sottolinea le frasi ipotetiche introdotte da "se".
Poi trascrivi nello schema le frasi ipotetiche che hai trovato (come nell'esempio).

CONDIZIONE	CONSEGUENZA
se fosse Presidente della Commissione Europea?	*Cosa farebbe l'onorevole Frassoni*

b. Osserva le frasi che hai scritto nello schema.
Quali modi e tempi verbali vengono utilizzati? Completa la regola.

CONDIZIONE   CONSEGUENZA

SE + modo: _____
tempo: _____

+

modo: _____
tempo: _____

c. Lavora con un compagno. Osservate le seguenti frasi.
C'è una differenza di significato? Se sì, quale?

- Se **sarò** Presidente **presterò** senza dubbio maggiore attenzione alle politiche ambientali.
- Se **fossi** Presidente **presterei** senza dubbio maggiore attenzione alle politiche ambientali.

_____

_____

5 Combinazioni - Frasi ipotetiche

Ricomponi le seguenti frasi collegando ogni condizione alla logica conseguenza, come nell'esempio.

CONDIZIONE	CONSEGUENZA
1. Se facessimo la raccolta differenziata dei rifiuti	a. limiteremmo il disboscamento.
2. Se producessimo energie alternative (eolica, solare, geotermica, ecc.)	b. eviteremmo l'inquinamento di terreni e falde acquifere sotterranee.
3. Se usassimo di meno la macchina e camminassimo di più	c. salveremmo molte specie in via di estinzione.
4. Se tagliassimo meno alberi	d. ridurremmo la quantità di rifiuti.
5. Se uccidessimo meno animali per farci le pellicce	e. sarebbe possibile riciclare plastica, vetro e carta.
6. Se utilizzassimo meno fertilizzanti chimici	f. diminuiremmo l'inquinamento atmosferico.
7. Se isolassimo meglio finestre, porte e pareti nei nostri appartamenti	g. non avremmo più bisogno del petrolio.
8. Se comprassimo prodotti con pochi imballaggi	h. disperderemmo meno calore.

6 Esercizio orale - Frasi ipotetiche

Formula delle frasi ipotetiche introdotte dal "se". Lavora con un compagno.

Es: **Se** chiudessero il centro alle macchine i trasporti pubblici circolerebbero meglio.

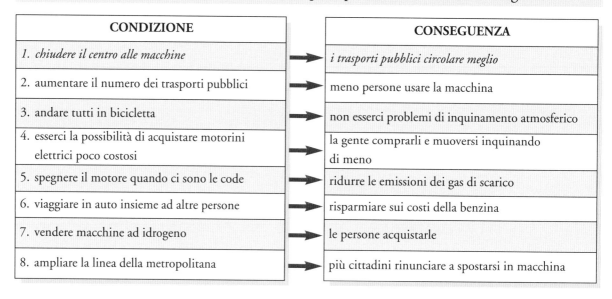

CONDIZIONE		CONSEGUENZA
1. chiudere il centro alle macchine	→	i trasporti pubblici circolare meglio
2. aumentare il numero dei trasporti pubblici	→	meno persone usare la macchina
3. andare tutti in bicicletta	→	non esserci problemi di inquinamento atmosferico
4. esserci la possibilità di acquistare motorini elettrici poco costosi	→	la gente comprarli e muoversi inquinando di meno
5. spegnere il motore quando ci sono le code	→	ridurre le emissioni dei gas di scarico
6. viaggiare in auto insieme ad altre persone	→	risparmiare sui costi della benzina
7. vendere macchine ad idrogeno	→	le persone acquistarle
8. ampliare la linea della metropolitana	→	più cittadini rinunciare a spostarsi in macchina

7 Parliamo - Sei proprio uno sprecone!

*Lavora con un gruppo di compagni. L'insegnante vi assegna uno dei due ruoli: **A** coinquilino "ecologico", **B** "anti-ecologico". Insieme con i compagni del tuo gruppo pensa a quali potrebbero essere le caratteristiche di tale coinquilino. Poi immaginati di trovarti in questa situazione e discuti con un tuo compagno che ha l'altro ruolo.*

8 Riflettiamo - Frasi ipotetiche   8.2

CD 29   *a. Riascolta il dialogo dell'attività 2 e completa le frasi con i verbi mancanti.*

▪ Ah, buongiorno! Che c'è? Non hai sentito la sveglia stamattina?

● Guarda lascia perdere che sono nero! È dalle sette che sto in macchina!

▪ Però! E com'è che ci hai messo così tanto? C'era un incidente?

● No, è che il centro era chiuso, così ho dovuto fare un giro lunghissimo.

▪ Eh ... _____, se si _____ a lavorare con la macchina!

● Sì, però ieri al Tg non hanno detto nulla, perché insomma, se l' _____, _____ in metropolitana!

▪ A parte il fatto che al Tg regionale l'hanno detto, non capisco perché continui a venire in macchina quando potresti benissimo prendere i mezzi pubblici!

● Beh, perché preferisco stare comodamente seduto piuttosto che pigiato come una sardina in metropolitana!

▪ Sì, però se _____ la metro, _____ innanzitutto meno stressato e poi _____ a diminuire lo smog ...

● Mah, non sarà certo la mia macchina a far la differenza!

▪ Beh, guarda, se tutti la _____ come te, anziché chiuderlo una volta alla settimana, _____ chiuderlo tutti i giorni il centro!

b. Tutte le frasi in cui hai scritto i verbi sono frasi ipotetiche. Copiale nello schema, inserendole nella casella che ti sembra descrivere meglio il tipo di ipotesi.

	CONDIZIONE PROBABILE	CONDIZIONE IMPROBABILE
ipotesi sul presente o sul futuro		
ipotesi sul passato		

c. Quando la condizione è improbabile e l'ipotesi è sul passato, quali modi e tempi usiamo?

CONDIZIONE   CONSEGUENZA

SE + _____ + _____

 9 Esercizio scritto - Troppo tardi
Cosa diresti in queste situazioni? Scrivi delle frasi secondo l'esempio. Poi confrontati con un compagno.

Es: Non hai mai fatto la raccolta differenziata dei rifiuti e scopri che chi la fa paga meno tasse.
Se l'avessi saputo, avrei fatto *la raccolta differenziata dei rifiuti.*

1. Hai preso un appartamento in affitto al mare vicino Roma, solo più tardi noti che ci sono delle enormi antenne a pochi metri da casa.

_____

2. Scopri che prendendo l'autobus anziché la macchina impieghi molto meno tempo ad arrivare al tuo posto di lavoro.

_____

3. Compri un motorino nuovo ed in seguito vieni a sapere che allo stesso prezzo ce n'è uno che inquina meno, ma ormai l'hai comprato...

_____

4. Inviti degli amici a cena e prepari la carne. Uno degli ospiti confessa che è vegetariano.

_____

5. Hai comprato le bottiglie d'acqua minerale perché non sapevi che l'acqua del rubinetto a Roma è potabile, ma ormai ne hai comprate 30 bottiglie.

_____

6. Fai installare un impianto d'aria condizionata nel tuo appartamento ed il mese successivo ti arriva una bolletta della luce salatissima.

_____

10 Parliamo - Se non fosse mai successo...
Qual è secondo te l'evento più significativo nella storia dell'umanità?
Come sarebbe cambiata la storia se non fosse mai successo?

Salviamo il nostro pianeta

12

11 Lettura - Juicing: la moda americana che dà energia

a. Qui sotto hai il titolo di un articolo di giornale e il disegno che lo illustra.
Di che cosa tratta il testo secondo te? Parlane con un compagno.

b. Ora leggi l'articolo e completalo scrivendo i seguenti titoli negli spazi vuoti.

a) Una micro-dieta disintossicante
b) Centrifugati: fanno davvero bene? E si possono bere tranquillamente?
c) Pesticidi: come difendersi dalle sostanze irrorate su frutta e verdura?

d) Una valida alternativa per chi soffre di colite
e) Carote e prezzemolo per abbronzarsi più in fretta

In California e Colorado è ormai una vera e propria filosofia di vita: mixando verdure diverse si curano disturbi di tutti i tipi, dal mal di schiena all'ansia. Adesso il juicing arriva anche da noi, con l'apertura del primo juice bar, il Jungle Juice di Milano (via Dogana 1), presto "clonato" in altre città italiane. Cos'è un juice bar? Un locale speciale, dove puoi scegliere esclusivamente prodotti freschi, a base di frutta e di verdura: centrifugati, frullati, macedonie, zuppe… . E su richiesta, puoi aggiungere al tuo succo un booster: ginseng, pappa reale, fibre, composti multivitaminici e molti altri preparati con azione disintossicante, energizzante, digestiva e così via. Abbiamo chiesto a Evelina Flachi, nutrizionista, le istruzioni per l'uso.

[ ]

Sì, ma preferibilmente a stomaco vuoto, come spuntini, oppure come sostitutivi del pasto.

Sono fonti di sali minerali e di vitamine, facilmente assimilabili. In più contengono una maggiore concentrazione di principi nutritivi rispetto ai cibi solidi. Importante: devono essere consumati subito dopo la preparazione, perché le sostanze più preziose sono rapidamente deperibili.

[ ]

Per un giorno soltanto puoi fare un semidigiuno, bevendo acqua, succhi senza zucchero e centrifugati. Se sei sana, non sottopeso, puoi ripeterla anche una volta alla settimana, oppure un week-end al mese: serve per ripulire l'organismo dalle tossine accumulate.

[ ]

Il betacarotene, contenuto in questi cibi, ma anche in spinaci e cavolo, ha davvero l'efficacia di potenziare il colorito naturale. Ma, anche in questo caso, no agli eccessi. La quantità giusta? 4-5 etti di carote al giorno.

[ ]

Se hai questo problema, sai sicuramente che devi stare attenta alle fibre: servono assolutamente anche al tuo organismo, però dovresti assumerne poche quantità per volta. I centrifugati possono esserti d'aiuto, a patto di berli lontani dai pasti.

[ ]

Purtroppo l'unica soluzione valida al cento per cento è consumare prodotti biologici. In caso contrario, bisogna lavarsi molto attentamente, magari con l'aggiunta di bicarbonato, e utilizzare una spazzolina per raschiare bene la superficie.

(adattato da *www.junglejuice.it/media*)

12 Ascolto - Una boccata d'aria pulita

a. Chiudi il libro, ascolta l'intervista e poi confrontati un compagno.

b. Riascolta l'intervista e rispondi alle domande.

1. Dove si trova l'Oxi Bar?
_____

2. Quanto costa una "seduta"?
_____

3. Come funziona?
_____

4. Che cosa offre il bar, oltre alle sedute d'ossigeno?
_____

13 Esercizio orale - Se fossi…

Rispondi alle domande insieme ad un compagno e spiega il perché delle tue risposte (come nell'esempio).

Esempio:
■ Se fossi un animale che animale saresti?
● Se fossi un animale mi piacerebbe essere un gatto.
■ Perché?
● Per la sua indipendenza ed eleganza.

Se fossi…   un colore
              uno sport
              un periodo storico
              un oggetto
              un mese
              un indumento
              un libro
              una canzone
              un cibo
              una bevanda
              uno strumento musicale
              una città
              un personaggio delle fiabe
              un fiore
              una lingua

 14 Scriviamo - Un manifesto ecologico

In piccoli gruppi scrivete un manifesto in cui suggerite come comportarsi per salvare il nostro pianeta.

Salviamo il nostro pianeta

12

15 Gioco dell'oca - Cosa faresti se…

Si gioca in gruppi di 3-5 persone con 1 dado e delle pedine. A turno i giocatori lanciano il dado e avanzano di tante caselle quanti sono i punti indicati sul dado.
Con la frase della casella bisogna formare una frase ipotetica.
Il soggetto della frase dipende dal numero lanciato con il dado:
1 = io; 2 = tu; 3 = lui, lei, Lei; 4 = noi; 5 = voi; 6 = loro. Vince chi arriva prima al traguardo.

Caffè culturale

PER FARCI UN'IDEA

Secondo te qual è il mezzo di trasporto più utilizzato in Italia per recarsi all'università o sul posto di lavoro? Perché?

CON OCCHI DI STRANIERO

SARA EASBY
dopo aver conseguito la laurea in musica ha viaggiato a lungo in America Latina. Poi ha deciso di venire a Roma per poter imparare la lingua ed alla fine vi si è stabilita. Dice: "Tanti dicono che Roma è un buco nero... penso che abbiano ragione."

L'ESERCITO DEI MOTORINI NELLE CITTÀ ITALIANE

Oltre ad essere il paese del sole, del mare, dell'arte, del buon cibo, del vino, del gelato e del caffè l'Italia dà anche spazio ai motorini per i quali tutti quanti vanno matti, dai ragazzini agli adulti. Tra i più giovani rappresenta un simbolo di benessere e di libertà, oltre a farli sentire *"fichi"*[1]. Anche il postino ha un motorino! È possibile vederne di ogni colore, di ogni forma e modello, dal più antico al più moderno e *accessoriato*[2].

Nel paese da dove vengo ci sono tante biciclette e quindi sono abituata a vedere un mezzo di trasporto con due ruote, ma il motorino è tutta un'altra cosa: è più rumoroso, più aggressivo, più rischioso (soprattutto quando percorri le strade di Roma...piene di buche e di *sampietrini*[3]), e non solo per chi guida. Pochi giorni dopo essere arrivata a Roma mi sono accorta che si deve attraversare la strada con molta cautela anche quando si attraversa sulle strisce pedonali. Tante volte ho rischiato di perdere un dito del piede incrociando un motorino. E al semaforo è peggio perché tutti i motorini sono pronti a *scattare*[4] appena diventa verde, se non prima, (un po' come la formula uno!). Ma il motorino non è solo questo, è anche un mezzo per viaggiare molto divertente, soprattutto in estate, quando ci si può abbronzare. Ma in inverno... quando la pioggia rende le strade come un fiume è tutta un'altra storia!

Forse però l'aspetto più importante della diffusione delle due ruote è il costante traffico e la necessità di parcheggiare, due profondi disagi. C'è sempre traffico a Roma e mentre gli automobilisti aspettano in fila con la speranza di fare qualche metro in avanti, i motorini *zigzagando*[5] sfrecciano come impazziti e volano via. Ogni volta che bisogna uscire per andare in centro, al cinema, al mare, in discoteca, con la macchina ci vuole una mezz'oretta in più, sia per arrivare che per trovare il parcheggio. Con il motorino si eliminano questi problemi (perché se devi parcheggiare c'è sempre un *"marciapiede"*[6] libero!). Dunque, queste sono le ragioni per cui guidare il motorino è un fenomeno tanto diffuso in Italia e particolarmente nella città di Roma. Quindi la prossima volta che uscite, prendete il motorino e sicuramente avrete una esperienza diversa, soprattutto se siete affamati, perché così *"se magna"*[7] prima!

[1]*"cool"*; [2]*fully equipped*; [3]*Roman paving stones*; [4]*snap, take off*; [5]*zigzagging*; [6]*sidewalk*; [7]*you'll eat.*

Se tu abitassi a Roma ti compreresti un motorino? Discuti con un compagno i pro e i contro dello spostarsi in motorino.

I motorini non sono santarellini

In un piccolo libro recentemente edito da Franco Angeli, intitolato "I padroni del traffico" gli accusati come al solito sono tanti, tutti giustamente incriminabili. C'è chi se la prende con le auto, chi con i mezzi pubblici, chi con la mancanza di parcheggi. A finire sul *banco degli imputati*[1] sono, tra gli altri, pure i motorini.

Le autrici del testo, A. Cattaneo e N. M. Di Stefano (due ricercatrici dell'università La Sapienza di Roma), non hanno parole tenere nei confronti delle "due ruote". Secondo la loro analisi infatti i ciclomotori, dai *cinquantini*[2] agli scooter fino alle moto di medio-alta cilindrata, si pongono decisamente "al di fuori delle regole di circolazione e si appropriano di spazi riservati ad altre categorie quali marciapiedi e aree pedonali".

Non solo, i *centauri*[3] metropolitani sono pure dei pirati se è vero, come dicono le ricercatrici, che "A Roma non è difficile incontrare motorini che viaggiano *contromano*[4], che parcheggiano nelle aree di sosta a pagamento riservate alle auto, che attraversano passaggi pedonali o che non rispettano i semafori". Continua Angela Cattaneo: «Chi ha un motorino non accetta di fare la coda e si produce in continui slalom tra le auto in fila, provocando danni di ogni genere». Un esempio quello romano che può essere facilmente applicato a quasi tutte le città italiane.

Si dirà che i motorini se non altro producono meno inquinamento atmosferico. Errore. Nella capitale, per esempio, sono loro i responsabili del 90% dell'inquinamento da benzene. Per questo le autrici li *bollano*[5] pure come "grandi inquinatori". *Tirando le somme*[6], sono *spericolati*[7], *violano*[8] tutte le leggi della viabilità, inquinano: i motorini sono i "veri padroni del traffico".

Massimo Mencaglia

(adattato da: *news2000.libero.it*)

Non sempre 4 ruote sono meglio di 2

Come ogni anno, all'arrivo della stagione invernale si ripropone per il popolo dei "dueruotisti" il dilemma amletico: "Mi metto in coda o sopporto il gelo?"

Per me, motociclista da appena quattro, il dubbio non sussiste, salvo bufere di neve che comporterebbero un rischio troppo elevato anche per l'ottima tenuta di strada della mia Suzuki Gsx-r.

Ogni giorno, infatti, salto in *sella*[9] per recarmi in redazione, incurante delle temperature siberiane e degli sguardi di compassione di alcuni automobilisti. "Ma chi te lo fa fare?", sembrano domandarmi con gli occhi. La risposta è semplice.

Oltre alla sensazione di libertà che, dopo un'intera giornata passata davanti al monitor, aiuta quasi a non sentire il freddo *pungente*[10] che ti prende mani e piedi, lo stimolo maggiore viene dall'intolleranza cronica alle code.

Senza contare poi, che i tempi di spostamento si dimezzano assieme allo stress, è quasi superfluo descrivere la comodità, una volta giunti a destinazione, di non perdere un'altra mezz'ora per trovare parcheggio.

Alla luce dei fatti, nessuno dovrebbe più sottovalutare i benefici derivanti dal sempre crescente numero di adepti delle due ruote; il Comune avrebbe l'obbligo di fare di più per *incentivare*[11] la circolazione di scooter e moto ad esempio consentendo l'utilizzo di tutte le corsie *preferenziali*[12] e agevolandone la circolazione anche nelle zone *a traffico limitato*[13].

Oltre a snellire il traffico, infatti, contribuirebbero non poco a ridurre l'inquinamento, cosa non trascurabile in un periodo in cui le *polveri sottili*[14] continuano a superare le soglie di *allerta*[15].

Alessandro Carcano

(adattato da: *www.parcheggi.it*)

[1]*the defendants' chair* ; [2]*scooters with small, 50cc engines*; [3]*centaurs*; [4]*in the wrong direction on a one-way street*; [5]*brand*; [6]*All in all*; [7]*dangerous*; [8]*they violate*; [9]*saddle*; [10]*penetrating*; [11]*to encourage*; [12]*preferential* ; [13]*restricted traffic*; [14]*air-polluting microparticles*; [15]*alert*.

Leggendo i due articoli, uno favorevole e l'altro sfavorevole all'uso delle due ruote, che opinione ti sei fatto/a a tale riguardo?

Google™ Italia

Web   Immagini   Gruppi   Directory   News   **altro »**

vendita + motorino

(Cerca con Google)   (Mi sento fortunato)

Il sistema più completo per la ricerca di immagini su Web.

Immagina di trasferirti a Roma e di dover comprare uno scooter o un motorino. Cerca su internet il ciclomotore che più soddisfa le tue esigenze.

Noi e gli altri

1 Parliamo - Che tipo sei?

a. Completa la colonna a sinistra, poi lavora con un compagno o una compagna: a turno uno dei due chiede all'altro che cosa ha scritto nella tabella e l'altro risponde e spiega perché lo ha scritto.

PER ME		PER IL MIO COMPAGNO/ LA MIA COMPAGNA
	un paese da visitare	
	una città in cui abitare	
	un film da vedere	
	un libro da leggere	
	una cosa rilassante	
	una cosa irritante	
	una cosa divertente	
	una cosa noiosa	
	un sogno	
	un incubo	

b. Dalle risposte che il tuo compagno/la tua compagna ha dato, che cosa si capisce della sua personalità? Parlane con un altro compagno.

2 Lessico - Qualità e difetti

Collega ad ogni qualità il difetto corrispondente, come negli esempi.

qualità	difetto		qualità	difetto
sincerità	disonestà		pazienza	avarizia
onestà	egoismo		generosità	debolezza
disponibilità	imprudenza		sensibilità	impazienza
correttezza	inaffidabilità		serietà	insensibilità
ottimismo	inflessibilità		coraggio	intolleranza
flessibilità	ipocrisia		modestia	superbia
affidabilità	pessimismo		forza	superficialità
prudenza	scorrettezza		tolleranza	vigliaccheria

3 Parliamo - Qualità e difetti

a. *Quali sono le qualità che apprezzi di più? E i difetti che sopporti meno?*
Scegli tre qualità fondamentali e tre difetti imperdonabili in: un'amica/un amico, una coinquilina/un coinquilino, una ragazza (fidanzata)/un ragazzo (fidanzato), un/un'insegnante.

	in un'amica/ un amico	in una coinquilina/ un coinquilino	in una ragazza (fidanzata)/un ragazzo (fidanzato)	in un/un'insegnante
qualità fondamentali				
difetti imperdonabili				

b. *Confronta le qualità e i difetti che hai scritto con quelli scelti da una tua compagna o un tuo compagno, spiegando le motivazioni delle tue scelte.*

4 Esercizio scritto - Aggettivi

Lavorate in coppia. Avete due minuti di tempo per scrivere il maggior numero di aggettivi che corrispondono alle qualità e ai difetti elencati nell'attività 2.

serio

onesto

5 Scriviamo - Che tipo di persona era?

a. *Lavorate in coppia. Scrivete su un foglio una piccola descrizione della personalità di uno dei seguenti personaggi, senza rivelarne il nome e cominciando così:*
"Era una persona…" in modo da non lasciar capire il sesso del personaggio.

Madre Teresa   Napoleone   Eva Peron   Lincoln   Jackie O   Machiavelli

b. *Ora lavora con un altro compagno, scambiatevi la descrizione del personaggio che avete scritto.*
Ognuno deve indovinare chi è il personaggio descritto dall'altro.

6 Ascolto - Pensavo che…

CD 31

a. Chiudi il libro, ascolta il dialogo e poi confrontati un compagno.
b. Che relazione hanno l'uomo e la donna secondo te?

....

c. Che tipo è lei?

....

....

....

Che tipo è lui?

....

....

....

d. Perché lui si arrabbia?

....

....

7 Riflettiamo - Concordanza dei tempi del congiuntivo

CD 31

⟨G⟩ 7.6

a. Riascolta la conversazione dell'attività precedente e completa le seguenti frasi con il verbo mancante.

▪ Ma possibile che devi buttar via sempre tutto?
● Scusa, pensavo che l'_____

● Mi dispiace. Se vuoi provo a chiedere a mio padre. Credo che ogni tanto lo _____ anche lui.

▪ E la maglietta della Roma, hai eliminato anche quella? Perché non la trovo più!
● Beh, pensavo che non ti_____ più … era tutta scolorita ormai …
▪ Non lo so, guarda, penso che la tua _____ una mania. Perché in fondo non è che io _____ poi così disordinato…

b. Che cosa determina l'uso del congiuntivo in queste frasi?

1. ....
2. ....
3. ....
4. ....
5. ....

c. Qual è il tempo di questi cinque verbi al congiuntivo e perché si usa quel tempo?

1. ....
2. ....
3. ....
4. ....
5. ....

8 Esercizio scritto - Combina le frasi

*Combina le frasi coniugando il verbo al tempo opportuno del **congiuntivo** (presente/passato/imperfetto/trapassato).*

1. Beh, visto che faceva tanto sport non immaginavo proprio che

2. No, oggi non l'ho visto ancora, credo che

3. Scusami, se non ti ho aspettato, ma pensavo che tu

4. Mi sono sbrigata a tornare perché temevo che i miei

5. Ci siamo portati un sacco di maglioni perché pensavamo che

6. Non sono sicurissimo, ma a giudicare dall'accento penso che

7. Ah, meno male, temevo che il film

a. Carole *(essere)* _____ francese.

b. *(fare)* _____ molto più freddo.

c. *(soffrire)* _____ di cuore.

d. *(rimanere)* _____ a casa, perché ieri non si sentiva tanto bene.

e. *(mangiare)* _____ già _____ qualcosa in mensa.

f. non *(avere)* _____ le chiavi.

g. *(cominciare)* _____ già _____!

9 Parliamo - Discussione con un coinquilino

In coppia dividetevi i ruoli e improvvisate una conservazione.

A
Sei una persona molto ordinata e non sopporti di vedere cose fuori posto.
La persona con cui dividi l'appartamento invece, è estremamente disordinata. La situazione in casa è completamente fuori controllo. Oggi hai deciso che quando lei/lui tornerà a casa dovrete avere una discussione seria e fissare delle regole.

B
La persona con cui dividi il tuo appartamento ha la mania dell'ordine e dell'igiene. Ti fa impazzire con le sue manie compulsive e non sopporti più questa situazione. Hai deciso che quando tornerai a casa dovrai affrontare la questione con lei/lui e cercare una soluzione.

Tutte le categorie ...

Cosa cerchi? L'uomo ideale | Tutte le categorie | OK

L'uomo ideale
Quali caratteristiche dovrebbe avere l'uomo dei tuoi sogni?

L'uomo ideale è colui che aiuta nei momenti di necessità, che ascolta ogni cosa che gli viene detta e la considera importante, che ha sempre tempo da dedicare a chi ama, che è sempre presente... Si interessa, è comprensivo, è gentile, romantico, passionale, capace di amare. Non importa quanti soldi abbia, la ricchezza che conta è quella interiore, non importa quanto sia bello, ciò che conta è la capacità di amare. Il mio uomo ideale non deve mai farmi sentire sola, deve farmi sentire protetta, deve farmi capire che posso sempre contare su di lui, e deve pormi al centro del suo mondo... Vorrei che non riuscisse a stare senza vedermi. Vorrei che per lui contasse sempre la mia opinione, ma che portasse avanti la sua con convinzione. Vorrei che non si lasciasse influenzare da estranei, che li tenesse fuori dalla nostra vita... Che avesse il senso del dovere, del rispetto per gli altri, e per se stesso. Vorrei che fosse abbastanza geloso. Che ricordasse sempre il mio compleanno, che mi facesse sentire sempre bene, come la sua regina... Che telefonasse per sapere come sto e cosa sto facendo, per dirmi che mi ama... Vorrei che mi dicesse sempre le frasi più dolci, le cose più belle... Che mi baciasse e mi abbracciasse di continuo, che mi desiderasse sempre.
Che dopo un litigio venisse subito per far la pace, che non pretendesse di avere sempre ragione, che fosse sempre pronto ad ammettere i suoi errori... Ecco cos'è per me l'uomo ideale, quello INNAMORATO. Io credo che ognuno cerchi sempre la persona adatta, quella giusta, si può trovarla, o meno, ma idealizzare troppo e aspettare in eterno la persona perfetta è un'impresa poco produttiva... e poi quando si ama, chissà perchè pur non corrispondendo in nulla o quasi, ai nostri desideri, quella persona diventa TUTTO, il massimo, l'ideale, anche se talvolta tratta male, anche se non è poi così dolce, così premuroso come avremmo desiderato... Ma l'amore è così strano come sentimento, che la razionalità viene a mancare. Dunque l'ideale in realtà è chi ci fa innamorare, pur se con qualche piccolo difetto, ma non lo cambieremmo mai...

(da *www.dooyo.it*)

| | | | | | | Tutte le categorie ... | |

Cosa cerchi? La donna ideale | Tutte le categorie ⬦ | **OK**

La donna ideale

Quali sono le caratteristiche fondamentali che dovrebbe avere il tuo modello di donna ideale?

Una donna ideale? Sembra strano ma non vado in cerca della donna ideale e nemmeno la cercherò. Un ideale è legato ad un qualcosa di utopico e di inavvicinabile.

Però qualche volta si arriva, per vie traverse, al nostro ideale di donna. Come dovrebbe essere allora questa donna? La prima cosa che mi viene in mente è il fisico: asciutto ma con tutto al posto giusto e nelle dimensioni giuste. La seconda cosa è il carattere: deve essere simpatica, riuscir a mantenere delle relazioni con altre persone, soprattutto dello stesso sesso, senza rancori gelosie e quant'altro le possa passare per la testa. Infine dovrebbe instaurare con me un rapporto in cui lei sia il mio reciproco in molte cose: dovrebbe sapermi frenare in molte occasioni, avere idee diverse in modo che il nostro rapporto non diventi monotono. Tutte queste cose secondo me sono impossibili da trovare in una persona, per questo la mia donna ideale non esiste oppure non l'ho ancora trovata. Tuttavia in questo momento ho una storia con una persona che si avvicina al mio ideale almeno per il carattere e le emozioni che mi dà, anche se è un po' troppo gelosa.

L'importante, comunque, è stare bene con una persona che riesca a darti la maggior parte di quello che tu cerchi, che riesca a cambiare e a farti cambiare, che ti dia fiducia e soprattutto che ti ispiri fiducia. Infine la cosa più importante è che nessuno dei due dia per scontato l'altro e renda monotono il rapporto.

(da www.dooyo.it)

11 **Riflettiamo - Concordanza dei tempi del congiuntivo**

G 7.6

a. *Cerca nel testo A dell'attività precedente tutti i verbi coniugati al congiuntivo imperfetto e sottolineali.*

  Quanti sono? ....

b. *Che cosa determina l'uso del congiuntivo in queste frasi?*

  ....

c. *In queste frasi il congiuntivo imperfetto non dipende da un verbo al passato, e non è in una frase che si riferisce al passato. Secondo te perché si usa allora?*

  ....
  ....
  ....

12 Esercizio scritto - Preferirei che ...

Completa le frasi e confrontate poi in coppia.

Mi piacerebbe che i miei amici ....

Preferirei che il mio insegnante ....

Sarebbe meglio che i miei compagni ....

Vorrei che la gente ....

Mi piacerebbe che nella mia città ....

Vorrei che per il mio compleanno ....

13 Esercizio orale - Gli amici ideali

a. Metti una X sulle affermazioni con cui ti trovi d'accordo.

I miei amici ideali...

☐ ...sono disposti sempre ad ascoltarmi   ☐ ...tollerano le persone a me care

☐ ...mi danno sempre ragione   ☐ ...sopportano i miei difetti

☐ ...sono sempre disponibili   ☐ ...hanno un carattere simile al mio

☐ ...sanno capire anche i miei momenti no   ☐ ...sono disposti a prestarmi soldi o altre cose

☐ ...mi accettano per quello che sono   ☐ ...sanno mantenere un segreto

☐ ...hanno i miei stessi interessi   ☐ ...hanno i miei stessi gusti

☐ ...sono disposti a dire una bugia per me   ☐ ...mi criticano, quando necessario

☐ ...mi accompagnano a fare shopping   ☐ ...sono sempre solidali con me

b. Lavorate in coppia. A turno ognuno riferisce una delle affermazioni che ha selezionato, iniziando la frase con **Vorrei che i miei amici...**, *seguita da una frase con il* **congiuntivo imperfetto**.

Es: ... mi **danno** sempre ragione ➡ Vorrei che i miei amici mi **dessero** sempre ragione.

14 Scriviamo - Il mio ideale

Come sarebbe il tuo ideale per:

| un insegnante | un paese | un amico/un'amica | un coinquilino | una casa |

Scegli una delle persone o cose elencate e descrivi come vorresti che fosse.

15 Trascrizione - Fare una richiesta in modo cortese

Ora riascolterai molte volte un brano della conversazione che hai ascoltato nell'attività 6.
Prova a trascrivere tutto quello che ascolti.

CD 32

Uomo: *Però, per favore* ....
....

Donna: ....

Uomo: ....
....
....

Donna: ....
.... *in cantina.*

per le ragazze

- *Ti capita spesso di uscire con un ragazzo che si comporta nel modo descritto dai disegni?*
- *Secondo te in genere le ragazze si aspettano questo tipo di comportamento da un ragazzo?*
- *Quali fra i comportamenti descritti dai disegni sono più o meno importanti per te?*
- *Quale sarebbe la tua reazione di fronte a un ragazzo che si comporta nei modi descritti dai disegni?*
- *Quale sarebbe la tua reazione di fronte a un ragazzo che non si comporta nei modi descritti dai disegni?*

per i ragazzi

- *Ti capita di comportarti nel modo descritto dai disegni?*
- *Ti sembra che le ragazze si aspettino questo tipo di comportamento da un ragazzo?*
- *Quali fra i comportamenti descritti dai disegni sono più o meno importanti per te?*
- *Quale sarebbe la tua reazione di fronte a una ragazza che si aspetta da te questo tipo di comportamento?*
- *Quale sarebbe la tua reazione di fronte a una ragazza che sembra irritata se tu adotti questo tipo di comportamento?*

17 Lettura - Mascolinità

Harvey Mansfield, anziano professore di Harvard dichiara: "Cashmere, mutande di seta, abiti made in Italy. Cinquant'anni fa le donne avrebbero riso di fronte a un uomo che si compera il guardaroba nelle boutique italiane.

Lo Stivale era il paese delle commozioni facili, le donne americane volevano un uomo maschile, non un debole". Un uomo come John Wayne, Humphrey Bogart, Ernest Hemingway. Ma dove trovarli, oggi, così forti, coraggiosi e maschili? La risposta di Mansfield è in un nuovo saggio intitolato Manliness ("Mascolinità").

Mansfield, professore di Scienza del governo, a 73 anni ha appena pubblicato il suo saggio presso la prestigiosa casa editrice Yale Press, lanciando l'allarme: l'uomo vero è in via d'estinzione, strangolato da un femminismo che in quarant'anni ha fatto solo danni.

"Le femmine oggi vogliono comportarsi come i maschi e i maschi non sanno come reagire", ha dichiarato il professore. Che suggerisce una soluzione drastica: vietare alle donne di andare a lavorare, invogliarle a tornare al ruolo di madre, moglie e casalinga.

"Guardatevi in giro - prosegue - gli uomini si vergognano ad aprire le porte alle donne, a essere cortesi, a fare i cavalieri... e soprattutto a proteggere le proprie compagne".

(da *www.ilgiornale.it*)

Perché la cortesia maschile è così importante per Harvey Mansfield?

18 Ascolto - Intervista a Melania Mazzucco

CD 33

Ogni sabato
dalle 23.00 alle 23.30
con Riccardo Chiaberge

In ogni puntata Riccardo Chiaberge riporta le pagine culturali dei giornali americani, inglesi, francesi, tedeschi o spagnoli raccontando libri, mostre, film, concerti, polemiche e interventi non ancora noti al pubblico italiano, e discutendone con scrittori e intellettuali di primo piano del nostro Paese.

In questa puntata Riccardo Chiaberge parla del libro di Harvey Mansfield *Manliness* con la scrittrice **Melania Mazzucco**, autrice di *Vita* e *Un giorno perfetto*.
In che modo la 'mascolinità' si esprime nella società di oggi?

a. Chiudi il libro, ascolta il dialogo e poi confrontati un compagno.

b. Che opinione ti sembra che abbiano della galanteria il giornalista, Riccardo Chiabrege, e Melania Mazzucco?

Riccardo Chiaberge

Melania Mazzucco

19 Parliamo - Galanteria: favorevoli o contrari?
Con chi senti di essere più d'accordo tra Harvey Mansfield, Riccardo Chiabrege e Melania Mazzucco? Parlane con un compagno motivando le ragioni della tua scelta.

Caffè culturale

PER FARCI UN'IDEA

Italy Grants Asylum to Afghan Christian Convert

Transgender Elected to Italian Parliament

A Poor Fit for an Immigrant: 20 Years, but Not Yet Italian

Italians Arrest 45 in Anti-Mafia Crackdown

In Face of Change, Italy Cleaves to "la Dolce Vita"

Italy Less Governable Than Usual After Vote

Secondo te questi titoli pubblicati dal New York Times che cosa raccontano del nostro Paese?
Che cosa ti sorprende e che cosa invece conferma un'immagine consueta dell'Italia?

CON OCCHI DI STRANIERO

GRETCHEN B.
è americana e vive a Roma dal 1998, dove ha lavorato come Senior Gender Adviser per il World Food Programme dell'ONU. Nel 2003, ha deciso di andare in pensione dal WFP, ma continua a lavorare come consulente a livello internazionale.

La società italiana sta cambiando?
Come dice UK Gay News, "l'elezione di Vladimir Luxuria, un 'transgender,' al parlamento italiano è probabilmente il primo caso del genere in Europa."
Vuole dire che la società italiana sta cambiando? E, se sì, cambia più velocemente che negli altri paesi in Europa? Si dice che il nuovo governo introdurrà una legge per riconoscere le coppie omosessuali. Potrebbe anche spingersi oltre e migliorare la legge attuale sulla discriminazione includendo l'orientamento sessuale e l'identità di genere. Forse l'elettorato italiano sta divenendo più aperto a tutti i tipi di diversità umana.
Ma un deputato 'transgender' non trasforma un governo né cambia una società. Un indice più significativo è la percentuale di donne che hanno una *carica*[1] nel governo. Ci sono sei ministre nel governo di Romano Prodi, contro diciannove ministri, e solamente una donna dirige un ministero importante, il Ministero della Salute.
Walter Veltroni, rieletto *sindaco*[2] di Roma nel maggio 2006, ha scelto una donna per vice-sindaco, nonostante le molte proteste dei colleghi uomini.
In uno studio del 2005 sulla percentuale delle donne nel parlamento, l'Italia, con il 10% di parlamentari donne, si è qualificata sotto al Rwanda (48%), all'Afghanistan (27%), all'Iraq (26%), e agli Stati Uniti (15%).
Allora, forse *abbiamo fatto il passo più lungo della gamba*[3] annunciando che l'Italia sta cambiando. Dopo tutto l'Italia è ancora il paese della bella sposa che si fa fotografare davanti al Colosseo.
Eppure il matrimonio non è sempre desiderato ora. Chi poteva prevedere che il cameriere del mio bar quando gli ho chiesto se lui e la sua fidanzata avrebbero fissato presto una data per il loro matrimonio, rispondesse "Francamente, il matrimonio non mi interesse troppo"? I due abitano insieme e vogliono due o tre bambini, senza sposarsi. Chi avrebbe potuto immaginarlo in Italia qualche anno fa? Un cambiamento c'è!
E chi indovinerebbe che l'Italia, nonostante il Vaticano, il Papa, e le persone che fermano i genitori nella strada per dire 'coo' ai *neonati*[4], ha l'*indice di natalità*[5] più basso in Europa occidentale? Pensiamo che sia un paese cattolico e conservatore ma il divorzio e l'aborto sono legali dagli anni '70.
Dunque, gli antichi ideali italiani stanno cambiando lentamente in una realtà nuova. Ma non si dimentichi che c'è più di una Italia: il *dirigente*[6] che lavora nel grande ufficio a Milano abita nello stesso paese della casalinga con la *vestaglia*[7] nera che in Sicilia prepara splendidi pranzi, ma le loro culture non sono le stesse. Il cambiamento in qualche regione arriva più lentamente che nelle altre.
Con una storia così lunga, è facile per gli italiani dipendere dal senso del passato. "Se va bene da 2000 anni," dicono gli italiani, "perché cambiare?"

---

[1]*official role;* [2]*mayor;* [3]*"taken a step longer than our leg" - bitten off more than we could chew;* [4]*newborns;* [5]*birth rate;* [6]*director, CEO;* [7]*smock.*

Leggendo l'articolo di Gretchen, l'Italia ti sembra un Paese conservatore o progressista?

Viola e Luigi condividono casa e sentimenti.

Oggi vorrebbero condividere dei diritti.

Carla e Gina condividono casa e sentimenti.

Oggi vorrebbero condividere dei diritti.

Marco e Matteo condividono casa e sentimenti.

Oggi vorrebbero condividere dei diritti.

SOSTIENI IL PACS.

il Patto Civile di Solidarietà concede identità giuridica, diritti fiscali, sanitari, di lavoro e previdenziali a tutte le coppie che hanno scelto di stare insieme.

PaCS è acronimo di Patto Civile di Solidarietà. È un contratto che legalizza l'unione tra due persone maggiorenni di sesso diverso o dello stesso sesso che hanno tra loro un rapporto di coppia stabile. Il PaCS è un'alternativa al matrimonio, per ora concessa solo dallo stato francese, per dare riconoscimento giuridico e sociale alle coppie che non vogliono o non possono sposarsi ma allo stesso tempo desiderano tutelarsi legalmente.

la Repubblica.it

Home   Repubblica TV   Politica   Cronaca   News Control   Cronache dalle Città   Economia   Esteri   Ambiente   Foto   Multimedia   Ora per Ora   Annunci
Sport   Motori   Persone   Star Control   Lavoro   Scuola&Giovani   Spettacoli&Cultura   Style&Design   Tecno&Scienze   Viaggi   Arte   Week-In   Meteo

Un'*indagine*[1] Eurispes sul rapporto con la *fede*[2] sottolinea il distacco tra il paese reale e le *gerarchie ecclesiastiche*[3]

Cattolici italiani favorevoli ai Pacs e anche a divorzio e aborto

ROMA - Gli *strali*[4] della Chiesa sulle unioni civili non condizionano i *fedeli*[5]: un'indagine Eurispes rivela che il 68,7% dei cattolici italiani è favorevole ai Pacs. E che hanno visioni *discordanti*[6] da quelle della Chiesa anche su altri temi *scottanti*[7]: il 65,6% dei cattolici difende infatti la legge sul divorzio e il 77,8% è contrario al divieto dell'*eucarestia*[8] ai divorziati. Persino in tema di aborto i cattolici divergono dalla visione ufficiale delle gerarchie ecclesiastiche e l'83,2% si dichiara favorevole all'*interruzione di gravidanza*[9] volontaria se la vita della madre è *in pericolo*[10]; il 72,9% se ci sono gravi anomalie e malformazioni del feto e nel 61,9% in caso di violenza sessuale. La percentuale, *cala*[11] notevolmente se le motivazioni sono le condizioni economiche o la volontà della madre di non avere figli: rispettivamente al 26,4% e al 21,9%. L'indagine dell'Eurispes rileva che sono *aumentati*[12] i cattolici (87,8%), 8 punti percentuali in più rispetto a un analogo sondaggio effettuato sempre dall'Eurispes quindici anni fa.

Allo stesso tempo, solo un terzo dei credenti sembra essere anche "praticante". "I dati *emersi*[13] delineano - spiega il professor Gian Maria Fara - una crisi non della religione, ma della religiosità". "La realtà è che in Italia, tra la Chiesa cattolica ed i propri fedeli c'è la stessa discontinuità che esiste, politicamente parlando, tra paese ufficiale e paese reale - sottolinea Fara - le gerarchie ecclesiastiche non sembrano corrispondere, nell'elaborazione dell'indirizzo religioso, alle difficoltà e alle *istanze*[14] dei fedeli cattolici".
Il rapporto Eurispes rivela anche un forte desiderio di religiosità tra i giovani: *si reca*[15] alla messa tutte le domeniche il 30,8% degli intervistati che hanno tra i 18 e i 24 anni d'età, a fronte del 22,4% e del 28,5% dei soggetti intervistati appartenenti rispettivamente alle fascia d'età 25-34 e 35-44 anni. La quota più alta (37,7%) dei soggetti che si recano in Chiesa *appartiene*[16] invece alla fascia d'età 65 anni ed oltre.

(da *www.repubblica.it*)

[1]investigation; [2]faith, religion; [3]religious hierarchy; [4]arrows, attacks; [5]the faithful; [6]in disagreement; [7]burning, controversial; [8]eucharist, the central rite of the catholic mass; [9]legal abortion; [10]in danger; [11]falls; [12]increased; [13]emerged; [14]requirements, needs; [15]attend (to attend mass); [16]belongs.

Questo articolo è in sintonia con le opinioni espresse da Gretchen nella sezione precedente?

■ L'ITALIA IN RETE

Web   Immagini   Gruppi   Directory   News   **altro »**

PACS+ITALIA

(Cerca con Google)   (Mi sento fortunato)

Cerca in rete informazioni sui PACS. Prova a capire se lo Stato italiano riconosce questo tipo di unione o se ancora si tratta soltanto di una proposta.
In entrambi i casi cerca materiale per farti un'opinione sui PACS. Sei favorevole o contrario?

Italia da scoprire

1 Lettura - Conosci l'Italia?

Rispondi alle domande e poi confrontati con un compagno.

Quanti parchi nazionali ci sono in Italia?
a) Meno di cinque ☐
b) Più di dieci ☐
c) Più di venti ☐

L'isola più grande d'Italia è:
a) La Sardegna ☐
b) L'Isola d'Elba ☐
c) La Sicilia ☐

Quanti abitanti ci sono in Italia?
a) Circa 48 milioni ☐
b) Circa 58 milioni ☐
c) Circa 78 milioni ☐

Come si chiama il vulcano di Napoli?
a) Il Vesuvio ☐
b) Lo Stromboli ☐
c) L'Etna ☐

I due stati indipendenti che si trovano in Italia sono:
a) Principato di Monaco e Vaticano ☐
b) Vaticano e San Marino ☐
c) San Marino e Principato di Monaco ☐

Quante regioni ci sono in Italia?
a) Dieci ☐
b) Quindici ☐
c) Venti ☐

(adattato da: *www.ac-nancy-metz.fr*)

2 Ascolto - Un viaggio importante

CD 34

Chiudi il libro, ascolta il dialogo e poi confrontati un compagno.

3 Lettura - I luoghi del cuore FAI

a. Leggi i seguenti brani e mettili in ordine numerandoli progressivamente.

 FAI
FONDO PER
L'AMBIENTE
ITALIANO

Banca **Intesa**

I LUOGHI DEL CUORE
Vota i luoghi di **natura** da non dimenticare

3° Censimento nazionale del FAI - Fondo per l'Ambiente Italiano

Menù principale ▾ **Home > Luoghi del Cuore**

La natura parla direttamente al nostro cuore, creando spesso emozioni indelebili, che finiscono per conservarsi dentro di noi. E i "teatri" di quelle emozioni diventano per sempre i luoghi del cuore, che nella nostra memoria non cambieranno mai. Ma che il tempo, il disinteresse e spesso, purtroppo, l'incauto intervento dell'uomo possono rovinare.

Tutti noi abbiamo un luogo del cuore e tutti noi sentiamo il bisogno di difenderlo.

Per questo il FAI (Fondo per l'Ambiente Italiano) in collaborazione con Banca Intesa, organizza il 3° censimento dei "Luoghi del cuore": dal 10 maggio al 15 settembre 2006 tutti gli italiani potranno segnalare al FAI i luoghi che hanno rivestito o tuttora rivestono una particolare importanza nella loro vita e che desiderano conservare intatti per le future generazioni.

1

non costa niente e porta con sé un importante significato sentimentale e sociale.

Si possono segnalare i "Luoghi del Cuore":

- compilando la cartolina che si potrà ritirare presso le filiali di Banca Intesa e nei Beni del FAI
- spedendo al FAI - Fondo per l'Ambiente Italiano - Casella Postale 13060 - 20130 Milano i coupon pubblicati su quotidiani e riviste
- chiamando il numero 840502080
- online su www.iluoghidelcuore.it

in molti casi, infatti, la mobilitazione di associazioni o di gruppi spontanei di cittadini che hanno "adottato" un luogo particolare, ha permesso al FAI di intervenire su realtà dimenticate. [...]

Nel primo censimento, nel 2003, circa 25mila italiani segnalarono il proprio "luogo del cuore". Nel 2004, il numero si è quadruplicato, arrivando a circa 100mila, grazie alla collaborazione di Banca Intesa, che per la prima volta ha messo a disposizione i propri sportelli in tutta Italia per le segnalazioni. E se con il primo censimento, grazie al generoso contributo di Banca Intesa, è rinato il Mulino di Baresi in provin-

cia di Bergamo, col secondo si sta intervenendo su due beni scelti tra i primi dieci classificati: la chiesetta della SS. Trinità di Teregua Valfurva (SO) e l'oratorio di San Martino a Clavi (IM) [...].

Partecipare al censimento è semplicissimo, perché un affresco si può quasi sempre restaurare, un prato cancellato è cancellato per sempre. [...]

Ma segnalare il proprio "luogo del cuore" non vuol dire che ci si è isolati in un momento solo personale. Questa manifestazione, come hanno dimostrato le precedenti edizioni, fa in modo che ci si avvicini agli altri, che si condividano sentimenti e passioni:

potrà essere segnalato un bosco, un torrente, un giardino, una spiaggia, una cascata, un alpeggio, un'isola, un parco cittadino, un uliveto o anche solo una quercia. Ma chissà quali e quanti altri luoghi il cuore e la fantasia suggeriranno agli italiani. [...]

La terza edizione dei "Luoghi del cuore" ha dunque l'obiettivo di coinvolgere sempre più italiani, dar voce a chi è sensibile ai problemi ambientali e, attraverso le emozioni della memoria, avvicinare chi ha a cuore il nostro Paese, con l'intento di far capire che anche il paesaggio è un bene culturale, ancora più difficile da proteggere di un bene artistico,

Segnalare significa imparare a conoscere il patrimonio, comprenderlo e farlo diventare parte integrante del proprio bagaglio, culturale e sentimentale, con una partecipazione concreta che diventa quindi impegno attivo e allo stesso tempo momento formativo.

Ricordare per segnalare, segnalare per tener viva la memoria:
l'indifferenza cancella, la tua segnalazione salva.

Quest'anno, a differenza delle edizioni precedenti in cui si chiedeva di segnalare anche monumenti e beni artistici, il censimento del FAI è interamente dedicato ai luoghi della natura:

b. Adesso confrontati con un compagno e discutete eventuali differenze.

4 Parliamo - I luoghi del cuore

C'è un luogo che ti sta particolarmente a cuore e che pensi valga la pena di difendere? Descrivilo ad un compagno e spiega quali sono le motivazioni che ti spingono a voler difendere tale luogo.

5 Riflettiamo - *Si impersonale*

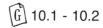 10.1 - 10.2

*a. Sottolinea nel testo le frasi in cui è usato il pronome **si**.*

La natura parla direttamente al nostro cuore, creando spesso emozioni indelebili, che finiscono per conservarsi dentro di noi. E i "teatri" di quelle emozioni diventano per sempre i luoghi del cuore, che nella nostra memoria non cambieranno mai. Ma che il tempo, il disinteresse e spesso, purtroppo, l'incauto intervento dell'uomo possono rovinare.

Tutti noi abbiamo un luogo del cuore e tutti noi sentiamo il bisogno di difenderlo.

Per questo il FAI (Fondo per l'Ambiente Italiano) in collaborazione con Banca Intesa, organizza il 3° censimento dei "Luoghi del cuore": dal 10 maggio al 15 settembre 2006 tutti gli italiani potranno segnalare al FAI i luoghi che hanno rivestito o tuttora rivestono una particolare importanza nella loro vita e che desiderano conservare intatti per le future generazioni.

Segnalare significa imparare a conoscere il patrimonio, comprenderlo e farlo diventare parte integrante del proprio bagaglio, culturale e sentimentale, con una partecipazione concreta che diventa quindi impegno attivo e allo stesso tempo momento formativo.

Ricordare per segnalare, segnalare per tener viva la memoria:

l'indifferenza cancella, la tua segnalazione salva.

Quest'anno, a differenza delle edizioni precedenti in cui si chiedeva di segnalare anche monumenti e beni artistici, il censimento del FAI è interamente dedicato ai luoghi della natura: potrà essere segnalato un bosco, un torrente, un giardino, una spiaggia, una cascata, un alpeggio, un'isola, un parco cittadino, un uliveto o anche solo una quercia. Ma chissà quali e quanti altri luoghi il cuore e la fantasia suggeriranno agli italiani. [...]

La terza edizione dei "Luoghi del cuore" ha dunque l'obiettivo di coinvolgere sempre più italiani, dar voce a chi è sensibile ai problemi ambientali e, attraverso le emozioni della memoria, avvicinare chi ha a cuore il nostro Paese, con l'intento di far capire che anche il paesaggio è un bene culturale, ancora più difficile da proteggere di un bene artistico, perché un affresco si può quasi sempre restaurare, un prato cancellato è cancellato per sempre. [...]

Ma segnalare il proprio "luogo del cuore" non vuol dire che si è isolati in un momento solo personale. Questa manifestazione, come hanno dimostrato le precedenti edizioni, fa in modo che ci si avvicini agli altri, che si condividano sentimenti e passioni: in molti casi, infatti, la mobilitazione di associazioni o di gruppi spontanei di cittadini che hanno "adottato" un luogo particolare, ha permesso al FAI di intervenire su realtà dimenticate. [...]

Nel primo censimento, nel 2003, circa 25mila italiani segnalarono il proprio "luogo del cuore". Nel 2004 il numero si è quadruplicato, arrivando a circa 100mila, grazie alla collaborazione di Banca Intesa, che per la prima volta ha messo a disposizione i propri sportelli in tutta Italia per le segnalazioni. E se con il primo censimento, grazie al generoso contributo di Banca Intesa, è rinato il Mulino di Baresi in provincia di Bergamo, col secondo si sta intervenendo su due beni scelti tra i primi dieci classificati: la chiesetta della SS. Trinità di Teregua Valfurva (SO) e l'oratorio di San Martino a Clavi (IM) [...].

Partecipare al censimento è semplicissimo, non costa niente e porta con sé un importante significato sentimentale e sociale.

Si possono segnalare i "Luoghi del Cuore":

- compilando la cartolina che si potrà ritirare presso le filiali di Banca Intesa e nei Beni del FAI
- spedendo al FAI - Fondo per l'Ambiente Italiano - Casella Postale 13060 - 20130 Milano i coupon pubblicati su quotidiani e riviste
- chiamando il numero 840502080
- online su www.iluoghidelcuore.it

(da www.fondoambiente.it)

b. Quali di questi pronomi sono pronomi riflessivi?

*c. Che funzione hanno tutti gli altri pronomi **si**?*

*d. Perché alcuni di questi **si** sono seguiti da un verbo alla terza persona plurale?*

*e. In una delle frasi che hai sottolineato il pronome **si** è preceduto da **ci**. Perché?*

Italia da scoprire

14

6 **Esercizio orale e scritto -** *Si* impersonale

Intervista un tuo compagno e chiedigli quali sono gli stereotipi
che nel vostro Paese si hanno nei confronti dell'Italia e degli italiani.
Digli di formulare delle frasi utilizzando il **si** *impersonale.*
Scrivi qui di seguito le sue risposte.

In Italia **si…** _____

_____

_____

_____

7 **Esercizio scritto -** *Si* impersonale

a. Completa i dialoghi ripresi dall'ascolto dell'attività 2 con i verbi posti sopra ad ogni riquadro.
Poi confrontati con un compagno.

rilassarsi   **mangiare**   **abituarsi**

> ◻ _____ bene!
>
> ● Mamma mia!
>
> ◻ Immagino.
>
> ● Guarda una cosa incredibile, veramente sono molto molto soddisfatta. Anche perché poi
>   sono tutti piccoli centri per cui _____ subito a questo ritmo di vita molto
>   più a dimensione d'uomo…
>
> ◻ Più rilassato, più tranquillo…
>
> ● Sì, sì, sì, sì, sì, assolutamente. In poco tempo _____ proprio, è come staccare
>   la spina.

fare   **svegliarsi**   **ritornare**   **fare**

> ◻ Poi lì hanno anche questa musica tradizionale, no?
>
> ● Sì, sì, sì, sì, sì, la tarantella, la notte della taranta. Lì veramente _____ ai
>   ritmi frenetici e caotici della città.
>
> ◻ Eh! Eh! Eh! Eh!
>
> ● Però, sì, è proprio un altro ritmo. _____ tardi, _____
>   colazione, poi _____ una passeggiata sulla spiaggia, se vuoi…

b. Ascolta ancora il dialogo dell'attività 2 e controlla le tue risposte.

CD 34

8 Riflettiamo - Pronome relativo *chi*

Rileggi il seguente brano tratto dal testo che hai letto nell'attività 3. Poi rispondi alla domanda.

> La terza edizione dei "Luoghi del cuore" ha dunque l'obiettivo di coinvolgere sempre più italiani, dar voce a **chi** è sensibile ai problemi ambientali e, attraverso le emozioni della memoria, avvicinare **chi** ha a cuore il nostro Paese

*Secondo te che cosa significa il pronome **chi** in queste frasi?*

9 Lettura - I luoghi del cuore di *Repubblica*

a. Il quotidiano «la Repubblica» in collaborazione con il «FAI» ha promosso un'iniziativa chiamata «I luoghi del cuore», un forum in cui si invitano i lettori a segnalare luoghi, a loro cari, minacciati dalla speculazione, dal turismo di massa o dall'incuria dello Stato. Qui di seguito trovi alcune segnalazioni. Leggile.

GⱢ ORENZA
(Trentino-Alto Adige) - *Gioia Carati*

Vorrei segnalare la bellissima cittadina di *Glorenza*, in *Val Venosta*. È la città più piccola del *Tirolo*, con i suoi 850 abitanti. Percorrendo i vicoli pittoreschi si ha l'impressione che il tempo si sia fermato.
Camminando all'interno della sua cinta di mura si possono ammirare gli stupendi portici e le facciate delle case dipinte di vivaci colori. Il periodo più suggestivo per visitare questa cittadina è sicuramente l'autunno, quando le foglie tingono tutto di rosso: è uno spettacolo indimenticabile.

Lᴬ GO DI PAOLA
(Lazio) - *Aureliano Gentile*

Scrivo per il mio "Luogo del Cuore" che è la "fascia costiera del *lago di Paola*". Questo lago insieme ad altri tre laghi costieri è méta di moltissime specie di uccelli migratori. Le recenti deroghe al *Parco Nazionale del Circeo*, unitamente alla forte pressione di imprenditori assolutamente ignari dei valori ambientali stanno trasformando queste aree in maniera irreversibile. Per essere più chiari, immaginate una discoteca di un grande albergo sulla riva del lago vicino a dove riposano i cormorani o le folaghe! Per questo scrivo, per far capire che i limiti dei parchi naturali non vanno limitati o addirittura ridotti, semmai estesi!

Sᴼ MMA LOMBARDO
(Lombardia) - *A.B.*

A *Somma Lombardo* esiste un meraviglioso castello denominato *Visconti di San Vito* di cui il FAI conosce bene l'esistenza. Quello che non ho mai capito è perché non si sia mai presa in considerazione la ristrutturazione delle *Fattorie Visconti* poste a poche decine di metri dal castello, risalenti se non erro al 1400, e oramai in rovina.
Il motivo che mi lega a questo luogo? È la città dove vivo e non è nelle condizioni in cui si può immaginare un luogo che ospita una tale meraviglia. Magari, mi dico, partendo dalle *Fattorie* che potrebbero diventare un luogo di cultura, si potrebbe salvare anche la città.

Vᴵ TERBO
(Lazio) - *Silvio Tavolato*

È una zona di interesse archeologico e naturalistico in provincia di *Viterbo*, molto vicina al *Teatro romano* di *Ferentum*.
Attualmente è in pessime condizioni, essendo ormai luogo di scarico abusivo di rifiuti! È un posto davvero suggestivo, SALVIAMOLO!

TOMBA DEI BRION

(Veneto) - *Stefania*

Io vorrei segnalare un posto bellissimo che veramente sta andando in degrado, che è la *Tomba monumentale dei Brion* ad *Altivole*, in provincia di *Treviso*, creata da Carlo Scarpa, perché veramente è un luogo che attraverso le varie architetture presenti arriva a sdramma-tizzare il concetto di cimitero come luogo triste e pietoso rendendolo luogo bellissimo di pace e tranquillità. Oggi non viene molto pubblicizzato e quindi visitato, quindi non viene curato, l'erba non viene tagliata, o ripiantata dove serve, i canali dell'acqua sono pieni di er-bacce, tutti questi piccoli elementi naturali erano parte del progetto di Scarpa e vanno man-tenuti come lui li ha progettati, altrimenti ne risente tutto il complesso.

ISOLA DI CAPRAIA

(Toscana) - *Silvia Barsetti*

Vorrei segnalare come luogo del cuore l'*Isola di Capraia* nell'arcipelago toscano. L'isola ha per ora soltanto un chilometro di strada asfaltata e va girata a piedi. Altra segnalazione da fare, è la cura del *Castello di S. Giorgio*, altro luogo carico di suggestione che adesso è stato completa-mente abbandonato dopo una serie di speculazioni: è un luogo magico, il cui recupero sia per attività culturali o d'altro genere (sempre nel rispetto delle sue caratteristiche) porterebbe alla conservazione e alla valorizza-zione di un castello unico nel suo genere e adesso destinato alla lenta distruzione da parte del vento e del mare.

(da *www.repubblica.it*)

b. Completa la tabella.

luogo segnalato	regione in cui si trova	aspetti positivi segnalati	aspetti negativi / pericoli segnalati

10 Riflettiamo - Forma passiva con il verbo *andare* $\boxed{G}$ 11.2

*a. Rileggi i testi dell'attività 9 e <u>sottolinea</u> tutti i verbi al participio passato preceduti dal verbo **andare**.*

*b. Rifletti sul significato che ha il verbo **andare** usato insieme al participio passato.*

11 Esercizio orale - Dove…?

In coppia e a turno, formulate delle domande secondo il modello.

lasciare la macchina - nel parcheggio
- Dove si deve lasciare la macchina?
- La macchina va lasciata nel parcheggio.

1. comprare i biglietti - alla cassa automatica
2. pagare la multa - al Comando di Polizia Municipale
3. depositare i bagagli - in portineria
4. lasciare le macchine - a nord dell'abitato
5. prendere l'uscita per Orta - ad Arona
6. parcheggiare le moto - fuori dalla zona pedonale

12 Esercizio scritto - *Si impersonale*
*Completa i testi con i verbi della lista usando il **si** impersonale. I verbi sono in ordine.*

| percorrere | giungere | raggiungere | incontrare | arrivare | trovare | voltare |

Lucca

Partendo dalla Piazza Napoleone, sulla quale si affaccia il Palazzo Ducale (1578), _____ Via Duomo e _____ nel centro religioso della città, costituito da due chiese: San Giovanni e San Martino, duomo di Lucca. Fiancheggiando sulla sinistra il duomo, voltando poi a sinistra in Via Arcivescovado _____ Via S. Croce, proseguendo dritto in Via Guinigi _____ le Case Guinigi, importante esempio di case medievali.

Voltando, dalla Via Guinigi, a destra e ancora a destra sulla Via dell'Angelo Custode _____ nella Piazza Santa Maria Forisportam con l'omonima chiesa, così chiamata perché si trovava all'esterno delle mura cittadine prima dell'ampliamento del 1260.

Percorrendo Via S. Croce, sulla sinistra della citata chiesa, _____ la Porta San Gervasio (residuo delle antiche mura del XIII secolo), dopo la quale _____ a sinistra in Via del Fosso e ancora a destra in Via Quarquonia: sulla destra troviamo Villa Guinigi, risalente al 1418 e oggi sede del Museo Nazionale.

(da www.itinerarintoscana.it)

13 Parliamo - Conosci il tuo compagno?

a. Completa la colonna di sinistra ipotizzando le risposte che darebbe il tuo compagno.

b. Adesso intervistalo e scrivi le risposte nella colonna di destra.

c. Confrontate insieme le risposte e commentate differenze e similitudini.

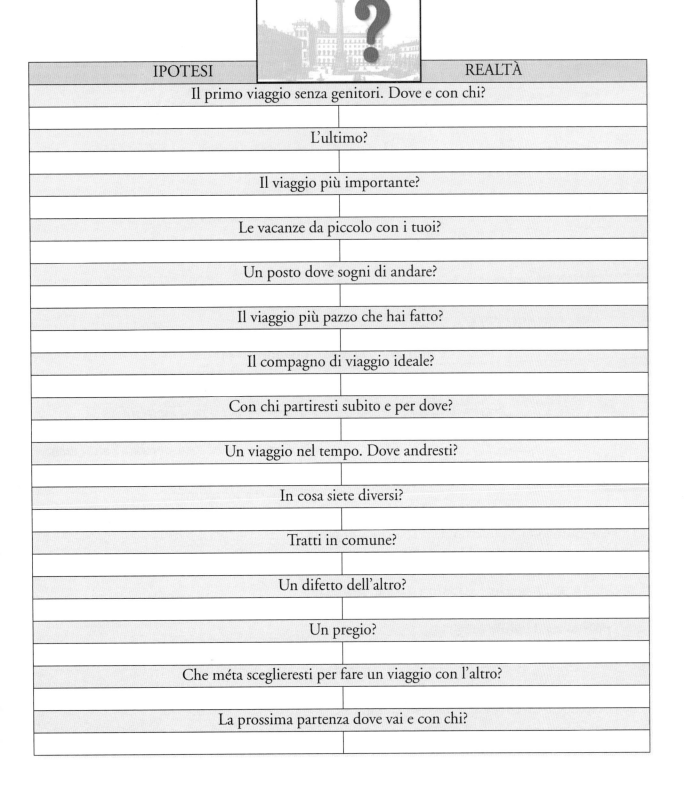

IPOTESI	REALTÀ
Il primo viaggio senza genitori. Dove e con chi?	
L'ultimo?	
Il viaggio più importante?	
Le vacanze da piccolo con i tuoi?	
Un posto dove sogni di andare?	
Il viaggio più pazzo che hai fatto?	
Il compagno di viaggio ideale?	
Con chi partiresti subito e per dove?	
Un viaggio nel tempo. Dove andresti?	
In cosa siete diversi?	
Tratti in comune?	
Un difetto dell'altro?	
Un pregio?	
Che méta sceglieresti per fare un viaggio con l'altro?	
La prossima partenza dove vai e con chi?	

14 Riflettiamo - Gerundio G 9.1 - 9.2

a. *Rileggi il testo dell'attività 9 e sottolinea tutti i verbi al gerundio.*
   Quanti sono? _____.

b. *Dividi i verbi che hai trovato in due categorie e scrivili di seguito.*

_____   _____
_____   _____
_____   _____
_____   _____

c. *Quando è usato da solo (senza il verbo "stare"), il gerundio sostituisce una frase esplicita.*
   Osserva i seguenti esempi:

Frase esplicita: **Quando si percorrono** i vicoli pittoreschi si ha l'impressione che il tempo si sia fermato.

Frase implicita: **Percorrendo** i vicoli pittoreschi si ha l'impressione che il tempo si sia fermato.

d. *Prova a trasformare le frasi implicite del testo in frasi esplicite utilizzando le congiunzioni della lista, come nell'esempio.*

e quindi   *perché*   quando   se

Frase implicita	Frase esplicita
Attualmente è in pessime condizioni, **essendo** ormai luogo di scarico abusivo di rifiuti!	Attualmente è in pessime condizioni perché ormai è luogo di scarico abusivo di rifiuti!
Camminando all'interno della sua cinta di mura si possono ammirare gli stupendi portici [...]	
[...] è un luogo che [...] arriva a sdrammatizzare il concetto di cimitero come luogo triste e pietoso **rendendolo** luogo bellissimo di pace e tranquillità.	
Magari, mi dico, **partendo** dalle fattorie che potrebbero diventare un luogo di cultura, si potrebbe salvare anche la città.	

Italia da scoprire

15 Esercizio scritto - Gerundio

Trasforma le frasi dalla forma esplicita a quella implicita utilizzando il **gerundio**, *come nell'esempio.*

Visto che per stasera non **ci sono** posti liberi in cuccetta ci conviene partire domani.
Non **essendoci** per stasera posti liberi in cuccetta ci conviene partire domani.

1. Siccome il treno è in ritardo rischio di perdere la coincidenza.

_____

2. Poiché vado in vacanza in Sicilia da molti anni, la conosco piuttosto bene.

_____

3. Se potessi pianificare le vacanze con un po' di anticipo pagheresti di meno per il biglietto aereo.

_____

4. Dal momento che partiamo nella settimana di ferragosto, sarebbe meglio prenotare il traghetto.

_____

5. Solo quando siamo arrivati a destinazione ci siamo accorti che avevamo dimenticato le chiavi di casa.

_____

6. Mentre si viaggia in aereo non è possibile tenere i cellulari accesi.

_____

7. Dato che ci vogliono 10 giorni per rinnovare il passaporto, bisogna pensarci con un certo anticipo.

_____

16 Scriviamo - Il tuo luogo del cuore

Il giornale della tua città ha promosso un'iniziativa simile a quella del quotidiano «la Repubblica». Intervieni e segnala - per iscritto - il tuo luogo del cuore.

IL MIO LUOGO DEL CUORE

FOTO

Vorrei segnalare...

_____

_____

_____

_____

_____

_____

_____

_____

_____

_____

Caffè culturale

PER FARCI UN'IDEA

avé la rasònm, bsogna ch'i t'la dëga (Emilia Romagna)
non basta avere ragione: bisogna che te la diano

su tricu de marzu non du messas attu (Sardegna)
il grano di marzo non tagliarlo alto

dimme er phanteon no a rotonda (Lazio)
mira dritto all'argomento senza girarci intorno

l'amór' é 'na bbèlla cóse, ma la fam' é 'na bbrutta bbèstie (Abruzzo)
l'amore è una bella cosa, ma la fame è una brutta bestia

el gà le man sbùxe (Veneto)
ha le mani bucate

a tavola un's'invecchia ' (Toscana)
a tavola non si invecchia

è mighj a dc, ke a fò!!! (Puglia)
è più facile dirlo che farlo!

viighe i pée in de la büüza (Lombardia)
avere i piedi nella fossa, essere vicino a morire

Questi sono proverbi in alcuni dialetti italiani. È difficile per te capirne il significato senza leggere la traduzione in italiano? Quali sono per te i dialetti più difficili? Credi che siano molti gli italiani che usano il dialetto? In che situazioni pensi che lo parlino?

CON OCCHI DI STRANIERO

ELIZABETH S.
è di Boston. Vive in Italia da 5 anni.
Lavora per un'Università americana a Roma.

I dialetti e l'identità regionale

Il venire a contatto con i vari dialetti italiani è stato uno degli aspetti più interessanti della mia permanenza in questo paese. *Innanzitutto*[1] vi sono centinaia di dialetti parlati in Italia che variano notevolmente da regione a regione e talvolta anche tra una città e l'altra della stessa regione. Come americana non ho mai vissuto qualcosa di simile: benché all'interno di alcune zone degli Stati Uniti vi siano delle differenze di accento, la lingua di per sé non muta in maniera tanto considerevole.
Per esempio, nell'italiano standard "andiamo" significa "let's go". Nel dialetto di Roma si dice "annámo" o semplicemente "námo"; in *perugino*[2] "gimo" mentre in Puglia dicono "gia-mai". E cosa dire a proposito dell'espressione "va bene"? Al sud dicono "va boh" ed a Roma "va beh". Inoltre ogni articolo determinativo cambia; diventa "er" a Roma ed "u" in Puglia, quindi: "il vino", "er vino", "u'ino". Alcuni dialetti *rispecchiano*[3] l'evoluzione storica dell'area occupata: un gran numero di parole utilizzate nell'Italia del sud hanno *subíto*[4] l'influenza francese, per esempio si usa la parola di derivazione francese "ruelle" per indicare ciò che nell'italiano standard è denominato "vicolo". A Venezia invece le strade vengono chiamate "calle" come in spagnolo.
Il dialetto crea una certa intimità tra coloro che lo parlano. In compagnia degli stranieri gli italiani utilizzano l'italiano standard ma passano quasi sempre al dialetto nelle conversazioni telefoniche e a tavola in compagnia di amici. Il dialetto è la lingua usata in famiglia, tra amici e persone con un background comune. In alcune zone d'Italia il dialetto è più parlato dell'italiano. Difatti le persone anziane non sempre parlano molto bene l'italiano, sempre che lo parlino. Fino a qualche tempo fa, e ciò probabilmente accade ancora oggi in alcune regioni italiane, addirittura i professori a scuola parlavano dialetto.
D'altra parte, vi sono al giorno d'oggi alcuni genitori che si rifiutano di insegnare il dialetto ai propri figli, in quanto desiderano che imparino l'italiano standard il prima possibile. Conosco infatti degli italiani che parlano poco il dialetto perché entrambi i genitori si sono rifiutati di insegnarglielo e anche perché frequentavano scuole in cui l'italiano era prevalente.
Oltre ai diversi dialetti, anche la pronuncia è differente da regione a regione. Sicuramente una delle caratteristiche dialettali più famose è la "C" aspirata del toscano. Dopo il lavoro i toscani vanno "a hasa" invece che "a casa". Bevono la "hoha hola" e preferiscono una "hannuccia" alla "*cannuccia*"[5].
Vi sono dei suoni universali che attraversano i *confini*[6] regionali: "Ao" sembra essere praticamente universale ed *abbraccia*[7] un *ampio spettro*[8] di significati: "Fai attenzione" (p. e. nel caso una macchina vi stia per *investire*[9]), "Ciao" (come forma di saluto) o un'espressione di sorpresa (come quando all'*altro capo del telefono*[10] sentiamo una voce inaspettata).
Il *romano*[11] "Oh", d'altra parte, spesso accompagnato da un gesto della mano, ha un solo significato corretto: "Ma che stai dicendo?". È usato da persone di tutte le età ed in qualsiasi contesto. "Oh" è sicuramente la "parola" maggiormente utilizzata nel linguaggio di tutti i giorni di un romano. E non dimentichiamo il suo contrario, "eh", per esprimere approvazione (cioè, "sì, è esattamente ciò che intendevo").
Dialogo dimostrativo durante la Coppa del Mondo:
"Chi ha vinto la partita ieri sera?"
"Oh".
"Allora, l'Italia?"
"Eh".

[1] *Above all;* [2] *the dialect of the city of Perugia, capital of the region of Umbria;* [3] *mirror;* [4] *to undergol, submit to;* [5] *a straw;* [6] *borders;* [7] *embraces;* [8] *wide spectrum;* [9] *to crash into;* [10] *other end of the telephone;* [11] *dialect of Rome.*

Dopo aver letto l'articolo di Elizabeth le tue idee riguardo l'uso dei dialetti in Italia sono state confermate o smentite?

🏠 Fai di Corriere la tua Home
✉ Scrivici

CORRIERE DELLA SERA*it*

Login
Registrati

Cerca [_____] 🔳 ⦿ nel sito ○ nel web con Google

L'Italia trova l'unità linguistica

Lo storico Sabatini, presidente dell'Accademia della Crusca:
nessun dubbio, il video ha favorito il superamento dei dialetti

Ammettiamolo. Oggi si tende soprattutto a considerare le conseguenze *nefaste*[1] dello spettacolo televisivo leggero, nel costume e nella cultura degli italiani, ma si dimentica un fatto indiscutibile: la televisione ha contribuito in maniera determinante alla nostra unità. Specie quella linguistica.

Per evitare la superficialità dei più, bisogna valutare aspetti storici, sociologici e strettamente strutturali. «Innanzitutto - avverte Sabatini, storico della lingua, professore all'Università La Sapienza di Roma e presidente dell'Accademia della *Crusca*[2] - sul piano della storia linguistica va considerato che all'inizio degli anni Cinquanta nella nostra società l'*italofonia*[3] era ancora molto bassa: dati attendibili indicavano che il 63 per cento degli italiani era ancora *dialettofono*[4], quindi quasi incapace di parlare la lingua e tutto sommato di comprenderla. Ciò dipendeva certo dalla *scolarizzazione*[5] insufficiente: l'obbligo scolastico era ancora limitato, fino al '62, alle *elementari*[6]. L'*avvento*[7] della televisione, che rinforzava di molto l'effetto della radio, del cinema e dei dischi, superando la *barriera*[8] dell'alfabetizzazione, introdusse un agente nuovo di *diffusione capillare*[9] e duratura della lingua italiana».

Insomma, in venti-trent'anni la televisione è riuscita a realizzare un sogno che già *Dante Alighieri*[10] aveva *cullato*[11]: «L'effetto della Rai - ricorda il professor Sabatini - fu *massiccio*[12] e molto rapido. Infatti, alla fine degli anni Ottanta, cioè prima del boom della scolarizzazione prolungata, l'italofonia è cresciuta fortemente, raggiungendo l'80 per cento. Non tutto - per carità! - si deve alla televisione, ma questa, operando anche nelle aree sociali più emarginate, è stata il fattore principale».

(adattato da www.corriere.it)

[1]*negative;* [2]*Accademia della Crusca is an institution that is known for its mission to maintain the "purity" of the original Italian language;* [3]*Italian-speaking;* [4]*dialect-speaking;* [5]*educational level;* [6]*elementary schools;* [7]*arrival, coming of;* [8]*barrier;* [9]*widespread diffusion;* [10]*Dante Alighieri, 1265-1321, poet, philosopher, linguist, cultural theorist, author of "The Divine Comedy";* [11]*harbored;* [12]*massive.*

Alla fine dell'articolo, Sabatini allude ad altri fattori, oltre all'ingresso della TV nelle case degli italiani, che hanno portato alla diminuzione dell'uso dei dialetti e, quindi, ad una maggiore diffusione della lingua italiana. Quali potrebbero essere secondo te? Pensi che la diminuzione dell'uso dei dialetti in Italia sia un fatto positivo o negativo? Perché?

■ L'ITALIA IN RETE

Cerca in internet qual è la percentuale di persone che in Italia parla ancora il dialetto ed in quali regioni l'uso del dialetto è maggiormente diffuso.

Grammar section

The numbers in brackets refer to the Lessons of the Textbook.

Grammar

1 Nouns • Il nome
1.1 Gender and number • Il genere e il numero

	singular	plural
masculine	il tavolo	i tavoli
feminine	il ponte	i ponti

	singular	plural
masculine	la casa	le case
feminine	la notte	le notti

	singular	plural
masculine	-O	-I
feminine	-A	-E
masculine or feminine	-E	-I

Some masculine nouns end in -a: *il cinema, il problema.*
Nouns that end in a consonant are usually masculine: il bar, lo sport.

1.2 Gender and number details • Particolarità nel genere e nel numero
1.2.1 Abbreviations • Abbreviazioni
La moto, la foto, l'auto, la bici are **feminine** *although they do not end in* -a *or* -e *in the singular, because they are abbreviations of longer words (*motocicletta, fotografia, automobile, bicicletta*).*
Il cinema is **masculine** *although it ends in* -a, *because it is an abbreviation of* cinematografo.
*All these abbreviations do not change in the plural (*la foto/le foto, la bici/le bici, il cinema/i cinema, *etc.).*

1.2.2 Gender details • Particolarità nel genere
- *Nouns that end in a consonant are generally masculine (*il bar, il computer, il film, l'autobus*) and do not change in the plural (*i bar, i computer, i film, gli autobus*).*
- *A few masculine nouns end in* -a *in the singular:* il problema, il dilemma, il teorema, il poeta, il turista, il dentista, l'artista. *In the plural, these nouns end in* -i: i problemi, i poeti, i turisti, *etc.*
- *La mano is feminine although it ends in* -o. *The plural is* le mani.

1.2.3 Number details • Particolarità sul numero
- *All nouns that end in an accented syllable are invariable.*

singular	plural
l'università	le università
la città	le città
il caffè	i caffè

- *Nouns ending in* -ca/-ga *add an* -h *in the plural to maintain the hard sound* -**che**/-**ghe** (l'ami**ca**, le ami**che**; la ri**ga**, le ri**ghe**).
- *Nouns ending in* -**co**/**go** -*usually form the plural by adding an* -**h**: -**chi**/-**ghi**, *if the accent is on the penultimate syllable.*

Nouns ending in -**co**/-**go** *with the accent on the third-to-last syllable do not add an* -**h** *to the plural form:* -**ci**/-**gi**.

il tedesco	i tedeschi
l'albergo	gli alberghi

exception

l'amico	gli amici

il medico	i medici
l'asparago	gli asparagi

- *Nouns ending in* -**cia**/-**gia** *form the plural with* -**ce**/-**ge** *when the consonants* **c** *or* **g** *are preceded by a consonant. When consonants* **c** *or* **g** *are preceded by a vowel or when the letter* **i** *in* -**cia** *or* -**gia** *is accented, the nouns form the plural with* -**cie**/-**gie**.

la mancia	le mance
la spiaggia	le spiagge

la camicia	le camicie
la valigia	le valigie

la farmacia	le farmacie
l'allergia	le allergie

- Nouns ending in **-io** usually form the plural with a single **-i** (il nego**zio** / i nego**zi**), *but if the* **-i-** *of the* **-io** *ending is stressed, the* -i- *remains in the plural* (lo **zio** / gli **zii**).

- A few nouns change gender, from masculine in the singular to feminine in the plural.

singular (m)	plural (f)
l'uovo	le uova
il paio	le paia
il braccio	le braccia
il dito	le dita

1.3 Proper nouns • I nomi di persona

masculine	feminine
il commess**o**	la commess**a**
il bambin**o**	la bambin**a**

With nouns which refer to people, grammatical gender usually corresponds to natural gender.
In most cases the final masculine vowel is **-o** *and the feminine is* **-a**.

masculine	feminine
lo student**e**	la student**essa**
il tradut**tore**	la tradut**trice**

Some proper nouns which end in **-e** *in the masculine, end in* **-essa** *in the feminine; nouns which end in* **-tore** *in the masculine end in* -**trice** *in the feminine.*

	masculine	feminine
singular	il collega il turista	la collega la turista
plural	i colleghi i turisti	le colleghe le turiste

However, in some cases there is only one form for masculine and feminine. The plural form for these nouns generally ends in **-i** *for the masculine and in* **-e** *for the feminine.*

In Italian some professions, including architetto, avvocato, ingegnere, giudice *and* medico *are always masculine, even when referring to a woman.*

<u>Paolo</u> è un architett**o** famos**o**.
<u>Maria</u> è un architett**o** famos**o**.

2 Articles • L'articolo
The definite and indefinite articles always agree with the gender of the noun to which they refer. The definite article also agrees with the number of the noun it refers to (indefinite articles have no plural form). Both definite and indefinite articles also change according to the initial letter of the noun they precede.

2.1 Definite article • L'articolo determinativo

	masculine		feminine	
	singular	*plural*	*singular*	*plural*
before a consonant	**il** gelato	**i** gelati	**la** camera	**le** camere
before a vowel	**l'**amico	**gli** amici	**l'**amica	**le** amiche
before s + *consonant*	**lo** straniero	**gli** stranieri		
before z	**lo** zucchino	**gli** zucchini		
before ps	**lo** psicologo	**gli** psicologi		
before y	**lo** yogurt	**gli** yogurt		

2.2 Indefinite article • L'articolo indeterminativo

	masculine	feminine
before a consonant	**un** gelato	**una** camera
before a vowel	**un** amico	**un'**amica
before s + *consonant*	**uno** straniero	
before z	**uno** zucchino	
before ps	**uno** psicologo	
before y	**uno** yogurt	

3 Adjectives • L'aggettivo

Adjectives agree in gender and number with the nouns to which they refer.

3.1 Adjectives ending in o/a/i/e • Aggettivi del primo tipo

	singular	*plural*
masculine	-o	-i
feminine	-a	-e

il museo famoso   i musei famosi
la chiesa famosa   le chiese famose
il ristorante costoso   i ristoranti costosi
la pensione costosa   le pensioni costose

As with nouns, adjectives which end in -ca *form the plural with* -che. *Adjectives ending in* -co *form the plural with* -chi *if the stress falls on the penultimate syllable, and with* -ci *if the stress falls on the third to last syllable.*

chiesa anti**ca**	chiese anti**che**
trattoria tipi**ca**	trattorie tipi**che**

palazzo anti̱co	palazzi anti̱**chi**
ristorante tipico	ristoranti ti̱pici

3.2 Adjectives ending in e/i • Aggettivi del secondo tipo

	singular	*plural*
masculine and feminine	-e	-i

il museo interessante   i musei interessanti
la chiesa interessante   le chiese interessanti
il ristorante elegante   i ristoranti eleganti
la pensione elegante   le pensioni eleganti

3.3 Colors • I colori

Most colors behave like normal adjectives.

il cappotto ner**o**	i cappotti neri
la gonna bianc**a**	le gonne bianche
il cappello verd**e**	i cappelli verdi

Some colors however do not change, for example, **blu**, **rosa**, **viola** *and* **beige**.

un impermeabile blu
una gonna blu
i jeans blu
le camicie blu

3.4 Adjective placement • Posizione dell'aggettivo

In Italian the adjective usually follows the noun.

una città **tranquilla**
una giacca **verde**
un ragazzo **francese**

Some short, commonly used adjectives go before the noun.

È una **bella** macchina.

Some adjectives have a different meaning depending on their position.

un **caro** bambino (un bambino buono)
una macchina **cara** (una macchina costosa)

3.5 Comparative and superlative adjectives • Gradi dell'aggettivo

3.5.1 Comparatives *più/meno* • Il comparativo di maggioranza e di minoranza

Comparatives are formed with **più** *(more) + adjective, or with* **meno** *(less) + adjective. The second term of comparison is introduced by the preposition* **di**, *either with or without the article.*

Questi pantaloni sono **eleganti**.

Questi pantaloni sono **più eleganti di** quelli.
I jeans sono **meno eleganti dei** pantaloni.

3.5.2 Comparatives *tanto/quanto, così/come* • Il comparativo di uguaglianza
Comparatives of equality are formed with the adverb **come** *or the adverb* **quanto** *placed between the adjective and the second term of comparison.*

Franca è **simpatica <u>come</u>** Lucia.   Luigi è **alto <u>quanto</u>** me.

3.5.3 Relative superlative • Il superlativo relativo (L9)
The relative superlative expresses the maximum or minimum degree of a quality in relation to a specific context.
The relative superlative is formed in this way:

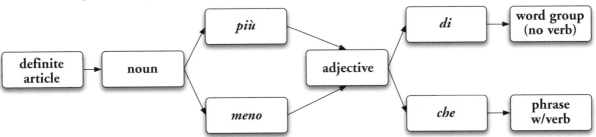

La città più grande del mondo
Il quartiere meno costoso della città
Il film più stupido che abbia mai visto

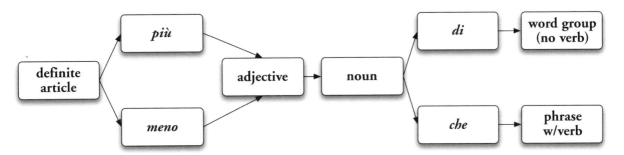

Il più interessante articolo del giornale di oggi
La meno conosciuta canzone di Carmen Consoli
La più bella poesia che abbia mai letto

3.5.4 Absolute superlative • Il superlativo assoluto
The absolute superlative expresses the highest degree of a quality. It is formed with **molto** *(which does not change!) + the adjective, or by adding* **-issimo/-issima/-issimi/-issime** *to the root of the adjective.*
Adjectives which end in **-e** *take the ending* **-o** *for the masculine and* **-a** *for the feminine (***elegante - un uomo elegantissimo**, *but* **una donna elegantissima***).*

masculine	
molt**o** tranquill**o**	tranquill**issimo**
molt**o** interessant**e**	interessant**issimo**

feminine	
molt**o** tranquill**a**	tranquill**issima**
molt**o** interessant**e**	interessant**issima**

With adjectives ending in **-co** *and* **-go**, *an* **-h-** *is inserted to maintain the hard sound.*

Ho poc**h**issimi vestiti.   Il viaggio è stato lung**h**issimo.

3.5.5 Irregular comparatives and superlatives • Forme irregolari del comparativo e del superlativo (L4)

Some adjectives have irregular comparative and superlative forms in addition to the regular forms.

Claudia è **la** mia sorella **maggiore**.

Questo è **il migliore** ristorante della città.

	regular comparative	irregular comparative
buono	più buono	migliore
cattivo	più cattivo	peggiore
grande	più grande	maggiore
piccolo	più piccolo	minore

	relative superlative		absolute superlative	
	regular	irregular	regular	irregular
buono	il più buono	il migliore	buonissimo	ottimo
cattivo	il più cattivo	il peggiore	cattivissimo	pessimo
grande	il più grande	il maggiore	grandissimo	massimo
piccolo	il più piccolo	il minore	piccolissimo	minimo

*When using **buono** and **cattivo** to refer to a person's inner qualities, the regular forms are generally preferred.*

Cristina è una persona di cuore. Ma Linda è ancora **più buona**. È in assoluto **la** persona **più buona** che io abbia mai conosciuto.

■ Buona questa pizza. È **migliore / più buona** di quella che abbiamo mangiato la volta scorsa, no?
▼ Sì, ma **la migliore / la più buona** di tutte è quella che fanno da Gino.
  È davvero **ottima / buonissima**!

Sandro è cattivo, ma Giuliano è ancora **più cattivo**. È **la** persona **più cattiva** tra quelle che conosco.

Mamma mia, com'è cattivo questo caffè! È **il peggiore / il più cattivo** che abbia mai bevuto. Veramente **pessimo / cattivissimo!**

3.6 Demonstrative adjectives and pronouns • I dimostrativi

Demonstratives can be adjectives or pronouns.
Demonstrative adjectives accompany nouns; demonstrative pronouns replace nouns.
Demonstrative adjectives and pronouns agree in gender and number with the word to which they refer.

Questa macchina è molto bella.
(demonstrative adjective)

Questa invece no.
(demonstrative pronoun)

3.6.1 *Questo* and *quello* • *Questo e quello*
Questo *refers to people or things that are near to the person speaking.*
Quello *refers to people or things that are at a distance from the person speaking.*

Questo *demonstrative adjective*	Questo *demonstrative pronoun*	Quello *demonstrative pronoun*
Questo vestito è stretto.	Questo è Giovanni.	Quello è Giovanni.
Questa casa è cara.	Questa è Maria.	Quella è Maria.
Questi panini sono buoni.	Questi sono Giovanni e Marco.	Quelli sono Giovanni e Marco.
Queste paste sono alla crema.	Queste sono Maria e Anna.	Quelle sono Maria e Anna.

3.6.2 Demonstrative adjective *quello* • Forme dell'aggettivo dimostrativo *quello*

The demonstrative adjective **quello** *changes depending on the initial letter of the noun that follows. Its endings are similar to many forms of the definite article.*

	masculine		feminine	
	singular	*plural*	*singular*	*plural*
before a consonant	**quel** gelato	**quei** gelati	**quella** camera	**quelle** camere
before a vowel	**quell'**amico	**quegli** amici	**quell'**amica	**quelle** amiche
before s + *consonant, z, ps and* y	**quello** straniero **quello** zucchino	**quegli** stranieri **quegli** zucchini		

4 Verbs - The indicative • Il verbo - Modo indicativo

Regular verbs are divided into three conjugations: infinitives of verbs which end in -**are** *(1st conjugation),* -**ere** *(2nd conjugation), and* -**ire** *(3rd conjugation).*

4.1 *Indicativo presente* (Present tense) • L'indicativo presente

4.1.1. Regular conjugation • Coniugazione regolare

		-are	-ere	-ire	
		abit**are**	prend**ere**	dorm**ire**	cap**ire**
singular	*1st person*	abit**o**	prend**o**	dorm**o**	cap**isco**
	2nd person	abit**i**	prend**i**	dorm**i**	cap**isci**
	3rd person	abit**a**	prend**e**	dorm**e**	cap**isce**
plural	*1st person*	abit**iamo**	prend**iamo**	dorm**iamo**	cap**iamo**
	2nd person	abit**ate**	prend**ete**	dorm**ite**	cap**ite**
	3rd person	abit**ano**	prend**ono**	dorm**ono**	cap**iscono**

4.1.2 Verbs ending in *-care/-gare*, *-ciare/-giare*, *-gere* and *-scere* • Verbi in *-care/-gare*, *-ciare/-giare*, *-gere* e *-scere*

		gio**care**	pa**gare**
singular	*1st person*	gioco	pago
	2nd person	gio**chi**	pa**ghi**
	3rd person	gioca	paga
plural	*1st person*	gio**chiamo**	pa**ghiamo**
	2nd person	giocate	pagate
	3rd person	giocano	pagano

comin**ciare**	man**giare**
comincio	mangio
cominci	mangi
comincia	mangia
cominciamo	mangiamo
cominciate	mangiate
cominciano	mangiano

leg**gere**	cono**scere**
leggo	conosco
leggi	conosci
legge	conosce
leggiamo	conosciamo
leggete	conoscete
leggono	conoscono

With verbs ending in -**care/-gare**, *in the 2nd person singular and 1st person plural an* -**h**- *is placed between the* **c/g** *and* -**are**; *thus the pronunciation remains the same.*

In verbs which end in -**ciare/-giare**, *the* -**i**- *of the root word and the* -**i**- *of the ending are united, so that the forms of the 2nd person singular and 1st person plural have only one* -**i**-.

In verbs ending in -**gere** *and* -**scere** *the pronunciation of the* **g** *and the* **sc** *changes when the vowel that follows is* **o** *or* **e/i: leggo** [-go], **leggi** [-dʒi], **conosco** [-ko], **conosci** [-ʃi].

4.1.3 Irregular verbs • Coniugazione dei verbi irregolari

		andare	avere	bere	dare	dire	essere	fare
singular	*1st person*	vado	ho	bevo	do	dico	sono	faccio
	2nd person	vai	hai	bevi	dai	dici	sei	fai
	3rd person	va	ha	beve	dà	dice	è	fa
plural	*1st person*	andiamo	abbiamo	beviamo	diamo	diciamo	siamo	facciamo
	2nd person	andate	avete	bevete	date	dite	siete	fate
	3rd person	vanno	hanno	bevono	danno	dicono	sono	fanno

		piacere	rimanere	sapere	scegliere	stare	uscire	venire
singular	*1st person*	piaccio	rimango	so	scelgo	sto	esco	vengo
	2nd person	piaci	rimani	sai	scegli	stai	esci	vieni
	3rd person	piace	rimane	sa	sceglie	sta	esce	viene
plural	*1st person*	piacciamo	rimaniamo	sappiamo	scegliamo	stiamo	usciamo	veniamo
	2nd person	piacete	rimanete	sapete	scegliete	state	uscite	venite
	3rd person	piacciono	rimangono	sanno	scelgono	stanno	escono	vengono

4.1.4 Present progressive • Forma progressiva

Italian also has a progressive form of the present tense which is used to express an action underway at the time of speaking. The progressive form in Italian uses the verb **stare** *together with the* **gerund** *of the verb being used.*

Sto andando a lezione. *(I am going to class)*   Livia **sta leggendo** il giornale. *(Livia is reading the newspaper)*
Anna e Sergio **stanno dormendo**. *(Anna and Sergio are sleeping)*

Form of the gerund

-are	-ere	-ire	
and**are**	prend**ere**	dorm**ire**	cap**ire**
and**ando**	prend**endo**	dorm**endo**	cap**endo**

irregular verbs		
bere	dire	fare
bevendo	**dicendo**	**facendo**

Important! *In Italian, the progressive form of the present tense is* **_not_** *used to talk about future actions.*

4.1.5 Modal verbs *dovere, potere, volere* • I verbi servili

The modal verbs **dovere**, **potere** *and* **volere** *are usually followed by another verb in the infinitive, to which they give a sense of necessity (dovere), possibility (potere) or desire (volere).* **Dovere, potere** *and* **volere** *are irregular in the* **indicativo presente**.

		dovere	potere	volere
singular	*1st person*	devo	posso	voglio
	2nd person	devi	puoi	vuoi
	3rd person	deve	può	vuole
plural	*1st person*	dobbiamo	possiamo	vogliamo
	2nd person	dovete	potete	volete
	3rd person	devono	possono	vogliono

Devo lavorare tutto il fine settimana.
Renzo **vuole** comprare una casa a Venezia.

Non **possiamo** venire a cena domani sera.

4.1.6 Reflexive verbs • I verbi riflessivi (L1)

Reflexive verbs are conjugated like normal verbs; the reflexive pronoun is placed before the verb. Reflexive verbs describe:

- an action in which the subject and object are the same;
   Lavo la macchina. *(**not** reflexive)*   Mi lavo. *(reflexive)*

- a reciprocal action. This reflexive form would be translated into English with the expression "to/for each other".

Carlo scrive un libro. (*not reflexive*)   Carlo e Pia si scrivono molte lettere. (*reflexive*)

		riposarsi	perdersi	vestirsi
singular	*1st person*	**mi** riposo	**mi** perdo	**mi** vesto
	2nd person	**ti** riposi	**ti** perdi	**ti** vesti
	3rd person	**si** riposa	**si** perde	**si** veste
plural	*1st person*	**ci** riposiamo	**ci** perdiamo	**ci** vestiamo
	2nd person	**vi** riposate	**vi** perdete	**vi** vestite
	3rd person	**si** riposano	**si** perdono	**si** vestono

*The negation **non** comes before the reflexive pronoun.*

Domani **non mi** alzo presto.

4.1.7 Piacere • Il verbo *piacere*

*In Italian, the subject of the verb **piacere** is not the person who has the feeling, but the thing (or person) that provokes the feeling.*

*Therefore, when **piacere** is followed by a singular noun, it is conjugated in the 3rd person singular; when the noun that follows is plural, **piacere** is conjugated in the 3rd person plural. The person who has the feeling is expressed by an indirect object pronoun.*

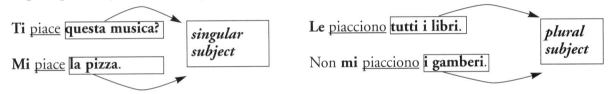

*When **piacere** is followed by another verb, the latter is left in the infinitive and **piacere** is conjugated in the 3rd person singular.*

Mi piace **leggere.** (*infinitive*)

*Although **piacere** is mostly used in the 3rd person, the verb does have a complete conjugation. The 1st and 2nd persons are used when the people speaking or those we are speaking about are the ones causing the feeling.*

Mi **piaci** molto. (I like you a lot)   Non gli **piacciamo.** (They don't like us)

4.1.8 Verbs *bastare* and *servire* - I verbi *bastare* e *servire* (L3)

*The verbs **bastare** (to be enough) and **servire** (to be of use/be needed) are used like **piacere**:*

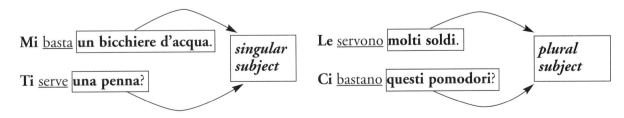

4.2 *Passato prossimo* (Past tense) • Il passato prossimo (L1)
4.2.1 Conjugation • Formazione del passato prossimo

The **passato prossimo** *(past tense) is a compound tense, that is, a tense formed with two words: the first is the* **indicativo presente** *of* **avere** *or* **essere** *(auxilliary verbs); the second word is the past participle of the verb.*

studiare	→	ho studiato
andare	→	siamo andati

The past participle of regular verbs ending in **-are** *is formed with the ending* **-ato***; verbs ending in* **-ere** *have the past participle ending in* **-uto***; verbs ending in* **-ire** *have the past participle ending in* **-ito***.*

mangiare	→	mangiato
avere	→	avuto
partire	→	partito

The negation **non** *comes before the auxilliary verb. The past participle always follows the auxilliary verb.*

Davide **non** ha mangiato.
Non sono uscito ieri sera.

4.2.2 Irregular past participles • Verbi con participio passato irregolare
Many verbs, especially those ending in **-ere***, have irregular past participles.*

aprire	ho **aperto**
bere	ho **bevuto**
chiedere	ho **chiesto**
chiudere	ho **chiuso**
correre	ho **corso**
decidere	ho **deciso**
dire	ho **detto**
discutere	ho **discusso**
essere	sono **stato/-a**

fare	ho **fatto**
leggere	ho **letto**
mettere	ho **messo**
morire	è **morto/-a**
nascere	è **nato/-a**
perdere	ho **perso**
prendere	ho **preso**
rimanere	sono **rimasto/-a**
rispondere	ho **risposto**

rompere	ho **rotto**
scegliere	ho **scelto**
scendere	sono **sceso/-a**
scrivere	ho **scritto**
spendere	ho **speso**
vedere	ho **visto**
venire	sono **venuto/-a**
vincere	ho **vinto**
vivere	ho **vissuto**

4.2.3 Auxilliary verbs: *avere* or *essere*? • Scelta del verbo ausiliare: *avere* o *essere*?

When the auxilliary is **avere***, the past participle does not change.*

avere	past participle
ho	mangiato
hai	mangiato
ha	mangiato
abbiamo	mangiato
avete	mangiato
hanno	mangiato

Dario ha mangia**to** la pasta.
Daniela ha mangia**to** la pizza.
Dario e Daniela hanno mangia**to** in pizzeria.
Daniela e Maria hanno mangia**to** al ristorante.

The auxilliary* avere *is used:
- *with transitive verbs, that is, verbs that take a direct object*

      Ho mangiato **la pizza.**
      Mario ha studiato **filosofia.**
      Abbiamo visitato **il museo.**

When the auxilliary is **essere***, the past participle agrees in gender and number with the subject.*

essere	past participle
sono	andato/-a
sei	andato/-a
è	andato/-a
siamo	andati/-e
siete	andati/-e
sono	andati/-e

Dario è anda**to** a Stromboli.
Daniela è anda**ta** a Bolzano.
Dario e Daniela sono anda**ti** in vacanza.
Daniela e Maria sono anda**te** al lavoro.

The auxilliary* essere *is used:
- *with most intransitive verbs, in particular verbs expressing <u>movement</u> (**andare, venire, entrare, uscire, arrivare, partire, tornare**…), <u>state</u> (**essere, stare, rimanere**…) and <u>change</u> (**diventare, nascere, morire, crescere**…)*

- *with some intransitive verbs, that is, verbs that cannot take a direct object. Some verbs of movement such as* **camminare**, **nuotare**, **passeggiare**, **sciare** *and* **viaggiare** *form the passato prossimo with* **avere**

Davide **ha litigato** con la sua ragazza.
Ho passeggiato nel parco.
Anna **ha camminato** tutto il giorno.

Elena **è andata** in Canada.
Siamo stati a Roma.
Giorgio **è nato** nel 1970.

- *with reflexive verbs*
Mi sono alzato alle 7.
Teresa **si è sposata** a maggio.

- *with the verbs* **piacere**, **bastare** *and* **sembrare**
La mostra mi **è piaciuta** molto.
I soldi ti **sono bastati**?
Antonio ci **è sembrato** molto nervoso.

4.2.4 *Avere* or *essere* with verbs *cominciare* and *finire* • Scelta dell'ausiliare *avere* o *essere* con i verbi *cominciare* e *finire*

Some verbs, such as **cominciare** *and* **finire**, *form the* passato prossimo *with* **avere** *or with* **essere**, *depending on whether the use is transitive or intransitive.*

Ho cominciato il corso d'italiano.
Tullio **ha cominciato** a studiare.
Il corso **è cominciato** lunedì.

Federica **ha finito** l'università.
Ho finito di leggere il libro.
Il concerto **è finito** tardi.

4.2.5 *Avere* and *essere* with modal verbs • Scelta dell'ausiliare con i verbi servili (L1)

Modal verbs **dovere**, **potere**, **volere** *followed by an infinitive can form the **passato prossimo** with* **avere** *or* **essere**, *depending on the auxiliary required by the infinitive verb.*

Stefano **ha** dovuto **vendere** la moto.
Non **ho** potuto **studiare** ieri.
Hanno voluto **mangiare** al ristorante.

Stefano **è** dovuto **tornare** a casa.
Non **sono** potuto **andare** al cinema.
Sono volute **uscire**.

When the verbs **dovere**, **potere**, **volere** *are followed by a reflexive verb, either* **essere** *or* **avere** *may be used as the auxiliary:*

- **Essere** *is used when the reflexive pronoun precedes the verb; the past participle agrees with the subject.*
Daniela **si è dovuta alzare** presto.

- **Avere** *is used when the reflexive pronoun is attached to the infinitive; in this case the past participle does not agree with the subject.*
Daniela **ha dovuto alzarsi** presto.

4.3 *Imperfetto* (Imperfect tense) • L'imperfetto (L1)
4.3.1 Regular conjugation • Coniugazione regolare

		-are	-ere	-ire	
		parlare	vivere	dormire	preferire
singular	1st person	parlavo	vivevo	dormivo	preferivo
	2nd person	parlavi	vivevi	dormivi	preferivi
	3rd person	parlava	viveva	dormiva	preferiva
plural	1st person	parlavamo	vivevamo	dormivamo	preferivamo
	2nd person	parlavate	vivevate	dormivate	preferivate
	3rd person	parlavano	vivevano	dormivano	preferivano

4.3.2 Irregular verbs • Verbi con coniugazione irregolare

		essere	bere	dire	fare
singular	*1st person*	ero	bevevo	dicevo	facevo
	2nd person	eri	bevevi	dicevi	facevi
	3rd person	era	beveva	diceva	faceva
plural	*1st person*	eravamo	bevevamo	dicevamo	facevamo
	2nd person	eravate	bevevate	dicevate	facevate
	3rd person	erano	bevevano	dicevano	facevano

4.3.3 Using the *imperfetto* • Uso dell'imperfetto

The **imperfetto** *is used:*
- *to talk about habitual past actions*
  Da bambina **andavo** spesso in montagna.

- *to describe features of people or objects in the past*
  Mia nonna **era** molto bella.   Il treno **era** molto lento.

- *to describe past situations*
  Alla festa **c'era** molta gente.

The **imperfetto** *is often used with the time expressions* **normalmente** *and* **di solito**.
      Normalmente d'estate andavo al mare.   **Di solito** la sera andavamo a ballare.

4.3.4 Using the *passato prossimo* and the *imperfetto* • Uso del passato prossimo e dell'imperfetto

passato prossimo	imperfetto

The passato prossimo *is used to express a completed action in the past.*
    Ieri sera **siamo andati** al cinema.
    Ho abitato a Londra per cinque anni.
	The imperfetto, *on the other hand, expresses a past situation of indeterminate duration.*
	    In quel periodo **avevo** molti amici.
	    I miei nonni **abitavano** in campagna.

The passato prossimo *is used to express an action which happened once or a certain number of times.*
    Martedì **siamo tornati** tardi.
    Sono stato a Shangai molte volte.
	The imperfetto *describes a habitual action or an action which was regularly repeated.*
	    Normalmente **tornavamo** presto.
	    Studiavamo sempre il pomeriggio.

When we talk about several actions in the past, we use:
- *the* **passato prossimo** *to talk about events which occurred in sequence, one after the other.*
  Sono uscito di casa, ho comprato un giornale e sono andato al bar.

- *the* **imperfetto** *to speak of a series of events which happened at the same time and of indefinite duration.*
  Mentre guidavo, Sergio controllava la cartina.

- *the* **imperfetto** *and the* **passato prossimo** *if an action was not yet finished when another began; the first goes in the* imperfetto, *the next in the* passato prossimo.
  Mentre leggevo, è entrata una ragazza.

When talking about past actions, the conjunction **mentre** *is always followed by the* **imperfetto**.

4.4 *Trapassato prossimo* (Past perfect tense) • Il trapassato prossimo (L5)

4.4.1 *Trapassato prossimo* • Il trapassato prossimo

*The **trapassato prossimo** (past perfect tense) is formed with the **imperfetto** of **essere** or **avere** + the past participle of the verb.*

		mangiare	andare
singular	1st person	avevo mangiato	ero andato/-a
	2nd person	avevi mangiato	eri andato/-a
	3rd person	aveva mangiato	era andato/-a
plural	1st person	avevamo mangiato	eravamo andati/-e
	2nd person	avevate mangiato	eravate andati/-e
	3rd person	avevano mangiato	erano andati/-e

4.4.2 Using the *trapassato prossimo* • Uso del trapassato prossimo

*The **trapassato prossimo** is used to explain that one past action took place before another past action.*

Lucia è tornata a casa stanchissima perché **aveva lavorato** tutta la notte.

*Often the **trapassato prossimo** is used with expressions such as **già**, **(non) ancora**, **(non) mai**; these expressions are usually placed between the auxiliary and the past participle.*

Quando sono arrivato a casa, mia moglie **aveva** <u>già</u> **mangiato**.
Dopo aver visto le valigie ho capito che Angela non **era** <u>ancora</u> **partita**.
Era con una persona che io non **avevo** <u>mai</u> **visto** prima.

4.5 *Passato remoto* (Preterit tense) • Il passato remoto (L6)

4.5.1 Regular conjugation • Coniugazione regolare

		abitare	potere	dormire
singular	1st person	abitai	potei/potetti	dormii
	2nd person	abitasti	potesti	dormisti
	3rd person	abitò	poté/potette	dormì
plural	1st person	abitammo	potemmo	dormimmo
	2nd person	abitaste	poteste	dormiste
	3rd person	abitarono	poterono/potettero	dormirono

*The regular verbs in -**ere** can have two forms in the 1st and 3rd persons singular and the 3rd person plural.*

4.5.2 Irregular verbs • Principali forme irregolari

*For most verbs with irregular forms in the **passato remoto** (preterit tense), the irregular endings appear only in the 1st and 3rd persons singular and 3rd person plural, while the 2nd person singular and the 1st and 2nd persons plural are conjugated regularly.*

		scrivere	chiedere	avere	venire
singular	1st person	scrissi	chiesi	ebbi	venni
	2nd person	scrivesti	chiedesti	avesti	venisti
	3rd person	scrisse	chiese	ebbe	venne
plural	1st person	scrivemmo	chiedemmo	avemmo	venimmo
	2nd person	scriveste	chiedeste	aveste	veniste
	3rd person	scrissero	chiesero	ebbero	vennero

Here is a list of the most common verbs that have irregular forms in the **passato remoto,** *with irregular endings only in the 1st and 3rd persons singular and the 3rd person plural:*

- verbs forming the passato remoto with **-ssi**
  (*example:* scrivere)*:*
  discutere: discussi, discusse, discussero
  leggere: lessi, lesse, lessero
  succedere: successi, successe, successero
  produrre: produssi, produsse, produssero
  vivere: vissi, visse, vissero

- verbs forming the passato remoto with **-si**
  (*example:* chiedere)*:*
  chiudere: chiusi, chiuse, chiusero
  correre: corsi, corse, corsero
  decidere: decisi, decise, decisero
  prendere: presi, prese, presero
  ridere: risi, rise, risero
  rispondere: risposi, rispose, risposero
  mettere: misi, mise, misero
  scendere: scesi, scese, scesero
  perdere: persi, perse, persero
  spendere: spesi, spese, spesero

other verbs using the same pattern:

conoscere	*conobbi,* conoscesti, *conobbe,* conoscemmo, conosceste, *conobbero*
nascere	*nacqui,* nascesti, *nacque,* nascemmo, nasceste, *nacquero*
sapere	*seppi,* sapesti, *seppe,* sapemmo, sapeste, *seppero*
stare	*stetti,* stesti, *stette,* stemmo, steste, *stettero*
tenere	*tenni,* tenesti, *tenne,* tenemmo, teneste, *tennero*
vedere	*vidi,* vedesti, *vide,* vedemmo, vedeste, *videro*
volere	*volli,* volesti, *volle,* volemmo, voleste, *vollero*

Certain verbs such as **essere, bere, dire** *and* **fare** *are entirely irregular in the* **passato remoto.**

		essere	bere	dare	dire	fare
singular	*1st person*	fui	bevvi	diedi/detti	dissi	feci
	2nd person	fosti	bevesti	desti	dicesti	facesti
	3rd person	fu	bevve	diede/dette	disse	fece
plural	*1st person*	fummo	bevemmo	demmo	dicemmo	facemmo
	2nd person	foste	beveste	deste	diceste	faceste
	3rd person	furono	bevvero	diedero/dettero	dissero	fecero

4.5.3 Using the *passato remoto* • Uso del passato remoto
The **passato remoto** *is used to describe past actions that are distant* (remoto = *remote), concluded, and have no immediate influence on the present moment.*
  La prima guerra mondiale **finì** nel 1918.

By contrast, the **passato prossimo** *describes a past action whose effects still influence the immediate present moment.*
  L'invenzione dell'auto **ha avuto** un ruolo determinante nello sviluppo della società.

The **passato remoto** *is used primarily in literary writing and when discussing historical events.*
In daily speech, the **passato remoto** *is currently used (with the same difference in usage with respect to the* **passato prossimo**) *in Tuscany and certain parts of central and southern Italy. In most of southern Italy, speakers use the* **passato remoto** *to describe recent past actions, while in northern Italy speakers prefer the* **passato prossimo**.

4.5.4 *Passato remoto* and *imperfetto* • Passato remoto e imperfetto
The difference in usage between the **passato remoto** *and the* **imperfetto** *is the same as the difference between the* **passato prossimo** *and the* **imperfetto**.

   Dormivo da un paio d'ore quando **squillò / è squillato** il telefono.

4.6 *Futuro semplice* (Future tense) • Il futuro semplice (L2)
4.6.1 Regular conjugation • Coniugazione regolare
In most cases, the **futuro semplice** *(future tense) is formed by removing the final* -e *of the infinitve and adding the regular future endings. For 1st Conjugation verbs (those ending in* -**are** *in the infinitive), the* -**a** *in the infinitive ending changes to* -**e**.

		parlare	vendere	dormire	preferire
	1st person	parlerò	venderò	dormirò	preferirei
singular	2nd person	parlerai	venderai	dormirai	preferirai
	3rd person	parlerà	venderà	dormirà	preferirà
	1st person	parleremo	venderemo	dormiremo	preferiremo
plural	2nd person	parlerete	venderete	dormirete	preferirete
	3rd person	parleranno	venderanno	dormiranno	preferiranno

-are ➜ -er-	-ò	(io)
-ere ➜ -er-	-ai	(tu)
-ire ➜ -ir-	-à	(lei/lui)
	-emo	(noi)
	-ete	(voi)
	-anno	(loro)

Note the following exceptions:
dare ➜ darò; fare ➜ farò; stare ➜ starò
Verbs ending in -**care** *and* -**gare** *add an* -**h**- *before the regular future endings, in order to maintain the hard sound:*
cercare ➜ cercherò; pagare ➜ pagherò
Verbs ending in -**ciare** *and* -**giare** *lose the* -**i**- *of the infinitive ending:*
cominciare ➜ comincerò; mangiare ➜ mangerò

4.6.2 Irregular verbs • Verbi con coniugazione irregolare
Irregular verbs in the **futuro semplice** *have regular future endings, but change the root of the infinitive.*

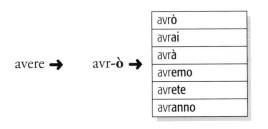

avere	avr-		
andare	and-	-ò	(io)
cadere	cadr-		
dovere	dovr-	-ai	(tu)
essere	sar-		
potere	potr-	-à	(lei/lui)
sapere	sapr-		
vedere	vedr-	-emo	(noi)
vivere	vivr-		
rimanere	rimarr-	-ete	(voi)
tenere	terr-		
venire	verr-	-anno	(loro)
volere	vorr-		

4.6.3 Using the *futuro* • Uso del futuro
- *The* **futuro** *is used to describe actions that will take place in the future with respect to the moment of speaking, particularly when there is an element of uncertainty.*

   Tra cent'anni probabilmente **parleremo** un'unica lingua.   Quest'estate forse **andremo** in Australia.

- *When speaking about a future action that will undoubtedly take place, it is common to use the* **indicativo presente**.

   Ti **telefono** più tardi.   Ci **vediamo** domani alle 8:30.

- The **futuro** is also used to make suppositions and express probability in the present.
- Che ore sono?
- ▼ Non sono sicuro, **saranno** le quattro.

- Dov'è Maria?
- ▼ Non lo so, **starà** facendo la spesa.

5 Verbs - The imperative • Modo imperativo (L3-4)
5.1 Regular conjugation • Coniugazione regolare (L3-4)

		-are	-ere	-ire	
		parlare	prendere	dormire	finire
singular	2st person	parla	prendi	dormi	finisci
	3nd person	parli	prenda	dorma	finisca
plural	1st person	parliamo	prendiamo	dormiamo	finiamo
	2nd person	parlate	prendete	dormite	finite
	3rd person	parlino	prendano	dormano	finiscano

The 1*st* and 2*nd* persons plural of the **imperativo** (imperative) are the same as the **indicativo presente**. To express the formal **imperativo**, the 3*rd* person plural (**loro**) of the subjunctive is traditional, but it has become more common to use the 2*nd* person plural (**voi**).

Signori, **parlino** più forte, per favore!   Signori, **parlate** più forte, per favore!

5.2 Irregular and abbreviated forms • Verbi irregolari o con forme abbreviate (L3-4)

		essere	avere	sapere	tenere	venire
singular	2st person	sii	abbi	sappi	tieni	vieni
	3nd person	sia	abbia	sappia	tenga	venga
plural	1st person	siamo	abbiamo	sappiamo	teniamo	veniamo
	2nd person	siate	abbiate	sappiate	tenete	venite
	3rd person	siano	abbiano	sappiano	tengano	vengano

Some common verbs have two possible forms for the 2*nd* person singular.

		andare	dare	dire	fare	stare
singular	2st person	vai/va'	dai/da'	di'	fai/fa'	stai/sta'
	3nd person	vada	dia	dica	faccia	stia
plural	1st person	andiamo	diamo	diciamo	facciamo	stiamo
	2nd person	andate	date	dite	fate	state
	3rd person	vadano	diano	dicano	facciano	stiano

5.3 Pronoun position with the *imperativo* • La posizione dei pronomi con l'imperativo (L3-4)

- Direct and indirect object pronouns, reflexive pronouns, **ne** and **ci** are attached to the end of the **imperativo**, forming one word, in the 2*nd* person singular (**tu**) and the 1*st* e 2*nd* persons plural (**noi, voi**).

Prendi**lo**, se vuoi. Compra**ne** due!
Lea ti sta aspettando. Telefona**le** subito!
Alzate**vi**!
Andiamo**ci** insieme!

To form the formal **imperative** (**Lei**), the object pronouns, reflexive pronouns, **ne** and **ci** all precede the verb.

Lo provi!
Mi scusi, signora!
Gli dica la verità!
Si accomodi!
Ne prenda ancora uno!
Ci vada subito!

- *With the common verbs* **andare**, **dare**, **dire**, **fare**, **stare**, *pronouns,* **ne** *and* **ci** *are added to the end of the abbreviated form, and their initial consonant is doubled (except in the case of* **gli***).*

andare	→	**va':** In ufficio **vacci** a piedi!
dare	→	**da':** Il giornale **dallo** a Piero.
dire	→	**di':** **Dille** la verità!
fare	→	**fa':** **Fammi** un favore!
stare	→	**sta':** **Stagli** vicino.

5.4 Negative *imperativo* • Imperativo negativo (L3)

The negative **imperativo** *of the 2nd person singular (***tu***) is formed by putting* **non** *before the infinitive.*

(tu)	**Non mangiare** troppo!
(Lei)	**Non guardi** troppo la TV!
(noi)	**Non andiamo** via!
(voi)	**Non fumate** qui!

Pronouns, **ne** *and* **ci** *can be placed either before or after the informal negative* **imperativo** (***tu, noi, voi***).*

Non mangiar**lo**! / Non **lo** mangiare!
Non pensiamo**ci**! / Non **ci** pensiamo!
Non preoccupate**vi**! / Non **vi** preoccupate!

5.5 Using the *imperativo* • Uso dell'imperativo (L3-4)

The **imperativo** *is used:*

- to give advice;
  Mangia più frutta, ti fa bene.

- to command;
  Bambini, **parlate** a bassa voce, **state** seduti e **fate** i compiti.

- to give instructions;
  Per andare alla Biblioteca Nazionale, **giri** alla prima a sinistra, e **vada** dritto per circa 20 metri.

- to urge or exhort;
  Telefoniamo a Carlo.

*Commands and exhortations in the 1st person plural (***noi***) correspond to the English* **let's** *+* **verb***.*
  Ragazzi, **andiamo** a ballare! - Guys, let's go dancing!

6 Verbs - The conditional • Modo condizionale

6.1 *Condizionale presente* (Present conditional) • Condizionale presente

6.1.1 Regular conjugation • Coniugazione regolare

Regular verbs of the **condizionale presente** *(present conditional) all use the same endings combined with the root of each conjugation. The root of the verb is obtained by removing the final* -e *from the infinitive. For verbs ending in* -**are** *the vowel* -**a** *of the infinitive changes to* -**e** *(as in the* **futuro***).*

		parlare	vendere	dormire	preferire
singular	*1st person*	parler**ei**	vender**ei**	dormir**ei**	preferir**ei**
	2nd person	parler**esti**	vender**esti**	dormir**esti**	preferir**esti**
	3rd person	parler**ebbe**	vender**ebbe**	dormir**ebbe**	preferir**ebbe**
plural	*1st person*	parler**emmo**	vender**emmo**	dormir**emmo**	preferir**emmo**
	2nd person	parler**este**	vender**este**	dormir**este**	preferir**este**
	3rd person	parler**ebbero**	vender**ebbero**	dormir**ebbero**	preferir**ebbero**

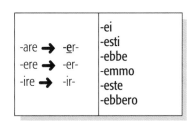

-are → -er-	-ei
-ere → -er-	-esti
-ire → -ir-	-ebbe
	-emmo
	-este
	-ebbero

The following verbs are exceptions to this rule:
dare →darei; fare →farei; stare →starei

Verbs ending in -care *and* -gare *add an* -**h**- *before the ending:*
cercare →cer**ch**erei; pagare →pa**gh**erei

Verbs ending in -ciare *and* -giare *lose the* -i-:
comin**ci**are →comincerei; man**gi**are →mangerei

6.1.2 Irregular verbs • Verbi con coniugazione irregolare
Irregular forms of the **condizionale presente** *use the same endings as regular verbs, but the infinitive root changes (as in the* **futuro**).

avere → avr-ei →	avrei
	avresti
	avrebbe
	avremmo
	avreste
	avrebbero

avere	avr-	
andare	and-	-ei
cadere	cadr-	
dovere	dovr-	-esti
essere	sar-	
potere	potr-	-ebbe
sapere	sapr-	
vedere	vedr-	-emmo
vivere	vivr-	
rimanere	rimarr-	-este
tenere	terr-	
venire	verr-	-ebbero
volere	vorr-	

6.1.3 Using the *condizionale presente* • Usi del condizionale presente
The **condizionale presente** *is used for:*

- *expressing a possibility or supposition*
  Mio marito **odierebbe** questo film.
  Con un lavoro migliore **saresti** più felice.

- *expressing wishes*
  Vorrei fare un corso di spagnolo.
  Andrei proprio al mare oggi.

- *making a polite request for something*
  Vorrei un caffè.
  Mi **darebbe** una mano?

- *giving advice*
  Dovresti smettere di fumare.
  Al tuo posto io **farei** un po' di sport.

- *making a suggestion*
  Potremmo andare al cinema!

6.2 *Condizionale passato* (Past conditional) • Il condizionale passato (L6-11)
6.2.1 Regular conjugation • Coniugazione regolare
The **condizionale passato** *(past conditional) is formed with the* **condizionale presente** *of* **essere** *or* **avere** + *the past participle of the verb.*

		mangiare	uscire
singular	1st person	avrei mangiato	sarei uscito/a
	2nd person	avresti mangiato	saresti uscito/a
	3rd person	avrebbe mangiato	sarebbe uscito/a
plural	1st person	avremmo mangiato	saremmo usciti/e
	2nd person	avreste mangiato	sareste usciti/e
	3rd person	avrebbero mangiato	sarebbero usciti/e

Grammar

6.2.2 Using the *condizionale passato* • Uso del condizionale passato

The **condizionale passato** *is used:*

- *to express what would or would not have happened as a consequence of a hypothetical situation.*

Avrei imparato meglio il tedesco se fossi rimasto a Berlino.

Senza una buona conoscenza della lingua inglese non **avresti trovato** facilmente lavoro.

- *to express a desire that did not finally take place or something that could or should have happened but did not.*

Alessandro **avrebbe voluto** studiare psicologia, ma poi i genitori l'hanno convinto a fare legge.

Avrei dovuto avvertirti che oggi non andavo al lavoro.

Saremmo potuti tornare in aereo, ma Giulia preferisce il treno.

- *when a verb in the past makes reference to a future action, as in "He said (yesterday) that <u>he would arrive (tomorrow)</u>".*

Mi <u>ha detto</u> che **avrebbe lavorato** fino a tardi.

Le <u>chiesi</u> se **sarebbe tornata** a casa con noi.

Mi <u>spiegò</u> che **sarebbero partiti** dopo pochi giorni.

6.3 Using the *condizionale* to express unconfirmed information • Uso del condizionale per riferire notizie da confermare (L10)

The **condizionale** *is also used to speak about information that is not yet confirmed or verified. This usage is often found in newspapers and other forms of journalism.*

Ogni anno **verrebbero** a lavorare in Italia circa 300.000 cittadini stranieri.

(= Sources claim that 300.000 foreigners come to work in Italy every year, but we haven't verified that data)

Un archeologo **avrebbe trovato** le rovine di Atlantide.

(= Word comes that an archeologist has discovered the ruins of Atlantis, but the report has not been verified)

7 Verbs - The subjunctive • Modo congiuntivo
7.1 *Congiuntivo presente* (Present subjunctive) • Il congiuntivo presente (L7)
7.1.1 Regular conjugation • Coniugazione regolare

		lavorare	prendere	dormire	capire
singular	1st person	lavori	prenda	dorma	capisca
	2nd person	lavori	prenda	dorma	capisca
	3rd person	lavori	prenda	dorma	capisca
plural	1st person	lavoriamo	prendiamo	dormiamo	capiamo
	2nd person	lavoriate	prendiate	dormiate	capiate
	3rd person	lavorino	prendano	dormano	capiscano

Note that the endings for 1st, 2nd, and 3rd person singular are the same; to make the subject clear, the subject pronouns are often used (io, tu, lui, lei, Lei etc.).

The 1st person plural is identical to the **indicativo presente**.

		cercare	negare
singular	1st person	cerchi	neghi
	2nd person	cerchi	neghi
	3rd person	cerchi	neghi
plural	1st person	cerchiamo	neghiamo
	2nd person	cerchiate	neghiate
	3rd person	cerchino	neghino

Verbs ending in -**care** *and* -**gare** *add* -**h**- *before the subjunctive ending:* cercare - cer**ch**i.

		cambiare
singular	1st person	cambi
	2nd person	cambi
	3rd person	cambi
plural	1st person	cambiamo
	2nd person	cambiate
	3rd person	cambino

Verbs ending in -iare do not double the -i- in the subjunctive.

7.1.2 Irregular verbs • Verbi con coniugazione irregolare

		essere	avere	andare	dare	dire	fare	rimanere
singular	1st person	sia	abbia	vada	dia	dica	faccia	rimanga
	2nd person	sia	abbia	vada	dia	dica	faccia	rimanga
	3rd person	sia	abbia	vada	dia	dica	faccia	rimanga
plural	1st person	siamo	abbiamo	andiamo	diamo	diciamo	facciamo	rimaniamo
	2nd person	siate	abbiate	andiate	diate	diciate	facciate	rimaniate
	3rd person	siano	abbiano	vadano	diano	dicano	facciano	rimangano

		stare	uscire	venire	dovere	potere	sapere	volere
singular	1st person	stia	esca	venga	debba	possa	sappia	voglia
	2nd person	stia	esca	venga	debba	possa	sappia	voglia
	3rd person	stia	esca	venga	debba	possa	sappia	voglia
plural	1st person	stiamo	usciamo	veniamo	dobbiamo	possiamo	sappiamo	vogliamo
	2nd person	stiate	usciate	veniate	dobbiate	possiate	sappiate	vogliate
	3rd person	stiano	escano	vengano	debbano	possano	sappiano	vogliano

7.2 *Congiuntivo passato* (Past subjunctive) • Congiuntivo passato (L7)

*The **congiuntivo passato** (past subjunctive) is formed with the **congiuntivo presente** of **essere** or **avere** + the past participle of the verb.*

		mangiare	andare
singular	1st person	abbia mangiato	sia andato/-a
	2nd person	abbia mangiato	sia andato/-a
	3rd person	abbia mangiato	sia andato/-a
plural	1st person	abbiamo mangiato	siamo andati/-e
	2nd person	abbiate mangiato	siate andati/-e
	3rd person	abbiano mangiato	siano andati/-e

7.3 *Congiuntivo imperfetto* (Imperfect subjunctive) • Congiuntivo imperfetto (L8)

*The 1st and 2nd person singular endings of the **congiuntivo imperfetto** (imperfect subjunctive) are the same* (che io **lavorassi**, che tu **lavorassi**).

7.3.1 Regular conjugation • Coniugazione regolare

		lavorare	scrivere	partire
singular	1st person	lavorassi	scrivessi	partissi
	2nd person	lavorassi	scrivessi	partissi
	3rd person	lavorasse	scrivesse	partisse
plural	1st person	lavorassimo	scrivessimo	partissimo
	2nd person	lavoraste	scriveste	partiste
	3rd person	lavorassero	scrivessero	partissero

Grammar

7.3.2 Irregular verbs • Verbi con coniugazione irregolare

		essere	bere	fare	dire	stare
singular	1st person	fossi	bevessi	facessi	dicessi	stessi
	2nd person	fossi	bevessi	facessi	dicessi	stessi
	3rd person	fosse	bevesse	facesse	dicesse	stesse
plural	1st person	fossimo	bevessimo	facessimo	dicessimo	stessimo
	2nd person	foste	beveste	faceste	diceste	steste
	3rd person	fossero	bevessero	facessero	dicessero	stessero

7.4 *Congiuntivo trapassato* (Past perfect subjunctive) • Il congiuntivo trapassato (L8)

The **congiuntivo trapassato** *(past perfect subjunctive) is formed with the* **congiuntivo imperfetto** *of the auxiliary verb* **essere** *or* **avere** *+ the past participle of the verb.*

		vendere	andare
singular	1st person	avessi venduto	fossi andato/a
	2nd person	avessi venduto	fossi andato/a
	3rd person	avesse venduto	fosse andato/a
plural	1st person	avessimo venduto	fossimo andati/e
	2nd person	aveste venduto	foste andati/e
	3rd person	avessero venduto	fossero andati/e

7.5 Using the *congiuntivo* • Usi del congiuntivo

The **congiuntivo** *is used primarily to express the subjective position of the speaker relative to certain events or circumstances. It is usually found in dependent clauses introduced by the conjunction* **che**.

7.5.1 The *congiuntivo* with verbs and expressions of opinion • Il congiuntivo con verbi ed espressioni che introducono opinioni soggettive (L7)

The **congiuntivo** *is used after verbs and expressions of* ***personal opinion*** *such as* **pensare**, **credere**, **sembrare**, **parere**, **ritenere**, **avere l'impressione**, *etc., to emphasize that the opinions are subjective.*

Penso che lui non **sia** italiano.

Avevo l'impressione che **ti annoiassi** alla festa.

Credevo che **avesse studiato** architettura.

Mi sembra che **sia** tardi.

When expressing an opinion that is strongly held and certain, the indicative is often used.

Penso che l'inquinamento **è** un problema molto grave.

Mi sembra che Mario **ha fatto** un ottimo lavoro.

7.5.2 The *congiuntivo* with verbs and expressions indicating doubt and uncertainty • Il congiuntivo con verbi ed espressioni che introducono dubbi e incertezze

The **congiuntivo** *is used after verbs and expressions indicating* ***doubt*** *and* ***uncertainty*** *such as* **dubitare**, **supporre**, **sembrare**, **non essere sicuro**, *etc.*

Non sono sicuro che lei **parli** anche lo spagnolo.

Suppongo che ieri **facesse** molto freddo.

Mi sembra che Gino non **sia andato** al matrimonio.

Dubito che tu **abbia** tempo di farlo.

7.5.3 The *congiuntivo* **with verbs and expressions indicating wishes and desires • Il congiuntivo con verbi ed espressioni che introducono volontà e desideri**

The **congiuntivo** *is used after verbs and expressions indicating* ***wishes***, ***desires***, *and* ***hopes*** *such as* **volere, desiderare, ordinare, esigere, pretendere, aspettarsi, vietare, proibire,** *etc.*

<u>Voglio che</u> tu **venga** domani.   <u>Desidero</u> tanto <u>che</u> mio figlio **si sposi**.

<u>Speravo che</u> **venissero** molte persone al concerto.

7.5.4 The *congiuntivo* **with verbs and expressions indicating feelings and states of mind • Il congiuntivo con verbi ed espressioni che introducono sentimenti e stati d'animo**

The **congiuntivo** *is used after verbs and expressions indicating* ***feelings*** *and* ***states of mind*** *such as* **piacere, dispiacere, essere felice, essere contento, essere sorpreso, temere, avere paura,** *etc.*

<u>Sono contento che</u> loro **partano**.   <u>Era felice che</u> **fossi venuta**.

<u>Mi dispiace che</u> **stia** male.   <u>Temo che</u> gli studenti non **abbiano capito**.

7.5.5 The *congiuntivo* **after impersonal expressions • Il congiuntivo in dipendenza da espressioni impersonali**

The **congiuntivo** *is used after impersonal expressions such as* **è necessario, è possibile, è probabile, è incredibile, è bene, è male, è meglio, è naturale, è logico, è strano, bisogna,** *etc.*

<u>È meglio che</u> tutti **siano** d'accordo.   <u>Bisogna che</u> tutti i governi **combattano** l'inquinamento.

<u>Era necessario che</u> tutti **facessimo**   <u>È possibile che</u> **sia** già **arrivato** a casa.
qualcosa per salvare l'ambiente.

7.5.6 The *congiuntivo* **after certain conjunctions • Il congiuntivo in dipendenza da congiunzioni (L9 - 10)**

The **congiuntivo** *is used after certain conjunctions:*

- **sebbene/nonostante/malgrado/benché;**
  <u>Sebbene</u> **fosse tardi**, siamo riusciti a trovare un ristorante aperto.
  Ha fatto male l'esame, <u>benché</u> **avesse studiato** moltissimo.

- **affinché/perché/in modo che;**
  Gli ho regalato dei soldi <u>perché</u> **si comprasse** un computer nuovo.
  L'insegnante ripete molte volte <u>affinché</u> tutti gli studenti **capiscano**.

- **a condizione che/a patto che/purché;**
  Vi presto i soldi, <u>a condizione che</u> voi me li **rendiate** domani.
  Possono andare al cinema, <u>purché</u> non **tornino** troppo tardi.

- **nel caso che/nel caso in cui;**   - **prima che;**
  Ti lascio le chiavi <u>nel caso che</u> tu   <u>Prima che</u> tu **parta** vorrei salutarti.
  sia a casa prima di me.

- **senza che;**   - **a meno che*;**
  Vuole partire <u>senza che</u> nessuno lo **veda**.   Potresti andarci in macchina, <u>a meno che</u>
                                                             tu non **preferisca** prendere il treno.

- **come se** *(with the* **congiuntivo imperfetto** *or* **trapassato***);*
  Mi parli <u>come se</u> io **fossi** sordo!
  Michela mi è familiare, è <u>come se</u> l'**avessi** già **vista** prima da qualche parte.

- **magari** *(with the* **congiuntivo imperfetto** *or* **trapassato***).*
  <u>Magari</u> **potessi** andare in vacanza!   <u>Magari</u> **fossi andato** a vivere in Francia.

*Note that after the espression **a meno che** *the verb is always preceded by* **non** *(but it does not have a negative meaning).*

7.6 Agreement of tenses in the *congiuntivo* • Concordanza dei tempi del congiuntivo

The tense of the subjunctive verb depends on two factors:
1. *the tense of the main clause;*
2. *the time relationship between the main clause and the dependent clause.*

7.6.1 The *congiuntivo* when the main clause is in the *presente* or *futuro* • Il congiuntivo in dipendenza da un verbo al presente o al futuro (L7-13)

*When the main clause is in the **presente** or **futuro**, the subjunctive verb in the dependent clause may be either in the **congiuntivo presente** or in the **congiuntivo passato**:*
1. *the **congiuntivo presente** if the action described in the dependent clause is taking place simultaneously or subsequent to that of the main verb;*
2. *the **congiuntivo passato** if the action described in the dependent clause took place before the action of the main verb.*

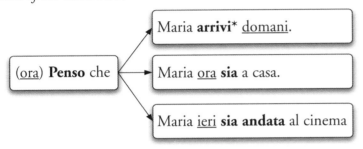

*If the action in the dependent clause will take place subsequent to that of the main verb, the **futuro** may be used as well.*

    Penso che Maria **arriverà** domani.

7.6.2 The *congiuntivo* when the main clause is in a past tense • Il congiuntivo in dipendenza da un verbo al passato (L8-13)

*When the main clause is in a past tense, the subjunctive verb in the dependent clause may be either in the **congiuntivo imperfetto** or in the **congiuntivo trapassato**:*
1. *the **congiuntivo imperfetto** if the action described in the dependent clause is taking place simultaneously or subsequent to that of the main verb;*
2. *the **congiuntivo trapassato** if the action described in the dependent clause took place before the action of the main verb.*

*If the action in the dependent clause will take place subsequent to that of the main verb, the **condizionale passato** may be used as well.*

    Pensavo che Maria **sarebbe arrivata** il giorno dopo.

7.6.3 The *congiuntivo* when the main clause is in the *condizionale* • Il congiuntivo in dipendenza dal condizionale (L13)

*If the main clause is in the **condizionale presente** or the **condizionale passato**, the subjunctive verb in the dependent clause may be in the* **congiuntivo imperfetto** *if the action described is simultaneous or subsequent to that of the main verb, or in the* **congiuntivo trapassato,** *if the action described took place before that of the main verb.*

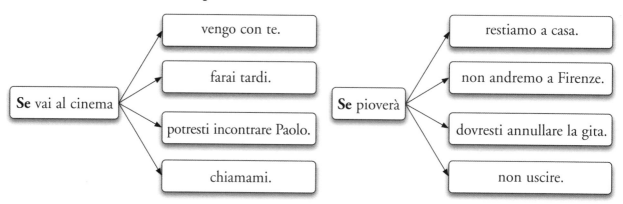

8 Hypothetical phrases (If/Then clauses) • Frasi ipotetiche

A hypothetical phrase (that is, a sentence expressed as "If…, then…") is composed of two clauses, one beginning with **SE**, *indicating a condition or supposition, and another clause indicating the possible consequences of the condition/supposition.*

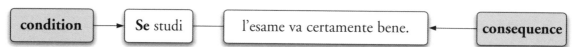

8.1 Hypothetical phrases describing probable conditions • Frasi ipotetiche con una condizione probabile (L2)
<u>*If the condition is presented as probable, after* **SE** *the indicative is used*</u>. *The* **THEN** *clause may be in the* **indicativo**, **condizionale** *or* **imperativo**.

Se vai al cinema	vengo con te.
	farai tardi.
	potresti incontrare Paolo.
	chiamami.

Se pioverà	restiamo a casa.
	non andremo a Firenze.
	dovresti annullare la gita.
	non uscire.

8.2 Hypothetical phrases describing improbable or impossible conditions • Frasi ipotetiche con una condizione improbabile o impossibile (L12)
<u>*If the condition is presented as unlikely or impossible*</u>, *the* **SE** *clause uses the* **congiuntivo imperfetto** *when the condition refers to the present or future, and the* **congiuntivo trapassato** *when the condition refers to the past.*

The **THEN** clause uses the **condizionale presente** *when referring to consequences in the present or future, and the* **condizionale passato** *when referring to consequences in the past.*

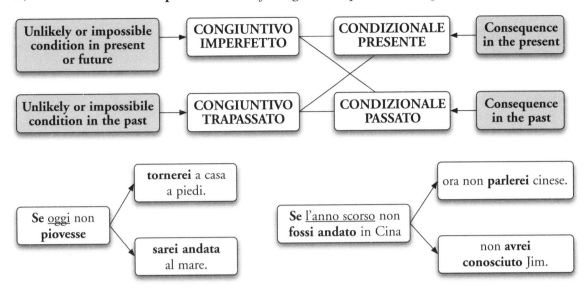

9 Gerund • Modo gerundio (L14)

9.1 *Gerundio presente* (Present gerund) • Il gerundio presente

-are	-ere	-ire	
andare	prendere	dormire	capire
andando	prendendo	dormendo	capendo

irregular verbs		
bere	dire	fare
bevendo	dicendo	facendo

9.2 Using the *gerundio* • Usi del gerundio

- *The* **gerundio presente** *(present gerund) indicates an action taking place simultaneously to the action expressed in the main clause. The main verb may be in the* **presente**, **passato** *or* **futuro**.

Mi parlava **guardando** fuori dalla finestra. = Mi parlava e **intanto guardava** fuori dalla finestra.

- *The gerundio also functions in these ways:*

FUNCTION	GERUND	EQUIVALENT FORM
Mode (come?)	**Sbagliando** si impara.	Si impara **con gli sbagli**.
Consequence (e..., e quindi)	Questa baby sitter riesce a tranquilizzare mio figlio, **facendolo** dormire per ore.	Questa baby sitter riesce a tranquillizzare mio figlio **e quindi lo fa** dormire per ore.
Cause (perché)	Attualmente è in pessime condizioni, **essendo** ormai luogo di scarico abusivo di rifiuti!	Attualmente è in pessime condizioni, **perché è** ormai luogo di scarico abusivo di rifiuti.
Simultaneity (quando?)	**Percorrendo** i vicoli pittoreschi si ha l'impressione che il tempo si sia fermato.	**Mentre si percorrono** i vicoli pittoreschi si ha l'impressione che il tempo si sia fermato.
	L'ho incontrato **tornando** a casa.	L'ho incontrato **mentre tornavo** a casa.
Hypothesis (se)	Sono molto stressato, forse **lavorando** di meno sarei più rilassato.	Sono molto stressato, forse **se lavorassi** di meno sarei più rilassato.
Concession (anche se), using "pur"	Pur **andando** tutti gli anni in vacanza in Italia, non parla molto bene l'italiano.	**Anche se** va tutti gli anni in vacanza in Italia, non parla molto bene l'italiano.

- With the **gerundio**, *pronouns are always attached to the end, forming a single word.*

Questa baby sitter riesce a tranquillizzare mio figlio, **facendolo** dormire per ore.

- *In contrast to English, in Italian the* **gerundio** *may* ***never*** *be the subject or object of a sentence. In Italian, the infinitive (* **infinito***) of the verb is used as subject or object.*

Smoking is prohibited. ➜ È vietato **fumare**.
I hate **travelling** by myself. ➜ Detesto **viaggiare** da solo.

10 *Si impersonale* (Impersonal construction) • *Si impersonale* (L14)
10.1 *Si impersonale* • La particella impersonale *si*
The **si impersonale** *(impersonal construction) is used to express actions common to many people, similar to the way* **one** *is used as a subject noun in English ("One doesn't curse in public.")*
The **si impersonale** *is formed with* **si** *followed by a verb in the 3rd person singular.*

D'estate **si beve** più che d'inverno.   Non **si può** fumare nei luoghi pubblici.
Si studia l'inglese alla scuola elementare.

If the verb after the **si impersonale** *is followed by a plural direct object, then the verb must be in the 3rd person plural.*

A Torino **si mangiano** <u>dolci squisiti</u>.   In aereo non **si possono** usare <u>i telefoni cellulari</u>.

Adjectives and nouns referring to the **si impersonale** *as subject use the masculine plural endings.*

Se **si è amici**, è importante essere **sinceri**.   Non **si deve diventare** troppo **ossessivi**.

10.2 Using the *si impersonale* with reflexive verbs • Uso della particella impersonale con i verbi riflessivi
When using the **si impersonale** *with reflexive verbs, the* **si** *is preceded by* **ci***.*

Ci si sposa sempre meno e **ci si separa** sempre di più.

11 Passive voice • La forma passiva
11.1 Passive voice of verbs • Forma passiva dei verbi (L9)
Only transitive verbs (those that take direct objects) can use the passive voice.

Active: Carlo <u>ritrova</u> il libro.   *Passive:* Il libro **è ritrovato** da Carlo.   Il libro **viene ritrovato** da Carlo.

The passive voice is formed with the auxiliary **essere** + *the past participle of the verb.*
In simple tenses (those without auxiliary verbs), **essere** *can be substituted with* **venire***.*

TENSE + MOOD	ESSERE + PARTICIPLE	VENIRE + PARTICIPLE
indicativo presente	sono invitato	vengo invitato
indicativo imperfetto	ero invitato	venivo invitato
indicativo passato remoto	fui invitato	venni invitato
indicativo futuro semplice	sarò invitato	verrò invitato
indicativo futuro anteriore	sarò stato invitato	- - - -
indicativo passato prossimo	sono stato invitato	- - - -
indicativo trapassato prossimo	ero stato invitato	- - - -
congiuntivo presente	sia invitato	venga invitato
congiuntivo passato	sia stato invitato	- - - -
congiuntivo imperfetto	fossi invitato	venissi invitato
congiuntivo trapassato	fossi stato invitato	- - - -
condizionale presente	sarei invitato	verrei invitato
condizionale passato	sarei stato invitato	- - - -

In this usage, **venire** *is used more often to describe dynamic actions, while* **essere** *is used for static actions.*

Solo un 15% dei volumi **viene trovato** da una persona.

La biblioteca **è illuminata** da cinque grandi finestre.

The past participle agrees in gender and number with the subject.

Il libro sarà pubblicat**o** la prossima settimana.

I suoi romanzi vengono lett**i** da milioni di persone.

In the passive voice, the person or thing performing the action is introduced by the preposition **da***:*

Active: Oggi **milioni di persone** usano la posta elettronica.

Passive: Oggi la posta elettronica è usata **da milioni di persone.**

Active: **Un sito Internet** ha organizzato l'esperimento.

Passive: L'esperimento è stato organizzato **da un sito Internet.**

11.2 Passive voice using the auxiliary *andare* • Forma passiva con l'ausiliare *andare* (L14)

Using **andare** *+ past participle expresses a sense of necessity or duty.*

Il lavoro **va terminato** per domani sera. (Il lavoro **deve essere terminato** per domani sera.)

Andare *can be used in passive forms only with simple tenses (***presente, imperfetto, futuro, condizio-nale presente***, etc.) and not with the* **passato remoto** *or with compound tenses (***passato prossimo, trapassato prossimo, futuro anteriore***, etc.).*

La macchina **va lasciata** nel parcheggio. = La macchina **deve essere lasciata** nel parcheggio.

L'errore **andava** corretto subito. = L'errore **doveva essere corretto** subito.

Il problema **andrà discusso** in plenum. = Il problema **dovrà essere discusso** in plenum.

La frutta **andrebbe mangiata** lontano dai pasti. = La frutta **dovrebbe essere mangiata** lontano dai pasti.

12 Pronouns • I pronomi personali

12.1 Subject pronouns • I pronomi soggetto

Often in Italian, personal subject pronouns such as **io, tu**... *are not expressed because the person is already indicated by the verb ending.*

Subject pronouns are therefore used to stress the subject, or where the verb is missing.

Io sono di Genova. E **tu**?

In formal address, the 3rd person feminine **Lei** *is used as the subject pronoun in place of the informal* **tu***. The formal* **Lei** *is used both when speaking to a man or a woman.*

	singular		plural	
1st person	io	1st person	noi
2nd person	tu	2nd person	voi
3rd person - masculine	lui	3rd person - masculine	loro
3rd person - feminine	lei	3rd person - feminine	loro
3rd person - formal	Lei		

Signor Ruiz, **Lei è** spagnolo?   Signora Bianchi, **Lei** di dove **è**?

When speaking to two or more people, the 2nd person plural **Voi** *is used, but in very formal situations the 3rd person plural* **Loro** *can be used.*

12.2 Direct object pronouns • I pronomi diretti (L1)

12.2.1 Pronoun forms and usage • Forme e uso dei pronomi diretti

Direct object pronouns replace the thing or person that is the object of the action of the verb.

	singular		plural	
1st person	mi	1st person	ci
2nd person	ti	2nd person	vi
3rd person - masculine	lo	3rd person - masculine	li
3rd person - feminine	la	3rd person - feminine	le
3rd person - formal	La		

*The pronouns **lo, la, li** and **le** agree in gender and the number with the noun they replace.*

Quando vedi **Mario**? - **Lo** incontro domani.   Quando vedi **Maria**? - **La** incontro domani.

Quando vedi **i colleghi**? - **Li** incontro domani.   Quando vedi **le colleghe**? - **Le** incontro domani.

*Before a vowel or the letter -**h**-, singular pronouns add an apostrophe.*
*Plural pronouns **li** and **le** <u>never</u> abbreviate.*

L~~o~~ aiuto. → **L'**aiuto.   L~~a~~ ho presa. → **L'**ho presa.

Hai letto il giornale? - No, non **l'**ho letto.   Ascolti musica classica? - Sì, **l'**ascolto spesso.

Lo *can also replace a phrase.*

Dov'è Mario? - Non **lo** so. (= non so **dov'è Mario**)

12.2.2 Agreement of past participle with direct object pronouns • Accordo del participio passato con i pronomi diretti
When the passato prossimo *is preceded by the direct object pronouns **lo**, **la**, **li**, **le**, the past participle agrees in gender and number with the pronoun.*

Hai visto **il film**? - Sì, **l'**ho vist**o**. (il film)

Hai chiuso **la finestra**? - Sì, **l'**ho chius**a**. (la finestra)

Hai chiamato **i ragazzi**? - Sì, **li** ho chiamat**i**. (i ragazzi)

Hai spedito **le lettere**? - No, non **le** ho ancora spedit**e**. (le lettere)

12.2.3 Idiomatic uses • Dislocazione del complemento oggetto
For emphasis, the object noun may be placed at the beginning of a sentence and followed by the direct object pronoun.

emphatic: Vuole il parmigiano stagionato fresco?   Vuole le olive verdi o nere?

non emphatic: **Il parmigiano lo** vuole stagionato o fresco?   **Le olive le** vuole verdi o nere?

12.3 NE • La particella pronominale NE

Ne *replaces an antecedent - a noun mentioned previously - when it is modified by an a number or an indefinite amount.*

■ Vorrei **del** pane.   **ne** ho <u>due</u>.

▼ <u>Quanto</u> **ne** vuole?   ■ Ha **dei** pomodori? ▼ Sì, **ne** ho <u>alcuni</u>.

■ **Ne** vorrei <u>mezzo chilo</u>.   **ne** ho <u>molti</u>.

12.4 Indirect object pronouns • I pronomi indiretti (L1)

*The indirect object pronoun replaces a noun preceded by the preposition **a** that answers the question "To or for whom?"*

Scrivo una mail **a Carlo**.   **Gli** scrivo una mail.

singular		*plural*	
1st person	mi	*1st person*	ci
2nd person	ti	*2nd person*	vi
3rd person - masculine	gli	*3rd person - masculine*	gli
3rd person - feminine	le	*3rd person - feminine*	gli
3rd person - formal	Le		

12.5 Verbs that take both direct and indirect object pronouns • Verbi con complemento diretto o indiretto (L1)

12.5.1 Verbs with direct object pronouns • Verbi seguiti da un complemento diretto

Some verbs are commonly followed by a direct object.

aiutare	(someone)	Aiuto **Giulio.**➡**Lo/L'**aiuto.
amare	(something/someone)	Amo **le canzoni italiane.**➡**Le** amo.
ascoltare	(something/someone)	Ascolto **la radio.**➡**La/L'**ascolto.
bere	(something)	Bevo **un cappuccino.**➡**Lo** bevo.
chiamare	(someone)	Chiamiamo **Anna.**➡**La** chiamiamo?
conoscere	(something/someone)	Non conosco **tuo fratello.**➡Non **lo** conosco.
guardare	(something/someone)	Guardo **la televisione.**➡**La** guardo.
invitare	(someone)	Invito **i miei amici.**➡**Li** invito.
mangiare	(something)	Non mangiano **la carne.**➡Non **la** mangiano.
parlare	(something)	Parlo **il francese.**➡**Lo** parlo.
perdere	(something/someone)	Perdo sempre **l'ombrello.**➡**Lo** perdo sempre.
prendere	(something)	Prendo **il caffè.**➡**Lo** prendo.
salutare	(someone)	Salutano **il professore.**➡**Lo** salutano.
sentire	(something/someone)	Non sente mai **la sveglia.**➡Non **la** sente mai.
studiare	(something/someone)	Studiamo **italiano.**➡**Lo** studiamo.
trovare	(something/someone)	Non trovo **le chiavi.**➡Non **le** trovo.
vedere	(something/someone)	Vedo **gli amici** stasera.➡**Li** vedo stasera.
visitare	(something/someone)	Visito **il museo.**➡**Lo** visito.

12.5.2 Verbs with indirect object pronouns • Verbi seguiti da un complemento indiretto

Some verbs are commonly followed by an indirect object.

parlare	(to someone)	Parliamo **ai nostri genitori.**➡**Gli** parliamo.
piacere	(to someone)	**A Serena** piace il gelato.➡**Le** piace il gelato.
rispondere	(to someone)	Rispondo **al professore.**➡**Gli** rispondo.
sembrare	(to someone)	**A Gino** la TV sembra stupida.➡La TV **gli** sembra stupida.
telefonare	(to someone)	Telefono **a Roberta.**➡**Le** telefono.

12.5.3 Verbs with two object pronouns• Verbi seguiti da un complemento diretto e indiretto

Many verbs can be followed by both a direct and an indirect object.

chiedere	(something)	Chiedo **una spiegazione.**➡**La** chiedo.
	(to someone)	Chiedo **a Giulio** di venire. ➡ **Gli** chiedo di venire.
dare	(something)	Do **le chiavi** a Franco.➡**Le** do a Franco.
	(to someone)	Diamo una mano **a Stefano.**➡**Gli** diamo una mano.
dire	(something)	Dico **la verità.**➡**La** dico.
	(to someone)	Ho detto **a Nina** di venire.➡**Le** ho detto di venire.
leggere	(something)	Leggo **il giornale.**➡**Lo** leggo.
	(to someone)	Leggono una storia **ai bambini.**➡**Gli** leggono una storia.
mandare	(something)	Mando **il documento** stasera.➡**Lo** mando stasera.
	(to someone)	Hai mandato l'invito **a Tina.**➡**Le** hai mandato l'invito?
portare	(something)	Porto **il dolce.**➡**Lo** porto.
	(to someone)	Che cosa porti **a Lena?**➡Che cosa **le** porti?
raccontare	(something)	Racconta **la storia.**➡**La** racconta.
	(to someone)	Racconta tutto **agli amici.**➡**Gli** racconta tutto.
regalare	(something)	Regalo **il mio vecchio computer.**➡**Lo** regalo.
	(to someone)	**A mia figlia** regalo una collana.➡**Le** regalo una collana.
scrivere	(something)	Scrivo **una lettera.**➡**La** scrivo.
	(to someone)	Scrivo **a Mauro.**➡**Gli** scrivo.
vendere	(something)	Vendo **la mia macchina.**➡**La** vendo.
	(to someone)	Vende **al fratello** la casa.➡**Gli** vende la casa.

12.6 Double object pronouns • I pronomi combinati (L4)

- When both a direct and indirect object pronoun are used, the indirect pronoun always comes first and changes the final -i to -e.

*Note that when the 3rd person indirect object pronouns **gli** and **le** combine with a direct object pronoun, they change to **glie-** and form a single word with the following object pronoun.*

■ **Mi** presti **il vocabolario**?
▼ Certo, **te lo** presto volentieri.

■ Chi **vi** ha dato **la macchina**?
▼ **Ce l(a)**'ha prestata Giovanni.

■ Puoi prestare **i tuoi CD a Elsa**?
▼ Ma sì, **glieli** presto volentieri.

■ Quante salsicce vuole?
▼ **Me ne** dia dieci.

	+ lo	+ la	+ li	+ le	+ ne
(a me) mi	me lo	me la	me li	me le	me ne
(a te) ti	te lo	te la	te li	te le	te ne
(a lui/a lei/a Lei) gli/le/Le	glielo	gliela	glieli	gliele	gliene
(a noi) ci	ce lo	ce la	ce li	ce le	ce ne
(a voi) vi	ve lo	ve la	ve li	ve le	ve ne
(a loro) gli	glielo	gliela	glieli	gliele	gliene

When a reflexive pronoun and an object pronoun are used together, the reflexive pronoun comes first and its final -i changes to -e.

I giovani **si** scambiano **molti SMS**.
Se li scambiano quasi ogni giorno.

■ Ogni quanto **ti** lavi **i capelli**?
▼ **Me li** lavo ogni giorno.

	+ lo	+ la	+ li	+ le	+ ne
mi	me lo	me la	me li	me le	me ne
ti	te lo	te la	te li	te le	te ne
si	se lo	se la	se li	se le	se ne
ci	ce lo	ce la	ce li	ce le	ce ne
vi	ve lo	ve la	ve li	ve le	ve ne
si	se lo	se la	se li	se le	se ne

12.7 Object pronoun placement • Posizione dei pronomi oggetto (L3-4)

12.7.1 Placement of object pronouns (direct, indirect, reflexive, double) • Posizione dei pronomi oggetto (diretto, indiretto, riflessivo, combinati)

*Object pronouns are usually placed immediately **before** the verb.*

Chi è quel ragazzo al bar, non **lo** conosco.

Ho sentito Anna, **mi** ha confermato l'appuntamento di domani.

Non ho ancora il tuo indirizzo, **me lo** dai?

*Object pronouns are placed **after** and **attached to** infinitive verbs, imperatives[1], and the gerund, forming a single word. When pronouns are attached to an infinitive, the final -e of the infinitive is dropped.*

Mario arriva domani, ma io non riuscirò a veder**lo**.

■ Hai mandato il contratto a Fabio via fax?　　■ Ti è simpatico Saverio?
▼ No, ho preferito mandar**glielo** per email.　　▼ Mah, conoscendo**lo** così poco, non potrei dire.
Chiama**mi** domani.

---

[1] *For the placement of object pronouns with the **imperativo** see also sections 5.3 (Pronouns position with the imperative) and 5.4 (Negative imperative) above.*

12.7.2 Object pronouns with modal verbs • Posizione dei pronomi oggetto con i verbi servili
With modal verbs **dovere**, **potere**, **volere** *and* **sapere** + *infinitive, direct and indirect object pronouns and* **ne** *may precede or follow the two verbs; in the second case they form a single word with the infinitive, which drops its final vowel.*

pronoun + modal verb + infinitive
Gli devi parlare. Non **lo** voglio chiamare. **Ne** puoi comprare due? **Lo** sai suonare?

modal verb + infinitive + pronoun
Devi parlar**gli**. Non voglio chiamar**lo**. Puoi comprar**ne** due? Sai suonar**lo**?

13 Possessive adjectives and pronouns • Aggettivi e pronomi possessivi
13.1 Possessive adjectives • Gli aggettivi possessivi
13.1.1 Forms and agreement • Forme e concordanza dell'aggettivo possessivo

	masculine				feminine			
	singular		plural		singular		plural	
io	il mio		i miei		la mia		le mie	
tu	il tuo		i tuoi		la tua		le tue	
lui/lei	il suo		i suoi		la sua		le sue	
Lei	Il Suo	libro	i Suoi	amici	la Sua	stanza	le Sue	amiche
noi	il nostro		i nostri		la nostra		le nostre	
voi	il vostro		i vostri		la vostra		le vostre	
loro	il loro		i loro		la loro		le loro	

Possessive adjectives agree in gender and number with the noun to which they refer, that is, the thing possessed. They **never** *agree in gender or number with the person who possesses.*

Chiara: "Piero, hai visto **il mio** cellulare e **le mie** chiavi?"

Piero: "**Il tuo** cellulare è vicino al telefono, con **i tuoi** guanti. **Le tue** chiavi non le ho viste. Ah, forse sono dentro **il mio** zaino?"

Suo/sua/suoi/sue *mean both «his» and «hers».*
Enrico viene con **il suo** amico italiano.
Marta parla con **una sua** amica inglese.
Giuliano ha accompagnato a casa **le sue** amiche.

Loro *does not change, only the article changes.*
I Rossi mi danno **la loro** macchina.
Gianni e Teresa vendono **il loro** appartamento.
Anna e Bruno hanno invitato **i loro** amici.

13.1.2 Possessive adjectives to indicate family members • Aggettivi possessivi con nomi che indicano parentela

Usually the possessive adjective is preceded by an article. The article is not used with singular nouns indicating family members.
(padre, madre, fratello, sorella, zio, cugina, *etc.).*
   Ti presento **mio** fratello.
   Sua figlia è bionda.

However, when the same nouns are plural, the article is used.
   I tuoi fratelli sono più grandi di te?
   Marta è venuta con **i suoi** figli.
   I miei nonni sono polacchi.

The article is used with singular family members in these situations: with the possessive adjective **loro**
   il loro padre
when the noun is modified by an adjective
   la mia cara nonna
with altered forms
   la mia sorel**lina**

13.2 Possessive pronouns • I pronomi possessivi

Possessive pronouns are used to avoid repetition of the proper noun. They are preceded by the definite article.

Prestami la tua bicicletta, **la mia** è rotta.

Ho lasciato a casa i miei occhiali da sole.

Nostro figlio va molto d'accordo con **il vostro**.

Mi dai **i tuoi**?

14 Relative pronouns • I pronomi relativi

Relative pronouns connect two clauses, a main clause and a dependent clause. In the dependent clause, the relative pronoun takes the place of a noun in the main clause.

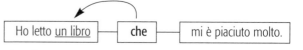

14.1 Relative pronoun *che* • Il pronome relativo *che* (L5)

The relative pronoun **che** *is invariable and can refer to people or things. It can function only as subject or direct object.*

La ragazza **che** canta è una mia cara amica. *(subject)*

Come si chiamano i ragazzi **che** hai conosciuto ieri? *(direct object)*

14.2 Relative pronoun *cui* • Il pronome relativo *cui* (L5-11)

The relative pronoun **cui** *is also invariable and can refer to people or things, but is used after a preposition.*

Questo è il libro **di cui** ti ho parlato.

Com'era la conferenza **a cui** sei andata venerdì?

I bambini **con cui** gioca Sara sono molto simpatici.

In written Italian, the preposition **a** *introducing an indirect object may be omitted before* **cui***.*

Non conosco molte persone **a cui / cui** potrei chiedere aiuto.

La ragazza **a cui / cui** avevo giurato eterno amore mi ha lasciato.

The pronoun **cui** *can be preceded by a definite article (il cui / la cui / i cui / le cui) to express possession. The article agrees in gender and number with the noun that follows* **cui**.

Ieri ho visto un bellissimo film, **il cui** titolo ora non posso ricordare.

Yesterday I saw a great film, whose title I can't remember now.

Marco, **la cui** madre è francese, parla tre lingue.

Marco, whose mother is French, speaks three languages.

Sono problemi **i cui** effetti si vedranno tra poco tempo.

They are problems whose effects will soon be seen.

14.3 Relative pronoun *chi* • Il pronome relativo *chi* (L14)

The relative pronoun **chi** *is invariable and refers to unspecified people. It corresponds to expressions such as* **quelli che**, **le persone che**, **una persona che**. *It is followed by a verb in the 3rd person singular.*

Chi non parla inglese non trova facilmente un buon lavoro.

Vorrei parlare con **chi** ha esperienze simili alla mia.

Non mi piace **chi** non ammette di aver sbagliato.

15 Indefinite adjectives and pronouns • Aggettivi e pronomi indefiniti (L7)

Indefinite adjectives and pronouns refer to things or people whose identity or quantity is not specifically identified.

Indefinite adjectives - Aggettivi indefiniti

Ho **molti** libri di letteratura italiana. (**molti**, *that is, a large but unspecified quantity*)

Tutti gli studenti trovano il corso difficile. (**tutti**, *that is, not one or more specific students*)

Indefinite pronouns - Pronomi indefiniti

Molti credono all'esistenza degli alieni. (**Molti** = *many people*)

Non hai mangiato **niente!**

INDEFINITE ADJECTIVES		INDEFINITE PRONOUNS		
singular	*plural*	*singular*		*plural*
qualche	--	qualcosa (thing)	qualcuno/qualcuna (person)	--
(alcuno/alcuna)	alcuni/alcune	(alcuno/alcuna)		alcuni/alcune
ogni	--	ognuno		--
tutto/tutta	tutti/tutte	tutto/tutta		tutti/tutte
nessuno/nessuna	--	niente (thing)	nessuno/nessuna (person)	--
molto/molta	molti/molte	molto/molta		molti/molte
tanto/tanta	tanti/tante	tanto/tanta		tanti/tante
altro/altra	altri/altre	altro/altra		altri/altre
poco/poca	pochi/poche	poco/poca		pochi/poche
troppo/troppa	troppi/troppe	troppo/troppa		troppi/troppe

15.1 Adjectives *qualche* and *alcuni/alcune* • Gli aggettivi *qualche* e *alcuni/alcune*

The adjective **qualche** *is invariable and always precedes a* **singular** *noun.*

  Ho avuto **qualche** <u>problema</u>.
  Qualche <u>volta</u> faccio una passeggiata.

The pronoun **qualcuno** *is always singular.*
  Qualcuno è arrivato in ritardo.
  Conosci **qualcuna** delle sue amiche?

The adjective **alcuni/alcune** *precedes a plural noun, with which it must agree in gender.*

  Ho avuto **alcuni** <u>problemi</u>.
  Alcune <u>volte</u> faccio una passeggiata.

The pronoun **alcuni/alcune** *is usually plural.*
  Alcuni sono arrivati in ritardo.
  Conosci **alcune** sue amiche?

15.2 Adjectives *ogni* and *tutti/tutte* • Gli aggettivi *ogni* e *tutti/tutte*

The invariable adjective **ogni** *is used only with singular nouns.*

  Mangio **ogni** <u>giorno</u> una mela.
  Guardo la TV **ogni** <u>sera</u>.

The adjective **tutti/tutte** *is used whit plural nouns, with which it must agree.*

  Mangio **tutti** i giorni una <u>mela</u>.
  Guardo la TV **tutte** le <u>sere</u>.

Note that the adjective **tutto/tutta/tutti/tutte** *is always followed by the definite article.*
  Ha mangiato **tutta la** torta.
  Ho visto **tutti i** film con Nicole Kidman.

15.3 Pronouns *ognuno* and *tutti/tutte* • I pronomi *ognuno* e *tutti/tutte*

*The pronoun **ognuno** is always singular.*

Ognuno <u>ha</u> diritto a due pasti gratis al giorno.
Ho parlato con le ragazze e **ognuna** <u>ha</u> una versione differente dei fatti.

*The pronoun **tutti/tutte**, with the same meaning as **ognuno**, is used with plural nouns, and must agree in gender with the noun it replaces.*

Tutti <u>hanno</u> diritto a due pasti gratis al giorno.
Ho parlato con le ragazze e **tutte** <u>hanno</u> una versione differente dei fatti.

15.4 Adjective and pronoun *nessuno* • *Nessuno* aggettivo e *nessuno* pronome
Nessuno *can be either an adjective or a pronoun; it has no plural form.*

As an adjective, it can refer to people or things and follows the same rules as the indefinite article (**nessun, nessuno, nessuna, nessun'**).
Non ho **nessuna** voglia di andare al cinema.
Non ho **nessun** programma per domani.
Maria non ha **nessun'**amica.
Oggi in classe non c'era **nessuno** studente.

*As a pronoun, **nessuno** can refer only to people.*
Non è ancora arrivato **nessuno.**
Non ho sentito **nessuna** delle due ragazze.

Used at the beginning of a phrase, there is no double negative.
Nessuno vuole venire.

*To talk about things, **niente** or **nulla** are used.*
Non so **niente.**
Non mi ha detto **nulla.**

16 Adverbs • L'avverbio
Adverbs modify verbs, adjectives, or other adverbs.

verb	*adjective*	*other adverb*
Luigi <u>parla</u> sempre **lentamente.**	Questo film è **veramente** <u>bello</u>.	Parli **molto** <u>bene</u> l'italiano.

16.1 Adverb forms • La formazione dell'avverbio (L10-11)
Adverbs are invariable. Many derive from adjectives and are formed with the feminine of the adjective + the suffix **-mente.**

libero	➔	liber**a**	➔	liber**amente**
tranquillo	➔	tranquill**a**	➔	tranquill**amente**
elegant**e**			➔	elegant**emente**

Note these exceptions:

leggero	➔	legger**mente**	violento	➔	violent<u>e</u>**mente**

To form the adverb, adjectives ending in **-le** *and* **-re** *lose the final* **-e** *before adding* **-mente.**

normale	➔	normal**mente**	regolare	➔	regolar**mente**

Many adverbs do not derive from adjectives, such as **ora, certo, ancora, adesso, presto, tardi, piano.**

16.2 Adverbs *bene* and *male* • Gli avverbi *bene* e *male* (L4)

The adverb **bene** *corresponds to the adjective* **buono**.

Rosa parla **bene** inglese.
Rosa parla un inglese **buono**.

The adverb **male** *corresponds to the adjective* **cattivo**.

Franco cucina **male**.
Franco è un **cattivo** cuoco.

16.3 Indefinite adverbs: *poco, molto, tanto, troppo* - Avverbi indefiniti: *poco, molto, tanto, troppo*

Indefinite adjectives **poco**, **molto**, **tanto**, **troppo** *can also be used as adverbs, in which case they are invariable.*

Ho mangiato **troppo**.
Ho una casa **molto** bella.

Abbiamo studiato **poco**.
Sono **tanto** contenti di essere qui.

16.4 Comparative and superlative adverbs • Comparativo e superlativo dell'avverbio (L4)

Like adjectives, some adverbs express degrees of comparison.

Luigi parla **lentamente**.
Silvio parla **molto lentamente**.

Carlo parla ancora **più lentamente**.
Silvio parla **lentissimamente**.

For adverbs that do not end in *-mente*, the superlative is formed by adding *-issimo*:
presto ➔ **prestissimo**; tardi ➔ **tardissimo**; piano ➔ **pianissimo**.

Some adverbs have irregular comparative and absolute superlative forms.

-adverb	comparative	absolute superlative
bene	meglio	benissimo/ottimamente
male	peggio	malissimo/pessimamente
molto	(di) più	moltissimo
poco	(di) meno	pochissimo/minimamente

17 Prepositions • Le preposizioni

17.1 Prepositions • Preposizioni semplici

Prepositions are invariable and connect elements of a sentence.
The simple prepositions in Italian are: **di, a, da, in, con, su, per, tra/fra**.

17.2 Prepositions with articles • Preposizioni articolate

The prepositions **di, a, da, in, su** *can be combined with the definite article to form a single word.*
In this form they are called **preposizioni articolate**.

+	il	lo	l'	la	i	gli	le
di	del	dello	dell'	della	dei	degli	delle
a	al	allo	all'	alla	ai	agli	alle
da	dal	dallo	dall'	dalla	dai	dagli	dalle
in	nel	nello	nell'	nella	nei	negli	nelle
su	sul	sullo	sull'	sulla	sui	sugli	sulle

17.3 Using prepositions • Funzioni ed uso delle preposizioni
Prepositions can express a large variety of meanings and functions.
The most frequent uses of the most familiar prepositions are summarized here.

17.3.1 Preposition *a* • La preposizione *a*

Space - Indicates the place or city/town
where one is or where one is going
Sto **a** Firenze.   Sono **a** scuola.
Vado **al** cinema.   Vado **a** Parigi.

Time - Indicates a moment in the future
Alle due / **A** mezzanotte.
A più tardi! / **A** domani!

Introduces an indirect object
Ho scritto **a** mia madre.
Hai telefonato **a** Marta?

Space - Indicates the distance required to
reach a place
La casa è **a** 50 metri dal mare.

Indicates ingredients or how something
is prepared
Tè **al** limone
Spaghetti **al** pomodoro.

In combination with some verbs such as
cominciare, continuare, andare, provare, *etc.*
and before another verb in the infinitive
Adesso comincio **a** studiare.
Proviamo **a** parlare italiano.

17.3.2 Preposition *di* • La preposizione *di*

Space - Indicates city/town of origin, used
with the verb essere
Sei **di** qui? – No, sono **di** Ferrara.

Specification
Il figlio **di** Franco   Gli orari **dei** negozi

Time - Indicates the parts of the day or days
of the week
Di mattina / **Di** sera / **Di** domenica

Indicates an indefinite quantity (di + article)
Vorrei **del** salame e **della** mozzarella.
(Vorrei un po' di salame e un po' di mozzarella.)

Material /Content - Indicates the material
or contents of an object
Una cravatta **di** seta   Una bottiglia **di** vino

Indicates a comparison between two people
or things
Edoardo è più piccolo **di** Piero.
Il Po è più lungo **dell'**Adige.

In combination with some verbs, such as **finire, credere, sperare, pensare.** *etc. and before*
another verb in the infinitive
Finisco **di** lavorare alle 18:00.   Pensi **di** venire al cinema?

17.3.3 Preposition *da* • La preposizione *da*

Space - Indicates the place where one is or
where one is going (with reference to people)
Sono **dal** dottore?
Domani vado **da** una mia amica.

Time - Indicates a period which started
in the past and continues into the present
Lavoro qui **da** cinque anni.

Space - Indicates the place of provenance
or departure
Da dove viene? – **Da** Roma.
Il treno **da** Milano

Time - Indicates when a period of time begins
Da lunedì comincio un nuovo lavoro.
Lavoro **da** lunedì a sabato.
Lavoro **dalle** 8 alle 17.

17.3.4 Preposition *in* • La preposizione *in*

Space - Indicates the place, country or region where one is or where one is going
Sono **in** Italia, **in** Sicilia.
Sono **in** banca.
Vado **in** un agriturismo **in** Toscana.
Vado **in** vacanza **in** Germania.

Indicates a means of transport
Vai **in** treno o **in** macchina?

Indicates the time by which something must happen
Bisogna finire il lavoro **in** tre giorni.

17.3.5 Preposition *con* • La preposizione *con*

Indicates with whom one does something
Esci sempre **con** gli amici?

Indicates ingredients or attributes
Per me un cornetto **con** la marmellata.
Una ragazza **con** gli occhi blu

Indicates the means by which something is done or a means of transport
Paga **con** la carta di credito?
Parto **con** la macchina.

17.3.6 Preposition *su* • La preposizione *su*

Space - Indicates the place where one is or where one is going
Sono **sul** treno.
Salgo **sull'**autobus.
Navigo **su** Internet.

Indicates the subject of something
Vorrei un libro **sulla** Toscana.
È un film **su** Cristoforo Colombo.

17.3.7 Preposition *per* • La preposizione *per*

Space - Indicates the destination
Domani parto **per** la Svezia.
Un treno **per** Milano

Time - Indicates the duration of an action
Per quanto tempo resta qui?
Posso restare qui solo **per** un'ora.

Indicates for whom one does something
Ho comprato un regalo **per** Paolo.

Indicates for what reason or aim one does something
Siamo qui **per** visitare la città.
Sono qui **per** motivi di lavoro.

17.3.8 Preposition *fra/tra* • La preposizione *fra/tra* (L2)

Space - Indicates between or among
La chiesa è **fra** il museo e il teatro

Time - Indicates the time between the present and when something will be done, take place, begin, etc.
Il corso d'italiano finisce **tra** due mesi.

17.4 Other prepositions • Altre preposizioni

dietro *(behind)* **Dietro** la stazione c'è una chiesa.
dopo *(after)* Torno a casa **dopo** le dodici.
durante *(during)* **Durante** le vacanze mi riposo.
verso *(about)* Vengo **verso** le nove.

senza *(without)* Un'aranciata **senza** ghiaccio.
sopra *(above)* La temperatura è **sopra** la media.
sotto *(under)* **Sotto** il cappotto porta un vestito blu.
verso *(towards)* Devi andare **verso** San Pietro.

Grammar

17.5 Idiomatic uses of prepositions • Preposizioni improprie

accanto a *(next to)*	La stazione è **accanto** al bar.
di fronte a *(opposite)*	Abitiamo **di fronte alla** stazione.
davanti a *(in front of)*	**Davanti alla** posta c'è una cabina telefonica.
fino a *(until)*	Resto fuori **fino alle** due.
	Lei va **fino alla** stazione.
in mezzo a *(in the middle of)*	**In mezzo alla** piazza c'è una fontana.
insieme a *(with)*	Oggi esco **insieme a** un amico.
prima di *(before)*	Vengo **prima della** lezione.
oltre a *(as well as)*	**Oltre al** pane compra del latte.
vicino a *(near)*	Abito **vicino all'**ospedale.
intorno a *(around)*	**Intorno alla** villa c'è un bel parco.

18 Connectors • I connettivi
18.1 Connectors • I connettivi (L8-11)

Connectors are words and expressions that connect two or more phrases. They serve diverse functions.

CONNECTOR	FUNCTION	EXAMPLE
ma però eppure tuttavia	*limiting*	È una persona intelligente **eppure** non capisce quando è il momento di smettere di scherzare.
ma bensì anzi	*opposing*	Non servono parole **ma** fatti. Luisa parla due lingue straniere **anzi** probabilmente tre.
invece mentre	*contrasting*	A Silvia piacerebbe fare un viaggio **invece** Marco vorrebbe riposarsi.
infatti difatti	*confirming*	Mi ha detto che aveva molto da lavorare **infatti** è rimasto in ufficio fino a tardi.
dunque quindi ebbene così	*expressing logical consequences*	Il film comincia alle 21.00 **quindi** sarebbe bene arrivare un po' prima.
addirittura perfino	*introducing extreme or unexpected limits or attributes*	La casa è bellissima c'è **perfino** un grande giardino.
insomma in conclusione	*synthesis, summary*	Monica è una persona tranquilla, **insomma** non si arrabbia mai.
cioè ossia	*specifying, restating*	Passeggiando per Roma si rimane estasiati, **ossia** come alzi gli occhi scorgi qualche bellezza artistica.
infine alla fine	*concluding*	**Infine**, si consiglia di servire con abbondante parmigiano grattugiato.
se qualora nel caso che come se	*introducing possible conditioning factors*	**Nel caso (che)** qualcuno *avesse* domande sono a vostra disposizione. Mi guardi **come se** non *avessi capito*.
purché a patto che a condizione che	*introducing conditions*	Vengo **a condizione che** loro mi *riaccompagnino* a casa.

CONNECTOR	FUNCTION	EXAMPLE
a meno che salvo che tranne che	*"unless," "except" - introducing limiting conditions*	Io vorrei andare al cinema, **a meno che** tu non *abbia* un'altra proposta da farmi.
affinché perché in modo che	*"so that" - expressing an aim*	Ho già preparato la cena **in modo che** tu non *debba* cucinare.
benché sebbene malgrado nonostante anche se	*"although" - conceding*	Vengo alla festa **benché** io *sia* stanca morta.
poiché siccome perché in quanto dato che visto che	*"since" "given that" - explaining background factors*	**Dato che** piove prendo l'ombrello.
quando mentre nel momento in cui	*indicating a specific moment*	**Nel momento in cui** avevo finalmente deciso di andarmene è arrivato Piero.
magari	*expressing hope, wish*	**Magari** *potessi* andare in vacanza!

18.2 Discourse markers • I segnali discorsivi (L11)

Discorse markers are words and expressions that have no literal meaning but serve as signals to make participants in a conversation understand what is taking place, for example, when discourse is beginning or ending, to request attention, confirm that one is paying attention, to pause, interrupt, etc.

DISCOURSE MARKERS - SEGNALI DISCORSIVI			
THE SPEAKER		*THE LISTENER*	
beginning a conversation	allora, dunque ecco ma, e, sì	*interrupting*	ma, sì però, scusa/i, un momento
changing the subject	senti/a, a proposito	*requesting explanation*	cioè?, eh?, come?, per/ad esempio?
reconnecting with earlier remarks	come dicevo, come stavo dicendo	*confirming that one is listening*	sì, mm, davvero?
requesting response	no?, cosa ne pensi/a?	*confirming that one understands*	sì, certo, ho capito, lo so bene, ah, oh, no!, ma pensa, non mi dire
pausing before responding	beh, mah, be'	*agreeing*	sì, certo, già, perfetto, come no, ecco, naturalmente
requesting attention	senti/a, scusa/i, dimmi/mi dica	*expressing amazement, surprise*	ma dai!
requesting confirmation	no?, vero?, che ne pensi/a?, eh?		
checking	eh?, capito?, mi segui/e?		
encouraging	dai!, su!		

Lesson glossary

LESSON 1   INCONTRI

agenzia matrimoniale *1*	dating service, marriage bureau	staccare *5*	to detach
anima gemella *1*	spirit twin	convenire *5*	to be best
principe azzurro *1*	man of one's dreams	mi conviene	it's best for me
colpo di fulmine *1*	thunderbolt	risparmiare *5*	to save
essere sposato/a *9*	to be married	iscriversi *9*	to register, sign up for
aiutare *2*	to help	motorino *10*	scooter, motorbike
lamentarsi *2*	to complain	quotidiano *10*	daily (paper)
comportarsi *2*	to behave	sfilata *10*	demonstration
succedere *3*	to happen	infradito *10*	flip-flops
che è successo? *3*	What happend?	fumetto *10*	comic book, graphic novel
sopportare *3*	to put up with, to stand	cartone animato *10*	cartoons
lasciamo stare! *3*	Let it go!	utente *10*	user
per farla breve.... *3*	In short…	schermo *10*	screen
incontro *3*	meeting	un sacco (colloq.) *10*	a lot, many
aperitivo *3*	aperitif, before dinner drink	divertirsi un sacco *10*	have a lot of fun
resto *5*	change	scaricare da internet *10*	download
scontrino *5*	receipt	sprecare *10*	to waste
		pregare *10*	to pray, beg
essere in coda *5*	to stand in line	spaventare qualcuno *10*	to scare someone
riuscire *5*	to manage to	urlare *10*	to yell
sorridere *5*	to smile		

LESSON 2   PROGETTI FUTURI

capitare *1*	to happen	suggerire *4*	to suggest
ti è capitato di….? *1*	did you happened to…?	augurarsi *4*	to hope, wish
progetto *1*	plan, project	fidarsi *4*	to trust, have faith in
lavoro temporaneo *1*	temporary job	lanciare un messaggio *4*	to send out a message
bagnino *1*	lifeguard		
animatore *1*	child care worker	anzi *7*	on the contrary
cameriere *1*	waiter	secondo me *7*	in my opinion
operatore di call center *1*	telemarketer	dare una mano a *7*	give a hand, help out
agente immobiliare *3*	real estate agent		
cuoco *3*	chef, cook	fatica *7*	effort
assicuratore *3*	insurance agent	assemblea *9*	assembly, meeting
		lavoratore metalmeccanico *9*	metalworker
corso di formazione *2*	training course	sindacato *9*	union
conoscenza informatica *2*	computer literacy	fabbrica *9*	factory
laurearsi *7*	to earn a college degree	ferie *9*	days off, holidays
essere laureati *2*	to have a degree	sciopero *9*	strike
all'estero *2*	abroad, outside Italy	operaio *9*	worker
affascinante *2*	charming, intriguing	negare *9*	to deny
affidabile *2*	trustworthy	licenziare *9*	to fire
disponibile *2*	available, willing	scadere *9*	to run out, expire
fortunato *2*	lucky	rinnovare *9*	to renew
anticonformista *4*	nonconformist	essere preoccupati *9*	to be worried
		avere bisogno di… *9*	to need
stato d'animo *4*	state of mind		
punto di vista *4*	point of view	sindaco *9*	mayor
spostamento *4*	change of place	paura *9*	fear
voglia *4*	desire, wish	odio *9*	hate
stimolo *4*	stimulus	spacciatore *9*	dealer, drug dealer
promozione *4*	promotion, publicity	pericoloso *9*	dangerous

LESSON 3   CHE DOVREI FARE SECONDO TE?

abitudine *1*	habit	pasto *8*	meal
gusto *1*	taste, flavor	cibo precotto *8*	pre-cooked food
aspro *4*	sharp, sour	cibi in brodo *8*	food in a broth
amaro *4*	bitter	confezione alimentare *7*	food packaging
salato *4*	salted, salty	scatola *8*	box, container
piccante *4*	spicy	barattolo *8*	jar
speziato *4*	spiced	etichetta *8*	label
pesante *4*	heavy	data di scadenza *7*	expiration date
leggero *4*	light	modalità d'uso *7*	possible use(s)
		valore nutrizionale *7*	nutritional value
bastare *5*	to be enough	salute *7*	health
mi basta *5*	enough for me	contenuto calorico *8*	caloric content
sembrare *5*	to seem	integratore alimentare *10*	vitamin pill
mi sembra *5*	it seems to me		
servire *5*	to serve, be useful	attaccare bottone *16*	start a conversation
mi serve *5*	I need	ti va di ballare? *16*	do you want to dance?
		sì, mi va	yes, okay
avere un debole per *2*	to have a tooth	no, non mi va	no, I don't want to
saltare il pranzo *2*	to skip a meal	rompere il ghiaccio *16*	break the ice
dimagrire *5*	to lose weight, become thinner	fingere *16*	to pretend
		accompagnare *16*	to accompany
essere a dieta *5*	to be on a diet	essere fidanzato/a *16*	to be engaged
essere sazio *8*	to be full		
essere a digiuno *8*	to be fasting	fidanzata	fiancé (female)
mangiare di corsa *8*	to eat hurriedly	fidanzato	fiancé (male)
mangiare in piedi *8*	to eat on one's feet	scusa *16*	excuse
cuocere alla griglia *8*	to grill	bugia *16*	lie
cuocere al forno *8*	to bake	battuta *16*	remark, quip, joke
bollire *8*	to boil		

LESSON 4   MENS SANA...

bocca *2*	mouth	mal di stomaco *3*	stomach ache
occhio *2*	eye	mal di denti *3*	toothache
collo *2*	neck	allergia *3*	allergy
pancia *2*	stomach	raffreddore *3*	cold
gamba *2*	leg	irritazione alla pelle *3*	skin rash
naso *2*	nose	febbre *13*	fever
schiena *2*	back, spine	scottarsi *1*	to be burning
testa *2*	head		
dito *2*	finger	certificato medico *4*	medical certificate
orecchio *2*	ear	tessera sanitaria *4*	health insurance card
spalla *2*	shoulder, back	malattia *4*	sickness, disease
mano *2*	hand	gravidanza *4*	pregnancy
labbro *2*	lip	omeopatia *9*	homeopathy
petto *2*	chest	medicina allopatica *9*	allopathic medicine
ginocchio *2*	knee	buono *16*	good
fianco *2*	side, flank	migliore *16*	better
piede *2*	foot	cattivo *16*	bad
braccio *2*	arm	peggiore *16*	worse
		bene *16*	well
palestra *15*	gym	meglio *16*	better
consiglio *7*	advice	male *16*	bad, badly
farmacia *3*	pharmacy	peggio *16*	worse
medicina *9*	medicine		
crema *13*	cream		
pomata *3*	salve		
benda *13*	bandage		
pillola *9*	pill		
vaccinazione *12*	vaccination		
analisi *12*	analysis		

LESSON 5   DO YOU SPEAK ITALIAN?

lingua straniera *1*	foreign language
apprendimento *2*	learning
comprensione	understanding
metodo *10*	method
progresso *10*	progress
difficoltà *17*	difficulty
sforzo *10*	effort
errore *10*	error
accento *10*	accent
tema *10*	subject
seguire un corso *3*	take a course
frequentare un corso *10*	attend a course
comprendere *1*	understand
comunicare *1*	communicate
esprimersi *3*	express oneself
memorizzare *10*	memorize
farsi capire *10*	make oneself understood
arrangiarsi *1*	to get by
sforzarsi *3*	to make an effort
concentrarsi *3*	to concentrate
osservare *10*	to observe
rivolgersi *10*	to address
entrare in contatto *10*	to make contact
trasferirsi *5*	to move (to another place)
ne vale la pena *10*	it's worth the effort
una brutta figura *15*	to look bad, make a bad impression

in un colpo solo *10*	all at once
la gente del posto	people of a place
collega *2*	colleague
matricola *15*	freshman
docente *3*	teacher
seminario *15*	course
facoltà *15*	department
biblioteca *5*	library
apprendimento a distanza *10*	long-distance learning
opportunità *10*	opportunity
disponibilità *3*	availability, willingness
rivista *1*	magazine
linguistico *10*	linguistic
utile *10*	useful
realistico *10*	realistic
divertente *10*	fun, amusing
imbarazzante *16*	embarrassing
ideale *10*	ideal
pianificare *10*	to plan
importare *10*	to be important
suscitare interesse *3*	to provoke interest
influire *3*	to influence
facilitare *3*	to ease
mettere a disposizione *10*	to make available
metterci *2*	to put in, require
al di fuori di *10*	beyond, outside of
in confronto a *10*	compared to

LESSON 6   VIVERE IN CITTA'

lato positivo *1*	good side
lato negativo	bad side
patrimonio artistico *2*	artistic heritage
polo di attrazione *2*	magnet
sede *2*	central office
progetto di recupero *2*	restoration project
raffinatezza *2*	refinement
degrado *2*	decay
ora di punta *15*	rush hour
ingorgo *15*	traffic jam
strisce pedonali *15*	crosswalks
disordinato *2*	disorganized
sfuggire *2*	to evade
scoprire *2*	to discover
perdonare *2*	to pardon
dimostrare *2*	to demonstrate
accogliere *2*	to welcome, take in
affollarsi *2*	to crowd
contribuire *2*	to contribute
aula *6*	classroom
bacheca degli annunci *6*	announcement board, kiosk
borsa di studio *6*	scholarship

mutuo *6*	mortgage
distributore automatico *6* (per es. di bevande)	vending machine
bevanda *6*	drink
recuperare *6*	to restore
invidiare *6*	to envy
concludersi *6*	to come to an end
rischiare *6*	to risk
integrarsi *6*	to integrate
gioire *6*	to take/feel joy
rimpiangere *6*	to regret
giurare *6*	to swear
ogni tanto *6*	every so often
a dir la verità *7*	to tell the truth
botta *15*	hit, blow
forza! *15* (come esclamazione)	Go!
sdraiarsi *15*	to lay down
essere morto *15*	to be dead
fallire *15*	to fail

LESSON 7   LUOGHI COMUNI

pregiudizio *3*	prejudice	avere in comune *9*	to have in common
luogo comune *4*	commonplace	implicare *9*	to imply
stereotipo *4*	stereotype		
diceria *4*	rumour	neonato *9*	newborn
discriminazione *12*	discrimination	scuola dell'obbligo *9*	required schooling
provocazione *7*	provocation	casa famiglia *9*	family home
razzismo	racism	individuo *9*	individual
vittima *3*	victim	sindrome di Down *9*	Down's Syndrome
reazione *2*	reaction	disabile	disabled
		complesso di inferiorità *9*	inferiority complex
sfatare	to debunk		
criticare *2*	to criticize	permesso di soggiorno	visa
associare *1*	to associate	immigrazione	immigration
gesticolare *4*	to gesture	burocrazia	bureaucracy
		extracomunitario	non-EU citizen
popolo *4*	the people	straniero *4*	foreigner
vizio *4*	vice		
predilezione *4*	preference	alcuno/alcuna (pron./agg.) *9*	any
repertorio *4*	repertory	alcuni/alcune (pron./agg.) *9*	some
caratteristica *4*	characteristic	ognuno *9*	each one
effetto *4*	effect	nessuno/nessuna (pron.) *9*	no one
protesta *7*	protest	niente *11*	nothing
mammone *7*	'mama's boy'	altro/altra (pron./agg.) *9*	another/other
a caccia di *4*	in search of	altri/altre (pron./agg.) *9*	others
		qualche *9*	some
circondare *4*	to encircle	qualcuno/qualcuna *11*	someone
sopprimere *4*	to put down, suppress	qualcosa *11*	something
scandagliare *4*	to sound out, feel out	chiunque *9*	anybody, anyone
pare che *5*	it appears that	ogni *9*	each
fraintendere *7*	to misunderstand	nessuno/nessuna (agg.) *9*	not one, not any
fare finta di *7*	to pretend falsely		

LESSON 8   PAROLE, PAROLE, PAROLE

sms *1*	text message	narrazione *4*	narration
cellulare *1*	cell phone	comportamento	behaviour
videogioco *2*	videogame	atteggiamento *9*	attitude
casella di posta elettronica *9*	email address	scoperta *4*	discovery
interfaccia digitale *9*	digital interface	dipendenza *9*	dependence
sito *2*	site	abuso *9*	abuse, misuse
comunità virtuale *2*	virtual community	prassi *9*	practice, praxis
multimedialità *2*	multimedia (noun)		
gestione *9*	management	scatenare *4*	to unleash
consultazione *9*	consultation	subire *9*	to bear, undergo
campione *9*	sample	provocare *9*	to provoke
		indurre *9*	to induce
collegarsi *9*	to connect/go on line	giungere *4*	to arrive at
inviare/ricevere e-mail *9*	to send/receive e-mail	fare fronte a *9*	to confront, resist
interagire *9*	to interact		
identificarsi *4*	to identify oneself	ebbene *9*	well
sentirsi a proprio agio *4*	to feel comfortable	poiché *9*	since
notare *4*	to note	tuttavia *9*	anyway, nevertheless
gestire *9*	to manage	addirittura *9*	really, actually
fantasia *4*	fantasy, imagination	al pari di *9*	the same as, just like

LESSON 9   INVITO ALLA LETTURA

lettura *5*	reading	libro giallo *1*	detective novel
racconto *1*	story	libro di fantascienza *1*	science fiction novel
romanzo d'amore *1*	romance novel, love story	poesia *1*	poetry
		saggio *1*	essay
romanzo d'avventura *1*	adventure novel	guida turistica *1*	tourist guide
romanzo storico *1*	historical novel	libro di cucina *1*	cookbook

autore/autrice *7*	author	sottolineare *1*	to underline,
scrittore/scrittrice	writer		emphasize
lettore/lettrice	reader	tradurre	to translate
		indovinare *3*	to guess, figure out
casa editrice	publishing house	coinvolgere	to involve
illustrazione	illustration		
letteratura	literature	scambio *7*	exchange
genere	genre	volume *7*	volume
narrativa	narrative	copertina *2*	cover
recensione *1*	review	cliente *6*	customer
sceneggiatura	screenplay, script	rimborso *17*	repyament
protagonista	protagonist		
personaggio	character	prestito	loan
trama	plot	libreria *6*	bookstore
linguaggio	language	sala d'aspetto *7*	waiting room
		punto di riferimento	reference point
raccontare	to tell, recount		

LESSON 10   LA FAMIGLIA CAMBIA FACCIA

nido *1*	nest	dare consigli a… *6*	to give advice to
severità *1*	severity	osservare le regole *11*	to follow the rules
sicurezza *1*	security	volere bene a…. *11*	to love
culla *2*	crib, cradle	trarre beneficio da… *11*	to benefit from
contraccezione *2*	contraception	costringere *11*	to constrain, force
maternità *2*	maternity		
tasso di natalità *2*	birthrate	disoccupato *10*	unemployed
denatalità *2*	dropping birthrate	solidarietà *1*	solidarity
decremento delle nascite *2*	drop in birthrate	competitività *1*	competitiveness
declino *2*	decline	rammarico *2*	regret, bitterness
		vergogna *2*	shame
figlio unico *2*	'only child'	vivace *4*	lively
prole *10*	offspring		
gemello *6*	twin	guardarsi dal fare qualcosa *11*	to avoid doing
mammismo *12*	'mama's boy'		something
	phenomenon	fornire *11*	to furnish
congedo *6*	discharge,	sottovalutare *4*	to underestimate,
	dismissal		undervalue
riconoscenza *13*	recognition	caricare *7*	to load
		corrompere *10*	to corrupt
crescere *1*	to grow		
partorire *6*	to give birth	perfino *7*	even
attribuire *2*	to attribute	sebbene *7*	although
convivere *13*	to live together	guarda caso *10*	what a surprise!
recidere il			(intended sarcastically)
cordone ombelicale *13*	to cut the umbilical cord	alla mano *10*	at hand
fronteggiare *13*	to confront, face up to	bensì *10*	but, rather
spiccare il volo *10*	to take flight		
lasciare il tetto familiare *12*	to leave home	nonostante *14*	despite
		affinché *14*	so that
giocare un ruolo *2*	to play a role	a patto che *14*	on the condition that
prendersi cura di… *6*	to take care of	purché *14*	provided that

LESSON 11   TRADIZIONI ITALIANE

Italia settentrionale *2*	northern Italy	culto *2*	cult
Italia meridionale *2*	southern Italy	rito *2*	rite
usanza *2*	custom		
credenza popolare *2*	popular belief	tramandarsi *2*	to hand down
ricorrenza *2*	recurring event (as in	festeggiare *2*	to celebrate
	special holidays)		
circostanza *2*	circumstance	strega *2*	witch

scopa *2*	broom
morso *2*	bite
velenoso *2*	poisonous
cibo *2*	food
dono *2*	gift
giocattolo *2*	toy
guaio *2*	trouble
cenere *2*	ash
riguardare *2*	to have to do with
guarire *2*	to heal
impedire *2*	to impede
nascondere *2*	to hide
elencare *2*	to list
santuario *10*	sanctuary
miracolo *10*	miracle
pentirsi *10*	to repent
restituire *10*	to restore, give back
riempire *10*	to fill up
dispettoso *10*	disprespctful
vendicativo *10*	vindictive
spietato *10*	pitiless
per lo più *2*	furthermore
magari (avv.) *7*	perhaps

magari (cong.) *7*	if only, I wish
mettere a disagio *8*	to make uneasy
urtare la sensibilità di qualcuno *8*	to offend someone's sensibilities
abbraccio *10*	embrace
sorriso *10*	smile
tenerezza *10*	tenderness
lacrima *10*	tear
ferita *10*	wound
abbracciare *10*	to embrace
sentirsi al sicuro *10*	to feel safe
accadere *10*	to happen
avvicinarsi *10*	to approach
adolescenza *10*	adolescence
abito da sposa *10*	wedding dress
luna di miele *10*	honeymoon
allora (avv.) *10*	then
tuttora (avv.) *10*	still
ovunque *10*	everywhere
solo (avv.) *10*	only
da quell' istante in poi *10*	ever since then
così (nel senso di talmente, tanto) *10*	so

LESSON 12   SALVIAMO IL NOSTRO PIANETA

ambiente *1*	environment
degrado ambientale *3*	environmental destruction, decay
scioglimento dei ghiacciai *1*	melting of the glaciers
risorsa naturale *3*	natural resources
energia eolica *5*	wind energy
elettrosmog *1*	electrosmog
inquinamento atmosferico *1*	air pollution
ossigeno *12*	oxygen
buco dell'ozono *1*	ozone hole
effetto serra *1*	greenhouse effect
siccità *1*	drought
alluvioni *1*	floods
disboscamento *1*	deforestation
idrogeno *6*	hydrogen
gas di scarico *6*	exhaust fumes
emissione *6*	emissions
OGM *1*	genetic modification
pesticidi *1*	pesticides
coltivazioni *1*	cultivations
fertilizzante *5*	fertilizer
infrastruttura *2*	infrastructure
raccolta differenziata dei rifiuti *5*	recycling
pelliccia *5*	fur
specie in via di estinzione *5*	endangered species
riciclare *5*	to recycle
isolare *5*	to isolate
disperdere *5*	to disperse, waste
candidato *2*	candidate
militante *2*	militant

deputato *2*	congressperson
presiedere *2*	to preside over
battersi *2*	to fight for
prestare attenzione *2*	to pay attention to
basarsi *2*	to be based on
cancellare il debito pubblico *2*	to cancel the national debt
fondo (sost) *2*	fund or bottom
miseria *2*	poverty
sfida *2*	challenge
sussidio *2*	subsidy
nutrizionista (sost) *11*	nutritionist
sali minerali *11*	mineral salts
semidigiuno *11*	semi-fast
tossina *11*	toxin
centrifugato *11*	blended vegetable or fruit juice
fibra *11*	fibre
frullato *11*	smoothy
pappa reale *11*	royal jelly
spuntino *11*	snack
disintossicante *11*	detoxifying
digestivo *11*	digestive
insomma *8*	in sum, finally
innanzitutto *8*	above all
anziché *8*	rather than
ormai *9*	by now

LESSON 13   NOI E GLI ALTRI

qualità **2**	quality
difetto **2**	defect
sincerità **2**	sincerity
ipocrisia **2**	hypocrisy
onestà	honesty
disonestà **2**	dishonesty
egoismo **2**	egoism
correttezza **2**	politeness, fairness
scorrettezza **2**	impoliteness, unfairness
ottimismo **2**	optimism
pessimismo **2**	pessimism
flessibilità **2**	flexibility
inflessibilità **2**	inflexibility
affidabilità **2**	trustworthiness
inaffidabilità **2**	untrustworthiness
prudenza **2**	prudence
imprudenza **2**	imprudence
generosità **2**	generosity
avarizia **2**	greed, avarice
pazienza **2**	patience
impazienza **2**	impatience
sensibilità **2**	sensitivity
insensibilità **2**	insensitivity
serietà **2**	seriousness
superficialità **2**	superficiality
coraggio **2**	courage
vigliaccheria **2**	cowardice

modestia **2**	modesty, humility
superbia **2**	pride
forza **2**	strength
debolezza **2**	weakness
tolleranza **2**	tolerance
intolleranza **2**	intolerance
premuroso **10**	concerned
solidale **10**	empathetic
buttare via **7**	to throw away
contare su qualcuno **10**	to count on someone
trattare male/bene qualcuno **10**	to treat someone badly/well
instaurare un rapporto **10**	to establish a rapport
porre **10**	to place
frenare **10**	to brake
proseguire **17**	to go on
vergognarsi **17**	to be ashamed
innamorato **10**	in love
estraneo **10**	extraneous
senso del dovere **10**	sense of duty
rancore **10**	rancour
gelosia **10**	jealousy
in fondo (fig.) **7**	basically, essentially
meno male (inter.) **8**	at least, just as well

LESSON 14   ITALIA DA SCOPRIRE

censimento **2**	survey
bene artistico **2**	artistic good
bene culturale **2**	cultural good
speculazione **9**	speculation
incuria **9**	neglect
intervento **2**	intervention
recupero **9**	restoration
impegno **2**	commitment
intento **2**	intention
obiettivo (sost.) **9**	objective, goal
essere legati ad una cosa o una persona **2**	to care for/feel conected to a thing or person
difendere **9**	to defend
curare **9**	to care for
sommergere **9**	to submerge
ripiantare **9**	to replant
cancellare **9**	to cancel, erase
torrente **2**	stream
cascata **2**	waterfall
uliveto **2**	olive tree grove
stagno **9**	pond
mulino a vento **9**	windmill
bassa marea **9**	low tide

arcipelago **9**	arcipelago
scarico abusivo **9**	illegal waste disposal
mèta **14**	goal
portico **9**	portico
facciata **9**	facade
vicolo **9**	alley
strada asfaltata **9**	paved road
cinta di mura **9**	walls around a city
in rovina	in ruin
proteggere **9**	to protect
restaurare **2**	to restore
rovinare **2**	to ruin
minacciare **9**	to threaten
legare **9**	to tie
sdrammatizzare **9**	to minimize, reduce tension
filiale **2**	branch office
sportello **2**	teller's window
quadruplicarsi **2**	quadruple
dar voce a **2**	give voice to
staccare la spina **8**	pull the plug
parte integrante **2**	integral part

Glossary in alphabetical order

Italian-English

Key
abbr. = abbreviazione (abbreviation)
agg. = aggettivo (adjective)
avv. = avverbio (adverb)
cong. = congiunzione (conjunction)
escl. = esclamazione (exclamation)
inter. = interiezione (interjection)
interrog. = interrogativo (question)
pr. = pronome (pronoun)
prep. = preposizione (preposition)
sf. = sostantivo femminile
(feminine noun)
sm. = sostantivo maschile
(masculine noun)
v. = verbo (verb)

Italian	English
abbracciare (v.)	to embrace
abbraccio (sm.)	embrace
abitare (v.)	to live
abito (sm.) da sposa	wedding dress
abituarsi (v.)	to get used to
abitudine (sf.)	habit
abusivo (agg.)	abusive, lacking permits
abuso (sm.)	abuse
accadere (v.)	to happen, to take place
accanto a (prep.)	beside
accendere (v.)	to switch on
accento (sm.)	accent
accogliere (v.)	to welcome, receive
accompagnare (v.)	to accompany
addirittura (avv.)	really
addormentarsi (v.)	to fall asleep
adesso (avv.)	now
adolescenza (sf.)	adolescence
aereo (sm.)	aircraft
affascinante (agg.)	charming, intriguing
affidabile (agg.)	trustworthy
affidabilità (sf.)	trustworthiness
affinché (cong.)	so that
affittare (v.)	to rent
affollarsi (v.)	to crowd
agente (sm.)	agent
agente immobiliare	*real estate agent*
agenzia (sf.)	agency
agenzia matrimoniale	*dating service, marriage bureau*
aggiungere (v.)	to add
aiutare (v.)	to help
albergo (sm.)	hotel
albero (sm.)	tree
alcuno (pron./agg.)	any
allergia (sf.)	allergy

Italian	English
allegria (sf.)	cheerfulness
allora (avv.)	then
alluvione (sf.)	flood
alto (agg.)	tall
altro (pron./agg.)	other, another
alzarsi (v.)	to get up
amaro (agg.)	bitter
ambientale (agg.)	environmental
ambiente (sm.)	environment
analisi (sf.)	analysis
anche (cong.)	also
ancora (avv.)	still, yet, again, more
andare (v.)	to go
andare a piedi	*to walk, to go on foot*
andare d'accordo	*to agree with someone*
andare in giro	*to go round, to tour*
anima (sf.)	spirit, soul
anima gemella	*twin spirit*
animatore (sm.)	childcare worker
anniversario (sm.)	anniversary
annoiarsi (v.)	to get bored
antico (agg.)	old, ancient
anticonformista (agg.)	nonconformist
antipasto (sm.)	appetizer
anzi (cong.)	rather
anziché (cong.)	rather than
aperitivo (sm.)	aperitif
aperto (agg.)	open
appena (avv.)	just
apprendimento (sm.)	learning
apprendimento a distanza	*long-distance learning*
appuntamento (sm.)	appointment, date
aprire (v.)	to open, to switch on
arancia (sf.)	orange (fruit)
architetto (sm.)	architect
arcipelago (sm.)	arcipelago
aria condizionata (sf.)	air conditioning
aristocratico (agg.)	aristocratic
arrabbiarsi (v.)	to get angry, to lose your temper
arrangiarsi (v.)	to get by
arrivederci (inter.)	goodbye
arrivo (sm.)	arrival
arrosto (sm.)	roast
ascoltare (v.)	to listen to
aspettare (v.)	to wait for
aspro (agg.)	sour, sharp
assemblea (sf.)	assembly

Italian	English
assicuratore (sm.)	insurance agent
associare (v.)	to associate
assolutamente (avv.)	absolutely
assomigliare (v.)	to look like
atmosferico (agg.)	atmospheric
attaccare (v.)	to attach, to attack
attaccare bottone	*to start a conversation*
atteggiamento (sm.)	attitude
attirare (v.)	to attract
attore (sm.)	actor
attraversare (v.)	to cross
attraverso (prep.)	through
attribuire (v.)	to attribute
attrice (sf.)	actress
augurarsi (v.)	to wish for
auguri! (escl.)	Best wishes!, Merry Christmas, Happy birthday etc
aula (sf.)	classroom
autore (sm.)	author
autrice (sf.)	author
avarizia (sf.)	greed
avere (v.)	to have
avere bisogno di…	*to need*
avere fame	*to be hungry*
avere un debole per	*to have a weakness for*
avere voglia	*to want*
avvicinarsi (v.)	to approach
bacheca degli annunci (sf.)	announcement board
bagnino (sm.)	lifeguard
bagno (sm.)	bathroom
balcone (sm.)	balcony
ballare (v.)	to dance
barattolo (sm.)	jar
barca (sf.)	boat
basarsi (v.)	to be based on
basso (agg.)	low
bastare (v.)	to be enough
battersi (v.)	to fight for
battuta (sf.)	remark, quip, joke
bello (agg.)	nice, beautiful
benda (sf.)	bandage
bene (avv.)	good
bene (sm)	good
bene artistico	*artistic good*
bene culturale	*cultural good*
beneficio (sm.)	benefit
bensì (cong.)	but, rather
bere (v.)	to drink
bevanda (sf.)	drink

bianco (agg.) — white
biblioteca (sf.) — library
bicchiere (sm.) — glass
bicicletta/bici (sf.) — bicycle, bike
biglietto (sm.) — ticket
biscotto (sm.) — cookie
bistecca (sf.) — steak
bocca (sf.) — mouth
in bocca al lupo — *'break a leg!'*
bollire (v.) — to boil
borsa (sf.) — purse, fund, stock market
borsa di studio — *scholarship*
botta (sf.) — hit, blow
bottiglia (sf.) — bottle
braccio (sm.) — arm
brodo (sm.) — broth
brutto (agg.) — ugly
buco (sm.) — hole
bugia (sf.) — lie
buono (agg.) — good
burocrazia (sf.) — bureaucracy
burro (sm.) — butter
busta (sf.) — envelope, grocery bag
buttare (v.) — to throw
buttare via — *to throw away*
caccia (sf.) — hunt, chase, pursuit
a caccia di — *in search of*
caldo (agg.) — hot
caloria (sf.) — calorie
calorico (agg.) — caloric
cambiare (v.) — to change
camera (sf.) — room
camera doppia — *twin-bedded room*
camera da letto — *bedroom*
cameriere (sm.) — waiter
camicia (sf.) — shirt
camminare (v.) — to walk
campagna (sf.) — countryside
campione (sf.) — sample
cancellare (v.) — to cancel, to erase
candidato (sm.) — candidate
cantante (sm./sf.) — singer
caotico (agg.) — chaotic
capelli (sm.) — hair
capire (v.) — to understand
capitare (v.) — to happen
Capodanno (sm.) — New Year
cappotto (sm.) — overcoat
carattere (sm.) — personality
caratteristica (sf.) — characteristic
caricare (v.) — to load
carino (agg.) — cute
carne (sf.) — meat
caro (costoso) (agg.) — expensive
carta (sf.) — paper
carta di credito — *credit card*
cartolina (sf.) — postcard
cartone animato — animated cartoon
casa (sf.) — house, home

casa editrice — *publishing house*
casa famiglia — *family home*
cascata (sf.) — waterfall
casella di posta (sf.) — postbox
cattivo (agg.) — bad
cellulare (sm.) — mobile, cell phone
cena (sf.) — dinner
cenare (v.) — to have dinner, to dine
cenere (sf.) — ash
censimento (sm.) — survey
centrifugato (sm.) — blender juice
centro (sm.) — center, city center
cercare (v.) — to look for, to search
certificato medico (sm.) — medical certificate
che (pr./agg. interrog.) — that, which, what, who
chi (pr. interrog.) — who
chiacchierare (v.) — to chat
chiamarsi (v.) — to be called, named
chiesa (sf.) — church
chilo (sm.) — kilogram
chiudere (v.) — to close, to shut
chiunque (pron.) — anyone
chiuso (agg.) — closed, shut
cibo (sm.) — food
cibo precotto — *pre-cooked food*
cinta (sf.) — belt
cinta di mura — *wall around a city*
circondare (v.) — to encircle
circostanza (sf.) — circumstance
classe (sf.) — classroom
cliente (sm.) — customer
cognome (sm.) — last name, surname
coincidenza (sf.) — coincidence
coinvolgere (v.) — to involve
colazione (sf.) — breakfast
collega (sm./sf.) — colleague
collegarsi (v.) — to connect, to go on line
collo (sm.) — neck
colpo (sm.) — hit, knock
colpo di fulmine — *thunderbolt*
in un colpo solo — *at one blow*
coltivazione (sf.) — cultivation
come (cong./avv.) — how, like, as
cominciare (v.) — to begin, to start
comodo (agg.) — convenient, comfortable
compagna (di scuola)(sf.) — schoolmate
compagna (nella vita) (sf.) — companion
compagno (di scuola) (sm.) — schoolmate
compagno (nella vita) (sm.) — life partner, significant other (male)

competitività (sf.) — competitiveness
compleanno (sm.) — birthday
complesso di inferiorità (sm.) — inferiority complex
comportamento (sm.) — behaviour
comportarsi (v.) — to behave
comprare (v.) — to buy
comprendere (v.) — to understand
comprensione (sf.) — understanding
comunicare (v.) — to communicate
comunità (sf.) — community
comunque (avv./cong.) — anyway, however
concentrarsi (v.) — to concentrate
concludersi (v.) — to conclude, to finish
confezione (sf.) — package
confezione alimentare — *food package*
confronto (sm.) — comparison
congedo (sm.) — discharge, leave
conoscenza (sf.) — knowledge
conoscere (v.) — to know, to be acquainted with
consiglio (sm.) — advice
consultazione (sf.) — consultation
contare (v.) — to count
contenuto (sm.) — contents
continuare (v.) — to continue
conto (sm.) — bill, check
contraccezione (sf.) — contraception
contrario (agg.) — contrari
al contrario — *on the contrary*
contribuire (v.) — to contribute
controllare (v.) — to check
convenire (v.) — to be best
convivere (v.) — to live together
copertina (sf.) — cover
coraggio (sm.) — courage
cordone ombelicale (sm.) — umbilical cord
correttezza (sf.) — politeness
corrompere (v.) — to corrupt
corsa (sf.) — race
di corsa — *in a hurry*
corso (sm.) — course
corto (agg.) — short
cosa (sf.) — thing
così (avv./cong.) — in this way, therefore
costoso (agg.) — expensive
costringere (v.) — to constrain, force
credenza popolare (sf.) — popular belief
credere (v.) — to believe
crema (sf.) — cream
crescere (v.) — to grow
criticare (v.) — to criticize
cuccetta (sf.) — berth, couchette
cucina (sf.) — cooking, cuisine
cucina (sf.) — kitchen
culla (sf.) — cradle, crib

culto (sm.)	cult	disturbare (v.)	to disturb	fabbrica (sf.)	factory
cuocere (v.)	to cook	dito (sm.)	finger	facciata (sf.)	facade
cuoco (sm.)	chef, cook	diventare (v.)	to become	facile (agg.)	easy
curare (v.)	to care for	diverso (agg.)	different	facilitare (v.)	to ease
dare (v.)	to give	divertente (agg.)	enjoyable, fun,	facoltà (sf.)	department
dare una mano a…	*to help, to lend a*		entertaining	fallire (v.)	to fail
	hand	divertirsi (v.)	to enjoy oneself	fame (sf.)	hunger
dare voce a	*to give voice to*	doccia (sf.)	shower	famiglia (sf.)	family
data (sf.)	date	docente (sm./sf.)	teacher	fantascienza (sf.)	science fiction
davanti a (prep.)	in front of	dolce (agg.)	sweet	fantasia (sf.)	fantasy,
debito (sm.)	debt	dolce (sm.)	dessert		imagination
debito pubblico	*national debt*	domandare (v.)	to ask	fare (v.)	to do, to make
debolezza (sf.)	weakness	domani (avv.)	tomorrow	*fare caldo*	*to be hot (weather)*
decidere (v.)	to decide	domenica (sf.)	Sunday	*fare finta di*	*to pretend falsely*
declino (sm.)	decline	dono (sm.)	gift	*fare fronte a*	*to confront, to resist*
decremento (sm.)	decrease	dopo (avv./prep.		*fare la spesa*	*to do the shopping*
degrado (sm.)	decay	/cong.)	after	*fare sport*	*to play sport*
denatalità (sf.)	dropping birthrate	dormire (v.)	to sleep	*fare una passeggiata*	*to go for a walk*
dentro (avv.)	inside	dove (avv.)	where	*fare un corso*	*to take a corse*
deputato (sm.)	congressperson,	dovere (v.)	must, to have to	*farcela*	*to manage*
	representative	dunque (cong.)	therefore	*farla breve*	*in short*
desiderare (v.)	to wish, to want	durante (prep.)	during	*farsi capire*	*to makes oneself*
destra (sf.)	right	ebbene (cong.)	well then, so		*understood*
di fronte (prep.)	in front of	economico (agg.)	cheap, not	*farsi la doccia*	*to take a shower*
di solito (avv.)	usually		expensive	farmacia (sf.)	pharmacy
diceria (sf.)	rumour	edificio (sm.)	building	fatica (sf.)	effort
dietro (avv./prep.)	behind, back	effetto (sm.)	effect	favore (sm.)	favour
difendere (v.)	to defend	egoismo (sm.)	egoism	*per favore*	*please*
difetto (sm.)	defect	elencare (v.)	to list	febbraio (sm.)	February
difficoltà (sf.)	difficulty	elettrosmog (sm.)	electrosmog	febbre (sf.)	fever
digestivo (agg.)	digestive	emissione (sf.)	emission	felice (agg.)	happy
digiuno (sm.)	fast	energia (sf.)	energy	ferie (sf.)	days off, holidays
digitale (agg.)	digital	entrare (v.)	to enter	ferita (sf.)	wound
dimagrire (v.)	to lose weight, to	*entrare in contatto*	*to contact*	Ferragosto (sm.)	mid-August
	become thinner	entrata (sf.)	entrance		holiday
dimenticare (v.)	to forget	eolico (agg)	wind	fertilizzante (sm.)	fertilizer
dimostrare (v.)	to demonstrate	erba (sf.)	grass	festeggiare (v.)	to celebrate
dipendenza (sf.)	dependency	errore (sm.)	error	fianco (sm.)	side, flank
dipendere (v)	to depend	esame (sm.)	examination, test	fibra (sf.)	fibre
dipende	*it depends*	esempio (sm.)	example	fidanzata (sf.)	fiancé
dire (v.)	to say, to tell	esercizio (sm.)	exercise	fidanzato (sm.)	fiancé
a dir la verità	*to tell the truth*	esprimersi (v.)	to express oneself	fidanzato/a (agg.)	engaged
disabile (agg.)	disabled	essere (v.)	to be	fidarsi (v.)	to trust
disboscamento (sm.)	deforestation	*essere a dieta*	*to be dieting*	figlia (sf.)	daughter
discriminazione (sf.)	discrimination	*essere a digiuno*	*to be fasting*	figlio (sm.)	son
discutere (v.)	to discuss	*essere in coda*	*to stand in line*	*figlio unico*	*'only child'*
disintossicante	detoxifying	*essere legati a*	*to be linked to*	figura (sf.)	figure, impression
disoccupato (sm.)	unemployed	estate (sf.)	summer	*bella/brutta figura*	*good/bad*
disonestà (sf.)	dishonesty	estero (agg)	foreign		*impression*
disordinato (agg.)	disorganized	*all'estero*	*abroad, outside*	finalmente (avv.)	finally
dispari (agg.)	odd (numbers),		*Italy*	finestra (sf.)	window
	unequal	estinzione (sf.)	extinction	fingere (v.)	to pretend
disperdere (v.)	to disperse,	*in via di estinzione*	*threatened with*	flessibilità (sf.)	flexibility
	to waste		*extinction*	fondo (sm.)	base, bottom, fund
dispettoso (agg.)	disrespectful	estraneo (agg.)	foreign,	*in fondo (fig.)*	*basically, essentially*
dispiacere (v.)	to displease,		extraneous	formazione (sf.)	formation,
	to be sorry	estraneo (sm.)	foreigner		training
disponibile (agg.)	available, willing	etichetta (sf.)	label	fornire (v.)	to furnish
disponibilità (sf.)	availability,	extracomunitario		forno (sm.)	oven
	willingness	(agg.)	non-EU	forse (avv.)	maybe, perhaps
distributore		extracomunitario		fortunato (agg.)	lucky, fortunate
automatico (sm.)	vending machine	(sm.)	non-EU citizen	forza! (escl.)	go!

forza (sf.)	strength
fraintendere (v.)	to misunderstand
fratello (sm.)	brother
freddo (agg.)	cold
frenare (v.)	to brake
frequentare (v.)	to frequent, to attend
fretta (sf.)	hurry
fronteggiare (v.)	to face up to, to deal with
frullato (sm.)	smoothie
fumetto (sm.)	comic book, graphic novel
fuori (avv.)	out, outside
al di fuori di	beyond, outside of
gamba (sf.)	leg
gas di scarico (sm.)	exhaust fume
gelosia (sf.)	jealousy
gemello (agg.)	twin
genere	genre
generosità (sf.)	generosity
genitori (sm.)	parents
gennaio (sm.)	January
gente (sf.)	people
la gente del posto	people who live in a place
gentile (agg.)	kind
gesticolare (v.)	to gesture
gestione (sf.)	management
gestire (v.)	to manage
ghiacciaio (sm.)	glacier
ghiaccio (sm.)	ice
già (avv.)	already, previously
giacca (sf.)	jacket
giallo (agg.)	yellow
giardino (sm.)	garden, park
ginnastica (sf.)	gymnastics, physical exercise
ginocchio (sm.)	knee
giocare (v.)	to play
giocare a tennis	to play tennis
giocare un ruolo	to play a role
giocattolo (sm.)	toy
gioia (sf.)	joy
gioire (v.)	to feel, to take joy
giovane (agg.)	young
giovedì (sm.)	Thursday
girare (v.)	to turn around, to go around, etc.
gita (sf.)	trip, tour
giugno (sm.)	June
giungere (v.)	to reach
giurare (v.)	to swear
giusto (agg.)	correct, right
gravidanza (sf.)	pregnancy
griglia (sf.)	grill
guaio (sm.)	trouble
guardare (v.)	to watch
guardarsi dal fare qualcosa	to avoid doing something
guarire (v.)	to heal
guida turistica (sm./sf.)	tourist guide
guidare (v.)	to drive
gusto (sm.)	flavour, taste
ideale (agg.)	ideal
identificarsi (v.)	to identify oneself
idrogeno (sm.)	hydrogen
ieri (avv.)	yesterday
illustrazione (sf.)	illustration
imbarazzante (agg.)	embarrassing
immigrazione (sf.)	immigration
imparare (v.)	to learn
impazienza (sf.)	impatience
impedire (v.)	to impede
impegno (sm.)	commitment
impiegata (sf.)	clerk, clerical worker
impiegato (sm.)	clerk, clerical worker
implicare (v.)	to imply
importare (v.)	to matter, to be important
imprudenza (sf.)	imprudence
inaffidabilità (sf.)	untrustworthiness
incontrare (v.)	to meet
incontro (sm.)	meeting
incremento (sm.)	increase
incrocio (sm.)	crossroads
incuria (sf.)	neglect
indirizzo (sm.)	address
individuo (sm.)	individual
indossare (v.)	to put on, to wear
indovinare (v.)	to guess, to figure out
indurre (v.)	to induce
infatti (cong.)	in fact
inflessibilità (sf.)	inflexibility
influire (v.)	to influence
informatico (agg.)	information (regarding computers)
infradito (sm.)	flip-flops
infrastruttura (sf.)	infrastructure
ingorgo (sm.)	traffic jam
innamorato (agg.)	in love
innanzitutto (avv.)	above all
inquinamento (sm.)	pollution
insegnante (sm./sf.)	teacher
insegnare (v.)	to teach
insensibilità (sf.)	insensitivity
insieme (avv.)	together
insomma (avv.)	in sum, finally
instaurare (v.)	to establish
integrarsi (v.)	to integrate oneself
integratore alimentare	vitamin pills
intelligente (agg.)	intelligent
intento (sm.)	intention
interagire (v.)	to interact
interessante (agg.)	interesting
interfaccia (sm.)	interface
intervento (sm.)	intervention
intolleranza (v.)	intolerance
invece (avv.)	instead
inverno (sm.)	winter
inviare (v.)	to send
invidiare (v.)	to envy
ipocrisia (sf.)	hypocrisy
irritazione (sf.)	irritation
irritazione alla pelle	skin rash
iscriversi (v.)	to register, to sign up
isolare (v.)	to isolate
istante (sm.)	moment, instant
da quell' istante in poi	from that moment on
labbro (sm.)	lip
lacrima (sf.)	tear
lamentarsi (v.)	to complain
lanciare (v.)	to send, to throw
lanciare un messaggio	to send out a message
largo (agg.)	big
lasciare (v.)	to leave
lasciar stare	to leave alone
lato (sm.)	side
lato negativo	bad side
lato positivo	good side
latte (sm.)	milk
laurea (sf.)	degree
laurearsi (v.)	to graduate from university
laureato (agg.)	graduated, with a degree
lavarsi (v.)	to wash oneself
lavorare (v.)	to work
lavoratore (sm.)	worker
lavoro (sm.)	work, job
lavoro temporaneo	temporary job
legare (v.)	to tie, to connect
leggero (agg.)	light
letteratura (sf.)	literature
letto (sm.)	bed
lettore (sm.)	reader
lettrice (sf.)	reader
lettura (sf.)	reading
libero (agg.)	free
libreria (sf.)	book store
libro (sm.)	book
libro di cucina	cookbook
libro giallo	detective novel
licenziare (v.)	to fire
lingua (sf.)	tongue, language
linguaggio (sm.)	language
linguistico (agg.)	linguistic
luglio (sm.)	July
luna (sf.)	moon
luna di miele	honeymoon
lunedì (sm.)	Monday
lungo (agg.)	long
luogo (sm.)	place
luogo comune	commonplace
luogo pubblico	public place
ma (cong.)	but

Italian	English
macchina (sf.)	car
madre (sf.)	mother
magari (avv./cong.)	perhaps, if only
maggio (sm.)	May
maggiore (agg.)	older
la maggior parte	*most of, the majority of*
maglietta (sf.)	T-shirt
maglione (sm.)	sweater, pullover
mai (avv.)	never, not ever
malattia (sf.)	sickness, disease
male (avv.)	bad
male (sm.)	something bad or evil
mal di denti	*toothache*
mal di stomaco	*stomach ache*
mammismo (sm.)	'mama's boy' phenomenon
mammone (agg.)	'mama's boy'
mandare (v.)	to send
mandare un messaggio	*to send a message*
mangiare (v.)	to eat
mano (sf.)	hand
alla mano	*close at hand, handy*
marea (sf.)	tide
marito (sm.)	husband
martedì (sm.)	Tuesday
marzo (sm.)	March
maternità (sf.)	maternity
matricola (sm./sf.)	freshman
matrimonio (sm.)	marriage, wedding
mattina (sf.)	morning
medicina (sf.)	medicine
medicina allopatica	*allopathic medicine*
medico (sm.)	doctor
meglio (avv.)	better
mela (sf.)	apple
memorizzare (v.)	to memorize
meno (avv.)	less
meno male	*at least, just as well*
mentre (cong.)	while
mercato (sm.)	market
mercoledì (sm.)	Wednesday
meridionale (agg.)	southern
mese (sm.)	month
mèta (sf.)	goal
metalmeccanico (agg.)	metalwork
metodo (sm.)	method
metro (sm.)	meter (measurement)
metropolitana (sf.)	subway
mettere (v.)	to put, to put on, to wear
mettere a disagio	*to make uncomfortable*
mettere a disposizione	*to make available*
metterci	*to put, to require*
mezzanotte (sf.)	midnight
mezzo (agg.)	half
mezzogiorno (sm.)	noon
migliore (agg.)	better
militante (agg.)	militant
minacciare (v.)	to threaten
miracolo (sm.)	miracle
miseria (sf.)	poverty
modalità d'uso (sm.)	mode of use
modestia (sf.)	modesty, humility
modo (sm.)	way
moglie (sf.)	wife
molto (agg./avv.)	very much
mondo (sm.)	world
montagna (sf.)	mountain
morire (v.)	to die
morso (sm.)	bite
morto (agg.)	dead
mostrare (v.)	to show
motivo (sm.)	reason
motocicletta (sf .abbr.: moto)	motorcycle
motorino (sm.)	scooter, motorbike
mulino (sm.)	mill
multimedialità (sf.)	multimedia
muro (sm.)	wall
museo (sm.)	museum
mutuo (sm.)	mortgage
narrativa (sf.)	narrative
narrazione (sf.)	narration
nascere (v.)	to be born
nascita (sf.)	birth
nascondere (v.)	to hide
naso (sm.)	nose
natalità (sf.)	birth, natality
necessario (agg.)	necessary
negare (v.)	to deny
negozio (sm.)	store, shop
neonato (sm.)	newborn
nero (agg.)	black
nessuno (agg./pron)	none, no one
neve (sf.)	snow
nevicare (v.)	to snow
nido (sm.)	nest
niente (avv.)	nothing
noia (sf.)	boredom
noioso (agg.)	boring, tedious
non (avv.)	not
nonna (sf.)	grandmother
nonno (sm.)	grandfather
nonostante (cong.)	although
nonostante (prep.)	despite
notare (v.)	to notice, to note
notizia (sf.)	news
notte (sf.)	night
numero (sm.)	number
nuotare (v.)	to swim
nuovo (agg.)	new
nutrizionista (sm./sf.)	nutritionist
obiettivo (sm.)	objective
occhiali (sm.)	glasses
occhio (sm.)	eye
odio (sm.)	hate
offrire (v.)	to offer
oggetto (sm.)	object
oggi (avv.)	today
OGM (sf.)	genetically-modified foods
ogni (agg.)	each, every
ogni tanto	every so often
ognuno (pron.)	each one
ombrello (sm.)	umbrella
omeopatia (sf.)	homeopathy
onestà (sf.)	honesty
operaio (sm.)	worker
operatore di call center (sm.)	telemarketer
opportunità (sf.)	opportunity
oppure (cong.)	or
ora (sf.)	hour, time
ora di punta	*rush hour*
ordinare (v.)	to order
orecchio (sm.)	ear
organizzare (v.)	to organize
ormai (avv.)	by now
orologio (sm.)	clock, watch
ospedale (sm.)	hospital
ospite (sm./sf.)	guest
osservare (v.)	to observe
osservare le regole	*to follow the rules*
ossigeno (sm.)	oxygen
ottimismo (sm.)	optimism
ovunque (avv.)	everywhere
ozono (sm.)	ozone
padre (sm.)	father
paese (sm.)	country, village
pagare (v.)	to pay
pagina (sf.)	page
paio (sm.)	pair
palazzo (sm.)	apartment building, palace
palestra (sf.)	gym
pancia (sf.)	stomach, belly
panino (sm.)	sandwich
pantaloni (sm.)	pants
pappa reale (sf.)	royal jelly
parcheggio (sm.)	parking space
parente (sm./sf.)	relative
parere (v.)	to appear
pari (agg.)	equal, even (numbers)
al pari di	*equal to, same as*
parte (sf.)	part
parte integrante	*integral part*
partecipare (v.)	to take part
partire (v.)	to depart, to leave
partorire (v.)	to give birth
passare (v.)	to pass
passare il tempo	*to spend one's time*
passeggiare (v.)	to go for a walk, to go walking, to stroll
passione (sf.)	passion
pasto (sm.)	meal
patata (sf.)	potato
patrimonio (sm.)	heritage
patrimonio artistico	*artistic heritage*

patto (sm.)	pact	porre (v.)	to put, to place	punto (sm.)	point
a patto che	*on the condition that*	porta (sf.)	door	*punto di riferimento*	*reference point*
		portare (v.)	to bring, to carry	*punto di vista*	*point of view*
paura (sf.)	fear	*portare (indossare)*	*to wear, to be dressed in*	purché (cong.)	provided that
pazienza (sf.)	patience			qual/quale (agg./pr.)	what, which
peggio (avv.)	worse	portico (sm.)	portico	qualche (agg.)	some
peggiore (agg.)	worst	posta (sf.)	mail	*qualche volta*	*sometimes*
pelle (sf.)	skin	posto (sm.)	sit	qualcosa (pr.)	something
pelliccia (sf.)	fur	potere (v.)	can, to be able to	qualcuno (pr.)	someone
penna (sf.)	pen	pranzare (v.)	to have lunch	qualità (sf.)	quality
pensare (v.)	to think	pranzo (sm.)	lunch	quando (avv./cong.)	when
pentirsi (v.)	to repent	prassi (sf.)	practice, praxis	quanto (agg./pr.)	how much
perché (avv.)	why	predilezione (sf.)	preference	quartiere (sm.)	neighborhood
perché (cong.)	because	preferire (v.)	to prefer	quasi (avv.)	almost
perdonare (v.)	to forgive, pardon	pregare (v.)	to pray, to beg	quello (agg./pr.)	that
perfino (avv.)	even	pregiudizio (sm.)	prejudice	questo (agg./pr.)	this
pericoloso (agg.)	dangerous	prego (inter.)	you're welcome	quotidiano (agg.)	daily, everyday
periferia (sf.)	suburbs	premuroso (agg.)	concerned	quotidiano (sm.)	daily newspaper
permesso di soggiorno (sm.)	visa	prendere (v.)	to take	raccolta	
		prendere il treno	*to take the train*	differenziata (sf.)	recycling
però (cong.)	but, however	*prendersi cura di …*	*to take care of, responsibility for*	raccontare (v.)	to tell a story
persona (sf.)	person			racconto (sm.)	story
personaggio (sm.)	character	prenotare (v.)	to book, to make a reservation	raffinatezza (sf.)	refinement
pesante (agg.)	heavy			raffreddore (sm.)	cold
pesce (sm.)	fish	preoccuparsi (v.)	to worry	rammarico (sm.)	regret, bitterness
pessimismo (sm.)	pessimism	preoccupato (agg.)	worried	rancore (sm.)	rancour
pesticida (sm.)	pesticide	presiedere (v.)	to preside over	razzismo (sm.)	racism
petto (sm.)	chest	prestare (v.)	to lend	realistico (agg.)	realistic
petto di pollo	*chicken breast*	*prestare attenzione*	*to pay attention*	reazione (sf.)	reaction
piacere (escl.)	pleased to meet you	prestito (sm.)	loan	recensione (sf.)	review
		presto (avv.)	soon	recidere (v.)	to cut
piacere (v.)	to like	prezzo (sm.)	price	recuperare (v.)	to recuperate, to restore
piacevole (agg.)	pleasant	prima (avv.)	before		
pianificare (v.)	to plan	primo (agg.)	first	recupero (sm.)	restoration
piano (sm.)	floor	principe azzurro (sm.)	man of one's dreams	regalo (sm.)	gift
pianta (sf.)	plant			regione (sf.)	region
piantare (v.)	to plant	problema (sm.)	problem	repertorio (sm.)	repertory
piatto (sm.)	course	prodotto (sm.)	product	respingere (v.)	to reject
piazza (sf.)	piazza, square	professione (sf.)	profession, occupation	restare (v.)	to remain, to stay
piccante (agg.)	spicy			restaurare (v.)	to restore, to repair
piede (sm.)	foot	professore (sm.)	Professor, teacher		
in piedi	*standing*	professoressa (sf.)	Professor, teacher	restituire (v.)	to give back, to return
pigro (agg.)	lazy	progetto (sm.)	project		
pillola (sf.)	pill	*progetto di recupero*	*restoration project*	resto (sm.)	change
pioggia (sf.)	rain	programma (sm.)	program, plan	ricco (agg.)	rich
piovere (v.)	to rain	progresso (sm.)	progress	ricetta (sf.)	recipe
piscina (sf.)	swimming pool	prole (sf.)	offspring	ricevere (v.)	to receive
più (avv.)	more	promozione (sf.)	publicity, promotion	riciclare (v.)	to recycle
per lo più	*for the most part*			riconoscenza (sf.)	recognition
po' (poco) (avv.)	a little	pronunciare (v.)	to pronounce	ricordare (v.)	to remember
un po' di	*a small amount of...*	proseguire (v.)	to go on	ricorrenza (sf.)	recurring event (as in a holiday observation)
		protagonista (sf./sm.)	protagonist		
poco (agg.)	not much	proteggere (v.)	to protect		
poesia (sf.)	poetry	protesta (sf.)	protest	ridere (v.)	to laugh
poi (avv.)	then	provare (v.)	to try	riempire (v.)	to fill
poiché (cong.)	since	*provare (un vestito)*	*to try on (clothes)*	rifiutare (v.)	to refuse
pollo (sm.)	chicken	provocare (v.)	to provoke	rifiuto (sm.)	refuse, rejection
polo (sm.)	pole	provocazione (sf.)	provocation	rifiuto (sm.)	
pomata (sf.)	salve	prudenza (sf.)	prudence	(immondizia)	refuse, garbage
pomeriggio (sm.)	afternoon	pubblicità (sf.)	advertising	riga (sf.)	line
pomodoro (sm.)	tomato	pubblico (agg.)	public	riguardare (v.)	to have to do with
popolo (sm.)	people, populace	pulire (v.)	to clean	rilassante (agg.)	relaxing

Italian	English
rilassarsi (v.)	to relax
rimanere (v.)	to stay, to remain
rimbalzare (v.)	to bounce back, to rebound
rimborso (sm.)	repayment
rimpiangere (v.)	to regret
rinnovare (v.)	to renew
rinunciare (v.)	to renounce, to give up
ripetere (v.)	to repeat
riposarsi (v.)	to rest
riposo (sm.)	rest
rischiare (v.)	to risk
risorsa (sf.)	resource
risparmiare (v.)	to save
ritardo (sm.)	delay
rito (sm.)	rite
ritornare (v.)	to return
riuscire (v.)	to be able
rivista (sf.)	magazine
rivolgersi (v.)	to address
romanzo (sm.)	novel
romanzo d'amore	romance novel
romanzo d'avventura	adventure novel
rompere (v.)	to break
rompere il ghiaccio	to break the ice
rosso (agg.)	red
rovina (sf)	ruin
rovinare (v.)	to ruin
rumore (sf.)	noise
rumoroso (agg.)	noisy
sabato (sm.)	Saturday
sacco (sm.)	sack, bag
un sacco	a bunch, a lot
un sacco di…	a lot of
saggio (sm.)	essay
sala d'aspetto (sf.)	waiting room
salato (agg.)	salted, salty
sale (sm.)	salt
sale minerale	mineral salt
salire (v.)	to go up, to rise, to get on
saltare (v.)	to jump, to skip
saltare il pranzo	to skip a meal
salutare (v.)	to greet, to say goodbye
salute (sf.)	health
sano (agg.)	healthy
santuario (sm.)	sanctuary
sapere (v.)	to know (something)
sapone (sm.)	soap
sazio (agg.)	full, satiated
sbagliare (v.)	to make a mistake
sbagliato (agg.)	wrong, mistaken
sbaglio (sm.)	mistake, error
scadenza (sf.)	expiration, deadline
scadere (v.)	to run out
scambio (sm.)	exchange
scandagliare (v.)	to sound out, to find out
scaricare da internet (v.)	to download
scarico (sm.)	exhaust
scarpe (sf.)	shoes
scatenare (v.)	to unleash
scatola (sf.)	box
scegliere (v.)	to select, to choose
scendere (v.)	to go down, to get off (bus, train plane etc), to get out of (car)
sceneggiatura (sf.)	screenplay, script
schermo (sm.)	screen
scherzare (v.)	to joke
schiena (sf.)	back
sciare (v.)	to ski
scioglimento (sm.)	undoing, dissolving, melting
sciopero (sm.)	strike
scontrino (sm.)	receipt
scopa (sf.)	broom
scoperta (sf.)	discovery
scoprire (v.)	to discover
scorrettezza (sf.)	impoliteness
scorso (agg.)	last
scottarsi (v.)	to get burned
scrittore (sm.)	writer
scrittrice (sf.)	writer
scuola (sf.)	school
scuola dell'obbligo	requird schooling
scuro (agg.)	dark
scusa (sf.)	excuse
scusare (v.)	to excuse
scusa	excuse me
scusi	excuse me (formal)
sdraiarsi (v.)	to lay down
sdrammatizzare (v.)	to minimize, to reduce tension
sebbene (cong.)	although
secondo (agg.)	second
secondo me/te	in my/your opinion
sede (sf.)	main office
sedersi (v.)	to sit down
sedia (sf.)	chair, seat
segretaria (sf.)	secretary
segretario (sm.)	secretary
seguire (un corso) (v.)	take (a course)
sembrare (v.)	to seem, to appear
semestre (sm.)	six-month period, semester
seminario (sm.)	seminar, course
semplice (agg.)	simple
sempre (avv.)	always
sensibilità (sf.)	sensitivity
senso (sm.)	sense
sentire (v.)	to hear, to feel, etc
sentirsi (v.)	to feel
sentirsi a proprio agio	to feel comfortable
sentirsi al sicuro	to feel safe
senza (prep.)	without
sera (sf.)	evening
serietà (sf.)	seriousness
serio (agg.)	serious
serra (sf.)	greenhouse
servire (v.)	to serve, to be useful
settentrionale (agg.)	northern
settimana (sf.)	week
severità (sf.)	severity
sfatare (v.)	to debunk
sfida (sf.)	challenge
sfilata (sf.)	demonstration
sforzarsi (v.)	to make an effort
sforzo (sm.)	effort
sfuggire (v.)	to evade, to flee
siccità (sf.)	drought
sicurezza (sf.)	security
sicuro (agg.)	safe, sure, secure
significare (v.)	to mean
silenzioso (agg.)	quiet
simile (agg.)	similar
sincerità (sf.)	sincerity
sindacato (sm.)	union
sindaco (sm.)	mayor
sindrome di Down (sf.)	Down's Syndrome
sinistra (sf.)	left
sito (sm.)	site
smentire (v.)	to deny
sms (sm.)	text message
soffrire (v.)	to suffer
sognare (v.)	to dream
sogno (sm.)	dream
soldi (sm.)	money
solidale (agg.)	empathetic
solidarietà (sf.)	solidarity
solo (agg.)	alone, only
solo (avv.)	only
sommergere (v.)	to submerge
sopportare (v.)	to bear, to put up with
sopprimere (v.)	to suppress
soprattutto (avv.)	above all
sorella (sf.)	sister
sorridere (v.)	to smile
sorriso (sm.)	smile
sottolineare (v.)	to underline, to emphasize
sottovalutare (v.)	to underestimate, to undervalue
spacciatore (sm.)	dealer, drug dealer
spalla (sf.)	shoulder, back
spaventare (v.)	to scare
spazio (sm.)	space
specie (sf.)	species
speculazione (sf.)	speculation
spedire (v.)	to send
spegnere (v.)	to switch off
spendere (v.)	to spend
sperare (v.)	to hope

Italian	English
spesso (avv.)	often
speziato (agg.)	spiced
spiaggia (sf.)	beach
spiccare il volo (v.)	to take flight
spietato (agg.)	pitiless
sportello (sm.)	teller's window
sposarsi (v.)	to get married
sposato (agg.)	married
spostamento (sm.)	change of place
sprecare (v.)	to waste
spuntino (sm.)	snack
staccare (v.)	to detach, to unplug
staccare la spina	*to pull the plug*
stagione (sf.)	season
stagno (sm.)	pond
stampa (sf.)	press
stancarsi (v.)	to tire oneself
stanco (agg.)	tired
stanza (sf.)	room
stare (v.)	to remain, to stay, to be
stare bene/male	*to be well/unwell*
stato (sm.)	state
stato d'animo	*state of mind*
stereotipo (sm.)	stereotype
stimolo (sm.)	stimulus
stipendio (sm)	salary
storia (sf.)	history
storico (agg.)	historical
strada (sf.)	street
strada asfaltata	*paved road*
straniero (agg.)	foreign
straniero (sm.)	foreigner
strano (agg.)	strange
strega (sf.)	witch
stressante (agg.)	stressful
striscia (sf.)	stripe
striscia pedonale	*crosswalk*
studente (sm.)	student
studentessa (sf.)	student
subire (v.)	to undergo
subito (avv.)	immediately
succedere (v.)	to happen
suggerire (v.)	to suggest
suonare (v.)	to ring, to sound
superbia (sf.)	pride
superficialità (sf.)	superficiality
suscitare interesse (v.)	to arouse interest
sussidio (sm.)	subsidy
svegliarsi (v.)	to wake up
tagliare (v.)	to cut
tanto (agg.)	so much, such
tanto (avv.)	so
tasso (sm)	rate
tavolo (sm.)	table
teatro (sm.)	theater
telefonare (v.)	to telephone
tema (sm.)	theme, paper
tempo (sm.)	time, weather
tenere (v.)	to hold
tenerezza (sf.)	tenderness
terzo (agg.)	third
tessera (sf.)	membership card
testa (sf.)	head
tetto (sm.)	roof
il tetto familiare	*the family home*
timido (agg.)	shy
timore (sm.)	fear
tirare (v.)	to draw, to pull
tolleranza (sf.)	tolerance
tornare (v.)	to turn, to return
torrente (sm.)	stream
torta (sf.)	cake
tossina (sf.)	toxin
tra/fra (prep.)	between, among, in, within
tradurre (v.)	to translate
traffico (sm.)	traffic
trama (sf.)	plot
tramandarsi (v.)	to hand down
tranquillo (agg.)	calm, quiet, tranquil
trarre (v.)	to pull, to draw out
trascinare (v.)	to drag
trasferirsi (v.)	to move house
trasmettere (v.)	to broadcast
trattare (v.)	to deal with
treno (sm.)	train
triste (agg.)	sad
troppo (avv.)	too, too much
trovare (v.)	to find
tuttavia (cong.)	nevertheless, still
tutto (agg./pr.)	all
tuttora (avv.)	still, even now
ufficio (sm.)	office
uliveto (sm.)	olive tree grove
ultimo (agg.)	last
uomo (sm.)	man
uovo (sm.) (pl.: uova, sf.)	egg
urlare (v.)	to yell
urtare (v.)	to bump
urtare la sensibilità	*to offend*
usanza (sf.)	custom
uscire (v.)	to go out
uscita (sf.)	exit
utente (sm.)	user
utile (agg.)	useful
uva (sf.)	grapes
vacanza (sf.)	vacation
vaccinazione (sf.)	vaccination
valere la pena di (v.)	to be worth it
valore (sm.)	value
valore nutrizionale	*nutritional value*
vecchio (agg.)	old
velenoso (agg.)	poisonous
veloce (agg.)	fast, quick
vendicativo (agg.)	vindictive
venerdì (sm.)	Friday
venire (costare) (v.)	to come to, to cost
vento (sm.)	wind
veramente (avv.)	really
verde (agg.)	green
verdura (sf.)	vegetables
vergogna (sf.)	shame
vergognarsi (v.)	to be ashamed
vero (agg.)	true, real
verso (prep.)	towards
vestirsi (v.)	to dress, to get dressed
vestito (sm.)	dress
viaggiare (v.)	to travel
vicino (agg.)	neighbour
vicino a (prep.)	near to
vicolo (sm.)	alley
videogioco (sm.)	videogame
vigliaccheria (sf.)	cowardice
visitare (v.)	to visit
vita (sf.)	life
vittima (sf.)	victim
vivace (agg.)	lively
vivere (v.)	to live
vivo (agg.)	alive
vizio (sm.)	vice
voglia (sf.)	desire, wish
volere (v.)	to want
volere bene a…	to love
volta (sf.)	time
volume (sm.)	volume
zaino (sm.)	backpack

Glossary in alphabetical order

English-Italian

English	Italian
a bunch	un sacco
a little	po' (poco) (avv.)
a lot	molto (avv.)
a lot of	un sacco di (loc.)
a small amount of	un po' di (loc.)
above all	innanzitutto (avv.), soprattutto (avv.)
abroad	all'estero (avv.)
absolutely	assolutamente (avv.)
abuse	abuso (sm.)
abusive	abusivo (agg.)
accent	accento (sm.)
to accompany	accompagnare (v.)
actor	attore (sm.)
actress	attrice (sf.)
to add	aggiungere (v.)
address	indirizzo (sm.)
to address	rivolgersi (v.)
adolescence	adolescenza (sf.)
advertising	pubblicità (sf.)
advice	consiglio (sm.)
after	dopo (avv./prep./cong.)
afternoon	pomeriggio (sm.)
agency	agenzia (sf.)
agent	agente (sm.)
real estate agent	agente immobiliare
to agree with someone	andare d'accordo (v.)
air conditioning	aria condizionata (sf.)
aircraft	aereo (sm.)
alive	vivo (agg.)
all	tutto (agg./pr.)
allergy	allergia (sf.)
alley	vicolo (sm.)
almost	quasi (avv.)
already	già (avv.)
also	anche (cong.)
although	nonostante (cong.)
always	sempre (avv.)
among	tra/fra (prep.)
analysis	analisi (sf.)
ancient	antico (agg.)
animated cartoon	cartone animato (sm.)
anniversary	anniversario (sm.)
announcement board	bacheca degli annunci (sf.)
another	altro (pron./agg.)
any	alcuno (pron./agg.)
anyone	chiunque (pron.)
anyway	comunque (avv.)
aperitif	aperitivo (sm.)
to appear	parere (v.)
appetizer	antipasto (sm.)
apple	mela (sf.)
appointment	appuntamento (sm.)
to approach	avvicinarsi (v.)
architect	architetto (sm.)
arcipelago	arcipelago (sm.)
aristocratic	aristocratico (agg.)
arm	braccio (sm.)
to arouse interest	suscitare interesse (v.)
arrival	arrivo (sm.)
ash	cenere (sf.)
to ask	domandare (v.)
assembly	assemblea (sf.)
to associate	associare (v.)
at least	meno male
at one blow	in un colpo solo
atmospheric	atmosferico (agg.)
to attach/to attack	attaccare (v.)
to attend	frequentare (v.)
attitude	atteggiamento (sm.)
to attract	attirare (v.)
to attribute	attribuire (v.)
author	autore (sm.), autrice (sf.)
available	disponibile (agg.)
availability	disponibilità (sf.)
to avoid	evitare (v.)
to avoid doing something	guardarsi dal fare qualcosa (v.)
back	schiena (sf.), dietro (prep.)
backpack	zaino (sm.)
bad	cattivo (agg.), male (avv.)
bad side	lato negativo (sm.)
bag	sacco (sm.)
balcony	balcone (sm.)
bandage	benda (sf.)
base	fondo (sm.)
basically	in fondo
bathroom	bagno (sm.)
to be	essere (v.)
to be able to	riuscire, potere (v.)
to be acquainted with	conoscere (v.)
to be ashamed	vergognarsi (v.)
to be based on	basarsi (v.)
to be best	convenire (v.)
to be born	nascere (v.)
to be called, named	chiamarsi (v.)
to be dieting	essere a dieta (v.)
to be enough	bastare (v.)
to be fasting	essere a digiuno (v.)
to be hot (weather)	fare caldo (v.)
to be hungry	avere fame (v.)
to be important	essere importante, importare (v.)
to be linked to	essere legati a (v.)
to be sorry	dispiacere (v.)
to be useful	servire (v.)
to be well/unwell	stare bene/male (v.)
to be worth it	valere la pena di (v.)
beach	spiaggia (sf.)
to bear	sopportare (v.)
because	perché (cong.)
beautiful	bello (agg.)
to become	diventare (v.)
bed	letto (sm.)
bedroom	camera da letto (sm.)
before	prima (avv.)
to beg	pregare (v.)
to begin	cominciare (v.)
to behave	comportarsi (v.)
behaviour	comportamento (sm.)
behind	dietro (avv.)
to believe	credere (v.)
belly	pancia (sf.)
belt	cinta (sf.)
benefit	beneficio (sm.)
berth	cuccetta (sf.)
beside	accanto a (prep.)
Best wishes!	auguri! (escl.)
better	meglio (avv.), migliore (agg.)
between	tra/fra (prep.)
beyond	al di fuori di (prep.)
bicycle/bike	bicicletta/bici (sf.)
big	largo (agg.)
bill	conto (sm.)
birth	nascita (sf.)
birthday	compleanno (sm.)
dropping birthrate	denatalità (sf.)
bite	morso (sm.)
bitter	amaro (agg.)
black	nero (agg.)
boat	barca (sf.)
to boil	bollire (v.)
book	libro (sm.)
book store	libreria (sf.)
to book	prenotare (v.)
boredom	noia (sf.)
boring	noioso (agg.)
bottle	bottiglia (sf.)
to bounce back	rimbalzare (v.)
box	scatola (sf.)

Glossary

English	Italian
to brake	frenare (v.)
to break	rompere (v.)
'break a leg!'	in bocca al lupo (loc.)
to break the ice	rompere il ghiaccio (v.)
breakfast	colazione (sf.)
to bring	portare (v.)
to broadcast	trasmettere (v.)
broom	scopa (sf.)
broth	brodo (sm.)
brother	fratello (sm.)
building	edificio (sm.)
apartment building	palazzo (sm.)
to bump	urtare (v.)
bureaucracy	burocrazia (sf.)
but	ma, però, bensì (cong.)
butter	burro (sm.)
to buy	comprare (v.)
by now	ormai (avv.)
cake	torta (sf.)
calm	calmo, tranquillo (agg.)
caloric	calorico (agg.)
calorie	caloria (sf.)
can	potere (v.)
to cancel	cancellare (v.)
candidate	candidato (sm.)
car	macchina (sf.)
to care for	curare (v.)
to carry	portare (v.)
to celebrate	festeggiare (v.)
cell phone	cellulare (sm.)
center	centro (sm.)
city center	centro (della città) (sm.)
chair	sedia (sf.)
challenge	sfida (sf.)
change	resto (sm.)
to change	cambiare (v.)
change of place	spostamento (sm.)
chaotic	caotico (agg.)
character	personaggio (sm.)
characteristic	caratteristica (sf.)
charming	affascinante (agg.)
to chat	chiacchierare (v.)
cheap	economico (agg.)
to check	controllare (v.)
cheerful	allegro (agg.)
cheerfulness	allegria (sf.)
chef	chef, cuoco (sm.)
chest	petto (sm.)
chicken	pollo (sm.)
chicken breast	petto di pollo (sm.)
childcare worker	animatore (sm.)
to choose	scegliere (v.)
church	chiesa (sf.)
circumstance	circostanza (sf.)
classroom	aula, classe (sf.)
to clean	pulire (v.)
clerk	impiegato (sm.), impiegata (sf.)
clock	orologio (sm.)
to close	chiudere (v.)
closed	chiuso (agg.)
coincidence	coincidenza (sf.)
cold	freddo (agg.), raffreddore (sm.)
colleague	collega (sm./sf.)
comfortable	comodo (agg.)
to come to	venire (costare) (v.)
comic book	fumetto (sm.)
commitment	impegno (sm.)
to communicate	comunicare (v.)
community	comunità (sf.)
companion	compagna (nella vita) (sf.)
compared to	in confronto a (prep.)
comparison	confronto (sm.)
competitiveness	competitività (sf.)
to complain	lamentarsi (v.)
to concentrate	concentrarsi (v.)
concerned	premuroso (agg.)
to conclude	concludersi (v.)
congressperson	deputato (sm.)
to connect	collegarsi (v.)
consultation	consultazione (sf.)
to contact	entrare in contatto (v.)
contents	contenuto (sm.)
to continue	continuare (v.)
contraception	contraccezione (sf.)
contrary	contrario (agg.)
on the contrary	al contrario (avv.)
to contribute	contribuire (v.)
convenient	comodo (agg.)
to cook	cuocere (v.)
cook	cuoco (sm.)
cookbook	libro di cucina (sm.)
cookie	biscotto (sm.)
cooking	cucina (sf.)
correct	giusto (agg.)
to corrupt	corrompere (v.)
to cost	costare (v.)
couchette	cuccetta (sf.)
to count	contare (v.)
country	paese (sm.)
countryside	campagna (sf.)
courage	coraggio (sm.)
course	corso (sm.), piatto (sm.)
cover	copertina (sf.)
cowardice	vigliaccheria (sf.)
cradle	culla (sf.)
cream	crema (sf.)
credit card	carta di credito (sf.)
to criticize	criticare (v.)
to cross	attraversare (v.)
crossroads	incrocio (sm.)
crosswalk	striscia pedonale
to crowd	affollarsi (v.)
cult	culto (sm.)
cultivation	coltivazione (sf.)
custom	usanza (sf.)
customer	cliente (sm.)
to cut	tagliare (v.)
cute	carino (agg.)
daily	quotidiano (agg.)
daily newspaper	quotidiano (sm.)
to dance	ballare (v.)
dangerous	pericoloso (agg.)
dark	scuro (agg.)
date	data (sf.), appuntamento (sm.)
dating service	agenzia matrimoniale (sf.)
daughter	figlia (sf.)
days off	ferie (sf.)
dead	morto (agg.)
deadline	scadenza (sf.)
to deal with	trattare (v.)
dealer	spacciatore (sm.)
debt	debito (sm.)
national debt	debito pubblico
to debunk	sfatare (v.)
decay	degrado (sm.)
to decide	decidere (v.)
decline	declino (sm.)
decrease	decremento (sm.)
defect	difetto (sm.)
to defend	difendere (v.)
deforestation	disboscamento (sm.)
degree	laurea (sf.)
delay	ritardo (sm.)
to demonstrate	dimostrare (v.)
demonstration	sfilata (sf.)
to deny	negare, smentire (v.)
to depart	partire (v.)
department	facoltà (sf.)
to depend	dipendere (v)
it depends	dipende (v.)
dependency	dipendenza (sf.)
desire	voglia (sf.), desiderio (sm.)
despite	nonostante (prep.)
dessert	dolce (sm.)
to detach	staccare (v.)
detoxifying	disintossicante (sm.)
to die	morire (v.)
different	diverso (agg.)
difficulty	difficoltà (sf.)
digestive	digestivo (agg.)
digital	digitale (agg.)
to dine	cenare (v.)
dinner	cena (sf.)
disabled	disabile (agg.)
discharge	congedo (sm.)
to discover	scoprire (v.)
discovery	scoperta (sf.)

English	Italian	English	Italian	English	Italian
discrimination	discriminazione (sf.)	essay	saggio (sm.)	flank	fianco (sm.)
to discuss	discutere (v.)	to establish	instaurare (v.)	flavour	gusto (sm.)
disease	malattia (sf.)	to evade	evadere, sfuggire (v.)	to flee	sfuggire (v.)
dishonesty	disonestà (sf.)			flexibility	flessibilità (sf.)
disorganized	disordinato (agg.)	even	perfino (avv.)	flip-flops	infradito (sm.)
to disperse	disperdere (v.)	*even now*	*tuttora (avv.)*	flood	alluvione (sf.)
to displease	dispiacere (v.)	evening	sera (sf.)	floor	piano (sm.)
disrespectful	dispettoso (agg.)	every	ogni (agg.)	to follow	seguire (v.)
to disturb	disturbare (v.)	*every so often*	*ogni tanto*	*to follow the rules*	*osservare le regole (v.)*
to do	fare (v)	*everywhere*	*ovunque (avv.)*		
to do the shopping	*fare la spesa (v.)*	examination	esame (sm.)	food	cibo (sm.)
doctor	medico (sm.)	example	esempio (sm.)	*food package*	*confezione alimentare*
door	porta (sf.)	exchange	scambio (sm.)		
Down's Syndrome	sindrome di Down (sf.)	to excuse	scusare (v.)	foot	piede (sm.)
		excuse me	*scusa*	to force	costringere (v.)
to download	scaricare da internet (v.)	*excuse me (formal)*	*scusi*	foreign	estero, estraneo (agg.)
		excuse	scusa (sf.)		
to drag	trascinare (v.)	exercise	esercizio (sm.)	foreigner	estraneo, straniero (sm.)
to draw	tirare (v.)	exhaust	scarico (sm.)		
dream	sogno (sm.)	*exhaust fume*	*gas di scarico (sm.)*	to forget	dimenticare (v.)
to dream	sognare (v.)	exit	uscita (sf.)	formation	formazione (sf.)
dress	vestito (sm.)	expensive	caro, costoso (agg.)	free	libero (agg.)
to dress	vestirsi (v.)	*not expensive*	*economico (agg.)*	to frequent	frequentare (v.)
to drink	bere (v.)	expiration	scadenza (sf.)	freshman	matricola (sm./sf.)
drink	bevanda (sf.)	to express oneself	esprimersi (v.)	Friday	venerdì (sm.)
to drive	guidare (v.)	extinction	estinzione (sf.)	full	sazio (agg.)
drought	siccità (sf.)	eye	occhio (sm.)	fun	buffo, divertente (agg.)
during	durante (prep.)	facade	facciata (sf.)		
each	ogni (agg.)	to face up to	fronteggiare (v.)	fur	pelliccia (sf.)
each one	ognuno (pron.)	factory	fabbrica (sf.)	to furnish	fornire (v.)
ear	orecchio (sm.)	to fail	fallire (v.)	garbage	immondizia (sf.)
to ease	facilitare (v.)	to fall asleep	addormentarsi (v.)	garden	giardino (sm.)
easy	facile (agg.)	family	famiglia (sf.)	generosity	generosità (sf.)
to eat	mangiare (v.)	*family home*	*casa famiglia*	genetically-modified foods	OGM (sf.)
effect	effetto (sm.)	*the family home*	*il tetto familiare*		
effort	fatica (sf.), sforzo (sm.)	fantasy, imagination	fantasia (sf.)	genre	genere
		fast	digiuno (sm.)	to gesture	gesticolare (v.)
egg	uovo (sm.) (pl.: uova, sf.)	fast	veloce (agg.)	to get angry	arrabbiarsi (v.)
		father	padre (sm.)	to get bored	annoiarsi (v.)
egoism	egoismo (sm.)	favour	favore (sm.)	to get burned	scottarsi (v.)
electrosmog	elettrosmog (sm.)	fear	paura (sf.)	to get by	arrangiarsi (v.)
embarrassing	imbarazzante (agg.)	February	febbraio (sm.)	to get dressed	vestirsi (v.)
to embrace	abbracciare (v.)	*to feel*	*sentirsi (v.)*	to get on	salire (v.)
embrace	abbraccio (sm.)	*to feel comfortable*	*sentirsi a proprio agio (v.)*	to get out of (car)	scendere (v.)
emission	emissione (sf.)			to get off (bus, train plane etc)	scendere (v.)
empathetic	solidale (agg.)	*to feel safe*	*sentirsi al sicuro (v.)*		
to encircle	circondare (v.)	fertilizer	fertilizzante (sm.)	to get married	sposarsi (v.)
energy	energia (sf.)	fever	febbre (sf.)	to get up	alzarsi (v.)
engaged	fidanzato/a (agg.)	fiancé	fidanzato (sm.), fidanzata (sf.)	to get used to	abituarsi (v.)
to enjoy oneself	divertirsi (v.)			gift	dono, regalo (sm.)
enjoyable	divertente (agg.)	fibre	fibra (sf.)	to give	dare (v.)
to enter	entrare (v.)	to fight for	battersi (v.)	*to give back*	*restituire (v.)*
entrance	entrata (sf.)	figure	figura (sf.)	*to give birth*	*partorire (v.)*
envelope	busta (sf.)	to figure out	indovinare (v.)	*to give up*	*rinunciare (v.)*
environment	ambiente (sm.)	to fill	riempire (v.)	*to give voice to*	*dare voce a (v.)*
environmental	ambientale (agg.)	finally	finalmente (avv.)	glacier	ghiacciaio (sm.)
to envy	invidiare (v.)	to find	trovare (v.)	glass	bicchiere (sm.)
equal	pari (agg.)	to find out	scandagliare (v.)	glasset	occhiali (sm.)
equal to	*al pari di*	finger	dito (sm.)	go!	forza! (escl.)
to erase	cancellare (v.)	to fire	licenziare (v.)	to go	andare (v.)
error	errore (sm.)	first	primo (agg.)	*to go around/round*	*girare (v.)*
		fish	pesce (sm.)	*to go down*	*scendere (v.)*

English	Italian
to go for a walk	fare una passeggiata (v.)
to go on	proseguire (v.)
to go on line	collegarsi (a internet) (v.)
to go out	uscire (v.)
to go up	salire (v.)
to go walking	passeggiare (v.)
goal	mèta (sf.)
good	bene (avv./sm.), buono (agg.)
artistic good	*bene artistico*
cultural good	*bene culturale*
good/bad impression	*bella/brutta figura*
good side	*lato positivo*
goodbye	arrivederci (inter.)
to graduate from university	laurearsi (v.)
graduated	laureato (agg.)
grandfather	nonno (sm.)
grandmother	nonna (sf.)
grapes	uva (sf.)
grass	erba (sf.)
greed	avarizia (sf.)
green	verde (agg.)
greenhouse	serra (sf.)
to greet	salutare (v.)
grill	griglia (sf.)
grocery bag	busta (sf.)
to grow	crescere (v.)
to guess	indovinare (v.)
guest	ospite (sm./sf.)
gym	palestra (sf.)
gymnastics	ginnastica (sf.)
habit	abitudine (sf.)
hair	capelli (sm.)
half	mezzo (agg.)
hand	mano (sf.)
to hand down	tramandarsi (v.)
close at hand, handy	alla mano (avv.)
to lend a hand	dare una mano (v.)
to happen	capitare, succedere (v.)
happy	felice (agg.)
Happy birthday!	*Buon compleano! (escl.)*
Happy New Year!	*Buon anno! (escl.)*
hate	odio (sm.)
to have	*avere (v.)*
to have a weakness for	*avere un debole per*
to have dinner	*cenare (v.)*
to have lunch	*pranzare (v.)*
to have to do with	*riguardare (v.)*
to have to	*dovere (v.)*
head	testa (sf.)
to heal	guarire (v.)
health	salute (sf.)
healthy	sano (agg.)
to hear	sentire (v.)
heavy	pesante (agg.)
to help	aiutare (v.)
heritage	patrimonio (sm.)
artistic heritage	*patrimonio artistico*
to hide	nascondere (v.)
history	storia (sf.)
historical	storico (agg.)
hit	colpo, botta (sf.)
to hold	tenere (v.)
hole	buco (sm.)
holidays	vacanze, ferie (sf.)
home	casa (sf.)
homeopathy	omeopatia (sf.)
honesty	onestà (sf.)
to hope	sperare (v.)
hospital	ospedale (sm.)
hot	caldo (agg.)
hotel	albergo (sm.)
hour	ora (sf.)
rush hour	*ora di punta (sf.)*
house	casa (sf.)
how	come (cong.)
how much	*quanto (agg./pr.)*
however	*comunque (cong.)*
hunger	fame (sf.)
hunt	caccia (sf.)
hurry	fretta (sf.)
husband	marito (sm.)
hydrogen	idrogeno (sm.)
hypocrisy	ipocrisia (sf.)
ice	ghiaccio (sm.)
ideal	ideale (agg.)
to identify oneself	identificarsi (v.)
illustration	illustrazione (sf.)
immediately	subito (avv.)
immigration	immigrazione (sf.)
impatience	impazienza (sf.)
to impede	impedire (v.)
to imply	implicare (v.)
impoliteness	scorrettezza (sf.)
imprudence	imprudenza (sf.)
in fact	infatti (cong.)
in front of	davanti a (prep.)
increase	incremento (sm.)
individual	individuo (sm.)
to induce	indurre (v.)
inferiority complex	complesso di inferiorità (sm.)
inflexibility	inflessibilità (sf.)
to influence	influire (v.)
information (regarding computers)	informatico (agg.)
infrastructure	infrastruttura (sf.)
insensitivity	insensibilità (sf.)
inside	dentro (avv.)
instead	invece (avv.)
insurance agent	assicuratore (sm.)
to integrate oneself	integrarsi (v.)
intelligent	intelligente (agg.)
intention	intento (sm.)
to interact	interagire (v.)
interesting	interessante (agg.)
interface	interfaccia (sm.)
intervention	intervento (sm.)
intolerance	intolleranza (v.)
to involve	coinvolgere (v.)
irritation	irritazione (sf.)
to isolate	isolare (v.)
jacket	giacca (sf.)
January	gennaio (sm.)
jar	barattolo (sm.)
jealousy	gelosia (sf.)
to joke	scherzare (v.)
joke	battuta (sf.)
joy	gioia (sf.)
juice	succo (sm.), spremuta (sf.)
blender juice	*centrifugato (sm.)*
July	luglio (sm.)
to jump	saltare (v.)
June	giugno (sm.)
just	appena (avv.)
kilogram	chilo (sm.)
kind	gentile (agg.)
kitchen	cucina (sf.)
knee	ginocchio (sm.)
to know (something)	sapere, conoscere (v.)
knowledge	conoscenza (sf.)
label	etichetta (sf.)
language	linguaggio (sm.), lingua (sf.)
last	scorso, ultimo (agg.)
last name	*cognome (sm.)*
to laugh	ridere (v.)
to lay down	sdraiarsi (v.)
lazy	pigro (agg.)
to learn	imparare (v.)
learning	apprendimento (sm.)
to leave	lasciare (v.)
to leave alone	*lasciar stare (v.)*
left	sinistra (sf.)
leg	gamba (sf.)
to lend	prestare (v.)
less	meno (avv.)
library	biblioteca (sf.)
lie	bugia (sf.)
life	vita (sf.)
life partner	*compagno/a (nella vita) (sm./sf.)*
lifeguard	bagnino (sm.)
light	leggero (agg.)
to like	piacere (v.)
line	riga (sf.)
to stand in line	*essere in coda (v.)*
linguistic	linguistico (agg.)
lip	labbro (sm.)
to list	elencare (v.)
to listen to	ascoltare (v.)
literature	letteratura (sf.)
to live	abitare, vivere (v.)
to live together	*convivere (v.)*
lively	vivace (agg.)
to load	caricare (v.)
loan	prestito (sm.)

long	lungo (agg.)
long-distance learning	apprendimento a distanza (sm.)
to look	guardare (v.)
to look for	cercare (v.)
to look like	assomigliare (v.)
to lose your temper	arrabbiarsi (v.)
to lose weight	dimagrire (v.)
to love	volere bene a… (v.)
in love	innamorato (agg.)
low	basso (agg.)
lucky	fortunato (agg.)
lunch	pranzo (sm.)
magazine	rivista (sf.)
mail	posta (sf.)
main office	sede (sf.)
to make	fare (v.)
to make a mistake	sbagliare (v.)
to make a reservation	prenotare (v.)
to make an effort	sforzarsi (v.)
to make available	mettere a disposizione (v.)
to make uncomfortable	mettere a disagio (v.)
to makes oneself understood	farsi capire (v.)
'mama's boy'	mammone (agg.)
'mama's boy' phenomenon	mammismo (sm.)
man	uomo (sm.)
man of one's dreams	principe azzurro (sm.)
to manage	gestire (v.)
management	gestione (sf.)
March	marzo (sm.)
market	mercato (sm.)
marriage	matrimonio (sm.)
married	sposato (agg.)
Merry Christmas	Buon Natale! (escl.)
maternity	maternità (sf.)
May	maggio (sm.)
maybe	forse (avv.)
mayor	sindaco (sm.)
meal	pasto (sm.)
to skip a meal	saltare il pranzo
to mean	significare (v.)
meat	carne (sf.)
medical certificate	certificato medico (sm.)
medicine	medicina (sf.)
allopathic medicine	medicina allopatica (sf.)
to meet	incontrare (v.)
meeting	incontro (sm.)
membership card	tessera (sf.)
to memorize	memorizzare (v.)
metalwork	metalmeccanico (agg.)
meter (measurement)	metro (sm.)
method	metodo (sm.)
mid-August holiday	Ferragosto (sm.)
midnight	mezzanotte (sf.)
militant	militante (agg.)
milk	latte (sm.)
mill	mulino (sm.)
to minimize	sdrammatizzare (v.)
miracle	miracolo (sm.)
mistake	sbaglio (sm.)
to misunderstand	fraintendere (v.)
mobile	cellulare (sm.)
mode of use	modalità d'uso (sm.)
modesty	modestia (sf.)
moment	istante (sm.)
from that moment on	da quell' istante in poi
Monday	lunedì (sm.)
money	soldi (sm.)
month	mese (sm.)
moon	luna (sf.)
honeymoon	luna di miele
more	più (avv.)
morning	mattina (sf.)
mortgage	mutuo (sm.)
most of	la maggior parte
for the most part	per lo più
mother	madre (sf.)
motorbike	motorino (sm.)
motorcycle	motocicletta (sf .abbr.: moto)
mountain	montagna (sf.)
mouth	bocca (sf.)
to move house	trasferirsi (v.)
multimedia	multimedialità (sf.)
museum	museo (sm.)
must	dovere (v.)
narration	narrazione (sf.)
narrative	narrativa (sf.)
natality	natalità (sf.)
near to	vicino a (prep.)
necessary	necessario (agg.)
neck	collo (sm.)
to need	avere bisogno di…
neglect	incuria (sf.)
neighborhood	quartiere (sm.)
neighbour	vicino (agg.)
nest	nido (sm.)
never	mai (avv.)
nevertheless	tuttavia (cong.)
new	nuovo (agg.)
New Year	Capodanno (sm.)
newborn	neonato (sm.)
news	notizia (sf.)
nice	bello (agg.)
night	notte (sf.)
noise	rumore (sf.)
noisy	rumoroso (agg.)
nonconformist	anticonformista (agg.)
none	nessuno (agg./pron)
non-EU	extracomunitario (agg.)
non-EU citizen	extracomunitario (sm.)
noon	mezzogiorno (sm.)
northern	settentrionale (agg.)
nose	naso (sm.)
not	non (avv.)
not much	poco (agg.)
nothing	niente (avv.)
to notice	notare (v.)
novel	romanzo (sm.)
adventure novel	romanzo d'avventura (sm.)
detective novel	libro giallo (sm.)
romance novel	romanzo d'amore
now	adesso (avv.)
number	numero (sm.)
nutritionist	nutrizionista (sm./sf.)
object	oggetto (sm.)
objective	obiettivo (sm.)
to observe	osservare (v.)
occupation	professione (sf.)
odd (numbers)	dispari (agg.)
to offend	urtare la sensibilità
to offer	offrire (v.)
office	ufficio (sm.)
offspring	prole (sf.)
often	spesso (avv.)
old	vecchio (agg.)
older	maggiore (agg.)
olive tree grove	uliveto (sm.)
only	solo (agg./avv.)
'only child'	figlio unico
open	aperto (agg.)
to open	aprire (v.)
opportunity	opportunità (sf.)
optimism	ottimismo (sm.)
or	oppure (cong.)
orange (fruit)	arancia (sf.)
to order	ordinare (v.)
to organize	organizzare (v.)
other	altro (pron./agg.)
out	fuori (avv.)
outside	fuori (avv.)
outside of	al di fuori di
oven	forno (sm.)
overcoat	cappotto (sm.)
oxygen	ossigeno (sm.)
ozone	ozono (sm.)
package	confezione (sf.)
pact	patto (sm.)
page	pagina (sf.)
pair	paio (sm.)
pants	pantaloni (sm.)
paper	carta (sf.)
to pardon	perdonare (v.)
parents	genitori (sm.)
park	parco, giardino (sm.)
parking space	parcheggio (sm.)

part	parte (sf.)	to pretend	fingere (v.)	refinement	raffinatezza (sf.)
integral part	*parte integrante (sf.)*	*to pretend falsely*	*fare finta (v.)*	refuse	rifiuto (sm.)
to pass	passare (v.)	previously	già (avv.)	region	regione (sf.)
passion	passione (sf.)	price	prezzo (sm.)	to register	iscriversi (v.)
patience	pazienza (sf.)	pride	superbia (sf.)	to regret	rimpiangere (v.)
to pay	pagare (v.)	problem	problema (sm.)	regret	rammarico (sm.)
to pay attention	*prestare attenzione*	product	prodotto (sm.)	to reject	respingere (v.)
pen	penna (sf.)	profession	professione (sf.)	relative	parente (sm./sf.)
people	gente (sf.)	professor	professore (sm.),	to relax	rilassarsi (v.)
people who live in			professoressa (sf.)	relaxing	rilassante (agg.)
a place	*la gente del posto*	program	programma (sm.)	to remain	rimanere,
people	popolo,	progress	progresso (sm.)		restare (v.)
	gente (sm.)	project	progetto (sm.)	remark	battuta (sf.)
perhaps	forse, magari (avv.)	to pronounce	pronunciare (v.)	to remember	ricordare (v.)
person	persona (sf.)	protagonist	protagonista	to renew	rinnovare (v.)
personality	carattere (sm.)		(sm./sf.)	to renounce	rinunciare (v.)
pessimism	pessimismo (sm.)	to protect	proteggere (v.)	to rent	affittare (v.)
pesticide	pesticida (sm.)	protest	protesta (sf.)	to repaire	riparare (v.)
pharmacy	farmacia (sf.)	provided that	purché (cong.)	repayment	rimborso (sm.)
pill	pillola (sf.)	provocation	provocazione (sf.)	to repeat	ripetere (v.)
pitiless	spietato (agg.)	to provoke	provocare (v.)	to repent	pentirsi (v.)
place	luogo (sm.)	prudence	prudenza (sf.)	repertory	repertorio (sm.)
commonplace	*luogo comune*	public	pubblico (agg.)	representative	deputato (sm.)
to plan	pianificare (v.)	*public place*	*luogo pubblico*	resource	risorsa (sf.)
to plant	piantare (v.)	*publishing house*	*casa editrice*	to rest	riposarsi (v.)
plant	pianta (sf.)	publicity	promozione (sf.)	rest	riposo (sm.)
to play	giocare (v.)	to pull	tirare, trarre (v.)	to restore	recuperare (v.)
to play a role	*giocare un ruolo (v.)*	*to pull the plug*	*staccare la spina (v.)*	restoration	recupero (sm.)
to play sport	*fare sport (v.)*	to put	porre, mettere (v.)	*restoration project*	*progetto di*
to play tennis	*giocare a tennis (v.)*	*to put on*	*indossare,*		*recupero*
pleasant	piacevole (agg.)		*mettere (v.)*	to restore	riparare (v.)
please	per favore (loc.)	*to put up with*	*sopportare (v.)*	to return	ritornare (v.)
pleased to meet you	*piacere (escl.)*	quality	qualità (sf.)	review	recensione (sf.)
plot	trama (sf.)	quick	veloce (agg.)	rich	ricco (agg.)
poetry	poesia (sf.)	quiet	silenzioso (agg.)	right	destra (sf.),
point	punto (sm.)	race	corsa (sf.)		giusto (agg.)
point of view	*punto di vista (sm.)*	racism	razzismo (sm.)	to ring	suonare (v.)
reference point	*punto di*	to rain	piovere (v.)	to rise	salire (v.)
	riferimento (sm.)	rain	pioggia (sf.)	to risk	rischiare (v.)
poisonous	velenoso (agg.)	rancour	rancore (sm.)	rite	rito (sm.)
pole	polo (sm.)	rate	tasso (sm.)	road	strada (sf.)
politeness	correttezza (sf.)	rather	anzi (cong.)	*paved road*	*strada asfaltata*
pollution	inquinamento	*rather than*	*anziché (cong.)*	roast	arrosto (sm.)
	(sm.)	to reach	giungere (v.)	roof	tetto (sm.)
pond	stagno (sm.)	reaction	reazione (sf.)	room	camera, stanza
popular belief	credenza popolare	reader	lettore (sm.),	royal jelly	pappa reale (sf.)
	(sf.)		lettrice (sf.)	to ruin	rovinare (v.)
portico	portico (sm.)	reading	lettura (sf.)	ruin	rovina (sf.)
postbox	casella di posta (sf.)	realistic	realistico (agg.)	rumour	diceria (sf.)
postcard	cartolina (sf.)	really	addirittura,	to run out	scadere (v.)
potato	patata (sf.)		veramente (avv.)	sack	sacco (sm.)
poverty	miseria (sf.)	reason	motivo (sm.)	sad	triste (agg.)
practice	prassi (sf.)	receipt	scontrino (sm.)	safe	sicuro (agg.)
praxis	prassi (sf.)	to receive	ricevere (v.)	salary	stipendio (sm.)
to pray	pregare (v.)	recipe	ricetta (sf.)	salt	sale (sm.)
pre-cooked food	cibo precotto (sm.)	recognition	riconoscenza (sf.)	*mineral salt*	*sale minerale (sm.)*
to prefer	preferire (v.)	recurring event (as in		*salted*	*salato (agg.)*
preference	predilezione (sf.)	a holiday observation)	ricorrenza (sf.)	*salty*	*salato (agg.)*
pregnancy	gravidanza (sf.)	to recycle	riciclare (v.)	salve	pomata (sf.)
prejudice	pregiudizio (sm.)	recycling	raccolta	sample	campione (sf.)
to preside over	presiedere (v.)		differenziata (sf.)	sanctuary	santuario (sm.)
press	stampa (sf.)	red	rosso (agg.)	sandwich	panino (sm.)

English	Italian
satiated	sazio (agg.)
Saturday	sabato (sm.)
to save	risparmiare (v.)
to say	dire (v.)
to say goodbye	*salutare (v.)*
to scare	spaventare (v.)
school	scuola (sf.)
scholarship	*borsa di studio (sf.)*
schoolmate	*compagno/a (di scuola)(sm./sf.)*
requird schooling	*scuola dell'obbligo (sf.)*
science fiction	fantascienza (sf.)
scooter	motorino (sm.)
screen	schermo (sm.)
screenplay	sceneggiatura (sf.)
to search	cercare (v.)
season	stagione (sf.)
second	secondo (agg.)
secretary	segretaria (sf.); segretario (sm.)
security	sicurezza (sf.)
to seem	sembrare (v.)
to select	scegliere (v.)
seminar	seminario (sm.)
to send	inviare, lanciare (v.)
to send out a message	*mandare un messaggio (v.)*
sense	senso (sm.)
sensitivity	sensibilità (sf.)
serious	serio (agg.)
seriousness	serietà (sf.)
to serve	servire (v.)
severity	severità (sf.)
shame	vergogna (sf.)
shirt	camicia (sf.)
shoes	scarpe (sf.)
short	corto (agg.)
shoulder	spalla (sf.)
shop	negozio (sm.)
to show	mostrare (v.)
shower	doccia (sf.)
to shut	chiudere (v.)
shut	chiuso (agg.)
shy	timido (agg.)
sickness	malattia (sf.)
side	lato, fianco (sm.)
to sign up	iscriversi (v.)
similar	simile (agg.)
simple	semplice (agg.)
since	poiché (cong.)
sincerity	sincerità (sf.)
singer	cantante (sm./sf.)
sister	sorella (sf.)
sit	posto (sm.)
to sit down	sedersi (v.)
site	sito (sm.)
semester	semestre (sm.)
to ski	sciare (v.)
skin	pelle (sf.)
skin rash	*irritazione alla pelle*
to sleep	dormire (v.)
to smile	sorridere (v.)
smile	sorriso (sm.)
smoothie	frullato (sm.)
snack	spuntino (sm.)
to snow	nevicare (v.)
snow	neve (sf.)
so much	tanto (agg./avv.)
so that	affinché (cong.)
soap	sapone (sm.)
solidarity	solidarietà (sf.)
some	qualche (agg.)
someone	*qualcuno (pr.)*
something	*qualcosa (pr.)*
sometimes	*qualche volta*
son	figlio (sm.)
soon	presto (avv.)
soul	anima (sf.)
to sound	suonare (v.)
to sound out	*scandagliare (v.)*
sour	aspro (agg.)
southern	meridionale (agg.)
space	spazio (sm.)
species	specie (sf.)
speculation	speculazione (sf.)
to spend	spendere (v.)
to spend one's time	*passare il tempo*
spiced	speziato (agg.)
spicy	piccante (agg.)
spirit	anima, spirito (sf.)
square	piazza (sf.)
standing	in piedi
to start	iniziare, cominciare (v.)
to start a conversation	*attaccare bottone*
state	stato (sm.)
state of mind	*stato d'animo*
to stay	stare (v.)
steak	bistecca (sf.)
stereotype	stereotipo (sm.)
still	ancora (avv.)
stimulus	stimolo (sm.)
stomach	*pancia, stomaco (sf.)*
stomach ache	*mal di stomaco*
store	negozio (sm.)
story	racconto (sm.)
strange	strano (agg.)
stream	torrente (sm.)
street	strada (sf.)
strength	forza (sf.)
stressful	stressante (agg.)
strike	sciopero (sm.)
stripe	striscia (sf.)
student	studente (sm.); studentessa (sf.)
to submerge	sommergere (v.)
subsidy	sussidio (sm.)
suburbs	periferia (sf.)
subway	metropolitana (sf.)
to suffer	soffrire (v.)
to suggest	suggerire (v.)
summer	estate (sf.)
Sunday	domenica (sf.)
superficiality	superficialità (sf.)
to suppress	sopprimere (v.)
sure	sicuro (agg.)
surname	cognome (sm.)
survey	censimento (sm.)
to swear	giurare (v.)
sweater	maglione (sm.)
sweet	dolce (agg.)
to swim	nuotare (v.)
swimming pool	piscina (sf.)
to switch off	spegnere (v.)
to switch on	accendere (v.)
table	tavolo (sm.)
to take	prendere (v.)
to take a course	*fare un corso (v.)*
to take a shower	*farsi la doccia (v.)*
to take care of, responsibility for	*prendersi cura di … (v.)*
to take flight	*spiccare il volo (v.)*
to take joy	*gioire (v.)*
to take part	*partecipare (v.)*
to take the train	*prendere il treno (v.)*
tall	alto (agg.)
taste	gusto (sm.)
to teach	insegnare (v.)
teacher	insegnante (sm./sf.)
tear	lacrima (sf.)
telemarketer	operatore di call center (sm.)
to telephone	telefonare (v.)
to tell	dire (v.)
to tell a story	*raccontare (v.)*
to tell the truth	*dire la verità (v.)*
teller's window	sportello (sm.)
temporary job	lavoro temporaneo
tenderness	tenerezza (sf.)
text message	sms (sm.)
that	quello, che (agg./pr.)
theater	teatro (sm.)
theme	tema (sm.)
then	allora, poi (avv.)
therefore	dunque (cong.)
thing	cosa (sf.)
to think	pensare (v.)
third	terzo (agg.)
this	questo (agg./pr.)
to threaten	minacciare (v.)
threatened with extinction	*in via di estinzione (loc.)*
through	attraverso (prep.)
to throw	buttare (v.)
to throw away	*buttare, lanciare (v.)*
thunderbolt	colpo di fulmine
Thursday	giovedì (sm.)

Glossary

ticket	biglietto (sm.)
tide	marea (sf.)
to tie	legare (v.)
time	volta, ora, tempo (sf.)
to tire oneself	stancarsi (v.)
tired	stanco (agg.)
today	oggi (avv.)
together	insieme (avv.)
tolerance	tolleranza (sf.)
tomato	pomodoro (sm.)
tomorrow	domani (avv.)
tongue	lingua (sf.)
too	anche (avv.)
too much	*troppo (avv.)*
tourist guide	guida turistica (sm./sf.)
towards	verso (prep.)
toxin	tossina (sf.)
toy	giocattolo (sm.)
traffic	traffico (sm.)
traffic jam	*ingorgo (sm.)*
train	treno (sm.)
training	formazione (sf.)
to translate	tradurre (v.)
to travel	viaggiare (v.)
tree	albero (sm.)
trip	gita (sf.)
trouble	problema (sm.)
true	vero (agg.)
to trust	fidarsi (v.)
trustworthiness	affidabilità (sf.)
trustworthy	affidabile (agg.)
to try	provare (v.)
to try on (clothes)	*provare (un vestito)*
T-shirt	maglietta (sf.)
Tuesday	martedì (sm.)
to turn around	girare (v.)
twin	gemello (agg.)
twin spirit	*anima gemella*
twin-bedded room	*camera doppia*
ugly	brutto (agg.)
umbilical cord	cordone ombelicale (sm.)
umbrella	ombrello (sm.)
to undergo	subire (v.)
to underline	sottolineare (v.)
to understand	capire, comprendere (v.)
understanding	comprensione (sf.)
to undervalue	sottovalutare (v.)
unemployed	disoccupato (sm.)
unequal	dispari (agg.)
union	sindacato (sm.)
to unleash	scatenare (v.)
untrustworthiness	inaffidabilità (sf.)
useful	utile (agg.)
user	utente (sm.)
usually	di solito (avv.)
vacation	vacanza (sf.)
vaccination	vaccinazione (sf.)
value	valore (sm.)
nutritional value	*valore nutrizionale (sm.)*
vegetables	verdura (sf.)
vending machine	distributore automatico (sm.)
very much	molto (agg./avv.)
vice	vizio (sm.)
victim	vittima (sf.)
videogame	videogioco (sm.)
village	paese (sm.)
vindictive	vendicativo (agg.)
visa	permesso di soggiorno (sm.)
to visit	visitare (v.)
vitamin pills	integratore alimentare
volume	volume (sm.)
to wait for	aspettare (v.)
waiter	cameriere (sm.)
waiting room	sala d'aspetto (sf.)
to wake up	svegliarsi (v.)
to walk	camminare (v.)
to walk on foot	*andare a piedi*
wall	muro (sm.)
wall around a city	*cinta di mura*
to want	volere (v.)
to wash oneself	lavarsi (v.)
to waste	sprecare (v.)
to watch	guardare (v.)
watch	orologio (sm.)
waterfall	cascata (sf.)
way	modo (sm.)
weakness	debolezza (sf.)
to wear	portare (indossare) (v.)
weather	tempo atmosferico (sm.)
wedding	matrimonio (sm.)
wedding dress	*abito da sposa (sm.)*
Wednesday	mercoledì (sm.)
week	settimana (sf.)
to welcome	accogliere (v.)
you're welcome	*prego (inter.)*
well then	ebbene (cong.)
what	qual/quale (agg./pr.)
when	quando (avv./cong.)
where	dove (avv.)
which	qual/quale (agg./pr.)
while	mentre (cong.)
white	bianco (agg.)
who	chi (pr. interrog.)
why	perché (avv.)
wife	moglie (sf.)
wind	vento (sm.), eolico (agg)
window	finestra (sf.)
winter	inverno (sm.)
to wish	desiderare (v.)
to wish for	*augurarsi (v.)*
wish	voglia (sf.)
witch	strega (sf.)
within	tra/fra (prep.)
without	senza (prep.)
to work	lavorare (v.)
work	lavoro (sm.)
worker	operaio (sm.)
world	mondo (sm.)
to worry	preoccuparsi (v.)
worried	preoccupato (agg.)
worse	peggio (avv.)
worst	peggiore (agg.)
wound	ferita (sf.)
writer	scrittore (sm.), scrittrice (sf.)
wrong	sbagliato (agg.)
to yell	urlare (v.)
yellow	giallo (agg.)
yesterday	ieri (avv.)
young	giovane (agg.)

Fonti

Pag. 10: testo da "Amore mio infinito",
© Aldo Nove 2000

Pag. 12: testo da www.anm.it

Pag. 13: testo da Federica Zamagna - www.grinzane.it,
foto da www.grinzane.it, www.bastet.it,
www.lanuvola.altervista.org

Pag. 17: canzone "Eri piccola così", musica e testo:
F. Buscaglione, Chiosso; © Sugar Music

Pag. 18: foto 1 da www.informatissimafotografia.it,
foto 2 da www.rtsi.ch, foto 3 da img.photobucket.com

Pag. 19: testo da Beppe Severgnini - www.corriere.it

Pag. 20: foto baby sitter da
www.chansondelamontagne.ch,
foto cameriere da www.gacs.veress.com,
foto dog sitter da www.dogsnall.com,
foto tutor da www.jpl.nasa.gov,
foto giardiniere da www.whyamericansdiy.com,
foto dj da www.hushnightclub.ca,
foto operatore call center da www.tecoloco.com,
foto bagnino da www.trekeearth.com,
foto animatore da www.hotelcalaginepro.com2

Pag. 22: testi da www.musicaitaliana.com

Pag. 23: foto Nek da 2002.openairgampel.ch,
foto Tiromancino da www.images.virgilio.it

Pag. 24: foto 1 da www.cmratletica.it,
foto 2 da www.marcngyen.com,
foto 3 da www.longlakecamp.com,
foto 4 da www.digidownload.it,
foto 5 da www.olegvolk.net,
foto 6 da www.k43.pbase.com,
foto 7 da www.continentalballet.com,
foto 8 da www.tec-ccp.org,
foto 9 da www.fiom.cgil.it

Pag. 26: foto e testo da www.fiom.cgil.it

Pag. 29: foto da archivio Hueber Verlag

Pag. 31: testo e foto da www.caffèeuropa.it

Pag. 32: foto © Alexander Keller

Pag. 33: prime 3 foto © Alexander Keller, ultima
foto da archivio Hueber Verlag

Pag. 36: testo da www.ildietista.it,
foto carrello da www.gbceurope.com,
foto a tavola da www.philips.at,
foto in cucina da maricuzza.altervista.org,
foto al ristorante da www.tdmitalia.net

Pag. 38: foto dormire da www.woolmaxx.com,
foto birra da www.sanmartinobaseballjunior.it,
foto vasca da www.helvetiabenessere.it,
foto cellulare da www.newsmobile.it, foto con amici
da www.valimar.it, foto yoga da agu.edu.bh,
foto arrabbiata da www.mayer-johnson.com,
foto dipingere da www.oltreilponte.it,
foto massaggi da www.business-vacanze-ischia.it,
foto mangione da i1.trekearth.com,
foto jogging da www.hitchsafe.com,
foto superlavoro da www.metaforum.it

Pag. 40: testo e foto da www.aecadiaclub.com

Pag. 43: foto da img192.imageshack.us

Pag. 44 e 45: foto e testo da www.slowfood.it

Pag 46: foto © Alexander Keller

Pag. 48: testo da www.stranieriinitalia.it

Pag. 50: testo da www.rolfing-italia.it,
foto da www.gomarche.it

Pag. 52: foto © Raffaele Celentano

Pag. 54: testo da "Salute", supplemento de "la
Repubblica"

Pag. 57: testo e foto da "Liberazione"

Pag. 58: foto © Alexander Keller

Pag. 59: testo 1 da www.spfp.unibo.it, testi 2 e 3 da
www.2uninsubria.it, foto da www.univ-paris1.fr

pag 62: testo da "Opuscolo informativo della
Commissione Europea - Direzione generale per
l'istruzione e la cultura"

Pag. 64: foto da www.comune.venezia.it

Pag. 65: foto da www.jerrypournelle.com

Pag. 66: foto 1 da www.italy.indimedia.org,
foto 2 da www.dm.unibo.it,
foto 3 da www.akord-jazz.com,
foto 4 da www.repubblica.it

Pag. 67: testo da www.studenti.it

Pag. 68 e 69: testi da www.discoveritalia.it

Pag. 68: foto 1 da www.eurojews.org,
foto 2 e 4 da Mantero Fotogramma,
foto 3 da www.lucagianluca.com,
foto 5 da usemycomputer.com,
foto 6 da Dieter Klein

Pag 69: foto 1 da www.geocities.com,
foto 2 da i4.photobucket.com,
foto 3 da www.globalgeografia.com,
foto in basso a destra © Alexander Keller

Pag. 70: foto da www.flickr.com

Pag. 71: foto da www.gio.lastampa.it

Pag. 73 e 74: foto © Alexander Keller

Pag. 74: testo "La traversata dei vecchietti" da
"Il bar sotto il mare" di Stefano Benni, Feltrinelli,
1987, Milano

Pag. 76: foto da www56.homepage.villanova.edu

Pag. 77: foto da www.lombardmaps.com
Pag. 78: foto di Alexander B.
Pag. 79: testo e foto 1 e 2 da www.repubblica.it,
foto 3 e 4 da www.rfi.it
Pag. 80: foto 1 da www.meinberlin.de,
foto 2 da www.godofbiscuits.com,
foto 3 da www.casadelbelvedere.it,
foto 4 da www.tsi.enst.fr,
foto 5 da www.imageraptor.com,
foto 6 da ilya.blackbox.ru,
foto in basso a destra da www.siportal.it
Pag. 81: testo e immagine da www.corriere.it
Pag. 84: testo e immagini da
http://postercompetition.stop-discrimination.info
Pag. 85 e 87: testo e foto da www3.unibo.it/avl/org/down
Pag. 89: foto da www.piemonteimmigrazione.it,
testo da www.caritasitaliana.it
Pag. 90: foto © Alexander Keller
Pag. 92: testo e immagine da www.mediamente.rai.it
Pag. 95: foto pianoforte da www.conservatorio.brescia.it,
foto caffè latte da charquinho.weblog.com.pt
Pag. 96: testo e immagine da www.babel.it
Pag. 100: testo e immagine da http://fuoriaula.univr.it
Pag. 101: testo e immagine da www.repubblica.it
Pag. 102: foto © Alexander Keller
Pag. 103: copertine 1 e 2 Arnoldo Mondadori
Milano, copertina 3 © Tullio Pericoli
Pag. 105: immagine da www.bookcrossing-italia.com
Pag. 106: testo da www.repubblica.it
Pag. 108: testo e immagine da www.xpats.com
Pag. 111: testo da amaralakhous.com
Pag. 112: foto in alto a sinistra © Raffaele
Cementano, altre foto © Alexander Keller
Pag. 113 e 114: testo da Neewseek/la Repubblica
Pag. 118: testo da www.corriere.it
Pag. 119: vignette da "La settimana einigmistica"
Pag. 121: testo da www.iltempo.it
Pag. 122: vignetta da www.zai.net
Pag. 123: testo e immagine da www.vincenzopisano.com
Pag. 124: testo 1 da www.folklore.it, testo 2 da
angolohermes.interfree.it, testo 3, 4 e 5 da
it.wikipedia.org, testo 6 da spaces.msn.com,
foto 1 da www.provincia.laquila.it,
foto 2 da www.valbrembanaweb.it,
foto 3 da www.lestreghedisangiovanni.it,
foto 4 da www.nascondino.it,
foto 5 da www.monteiasi.it
Pag. 129: testo da www.blo.libero.it,
foto 1 da www.ivanpiombino.org,
foto 2 e 3 da www.foto-sicilia.it,
foto 4 da www.templaricavalieri.it

Pag. 131: foto Sant'Elia da web.tiscali.it,
foto progetto da generativeart.com,
foto Leonardo da www.marcdatabase.com,
foto palombari da www.museoscienza.org,
foto Verne da it.wikipedia.org,
foto razzo da www2.polito.itetomoon,
foto Wright da en.wikipedia.org,
foto aereo da en.wilkipedia.org
Pag. 133: © Alexander Keller
Pag. 134: foto da www.comuneroma.it
Pag. 135: testo da www.architettiroma.it,
foto da www.comune.roma.it
Pag. 136: foto a da www.tesionline.it,
foto b da www.lenntech.com/images,
foto c da www.news/img/impedibili,
foto d da www.demo14.soluzione-web.it,
foto e da www.corriere.it, foto f da www.iaca.it,
foto g da www.greencrossitalia.it,
foto h da www.econotizie.it,
foto i da archivio Hueber Verlag,
foto l da www.inapicoltura.org,
foto m da clabedan.typepad.com
Pag. 137: foto in alto © Alexander Keller,
foto in basso da www.ciip.it
Pag. 138: testo da www.ciip.it
Pag. 139: testo e immagine da www.junglejuice.it
Pag. 143: foto © Capri & Capri
Pag. 146: foto da toon.heindl-internet.de
Pag. 147: testo 1 e foto da newa2000.libero.it,
testo 2 da www.parcheggi.it
Pag. 149: foto 1 www.vitetum.it,
foto 2 www.andriaroberto.com,
foto 3 www.luzyfuerzapatagonia.com.ar,
foto 4 www.civics-online.org,
foto 5 it.wikipedia.org, foto 6 www.emediawire.com
Pag. 152 e 153: testi da www.dooyoo.co.uk,
immagini da anatomias.no.sapo.pt
Pag. 156: testo e foto da www.news.harvard.edu
Pag. 157: teso e foto Chiaberge da
www.radio24.ilsole24ore.com,
foto Mazzucco da www.dagsavisen.no
Pag. 159: testo e foto da www.repubblica.it
Pag. 162: testo da www.fondoambiente.it
Pag. 164 e 165: testi e foto da www.repubblica.it
Pag. 166: testo e foto da www.itinerarintoscana.it
Pag. 171: testo da www.corriere.it

Fonti CD: "Eri piccola così", by Fred Buscaglione
© Warner Fonit
"Un nuovo fenomeno nella famiglia italiana" e
"Intervista a Melania Mazzucco" © Radio24

Alma Edizioni
Italiano per stranieri

I verbi italiani è un eserciziario interamente dedicato allo studio dei verbi italiani.

Tramite schede chiare ed essenziali ed esercizi vari e stimolanti, lo studente viene guidato alla scoperta dei tempi e dei modi verbali della lingua italiana.

Adatto a tutti gli studenti dal principiante all'avanzato. Sono incluse le soluzioni.

Le parole italiane presenta una vasta gamma di esercizi e giochi per l'apprendimento, la memorizzazione e l'ampliamento del lessico.

Una prima sezione si occupa di studiare le parole dal punto di vista delle aree lessicali, concentrandosi anche su espressioni idiomatiche, modi di dire e cambiamento di significato dei vocaboli nei diversi contesti. Una seconda sezione è dedicata alla "grammatica del lessico".

Per studenti di livello elementare, intermedio e avanzato. Sono incluse le soluzioni.

Alma Edizioni
Italiano per stranieri

I pronomi italiani è un libro che unisce la chiarezza e la sistematicità della grammatica con l'utilità pratica dell'eserciziario.

Più di cento esercizi, giochi, attività e decine di schede per spiegare l'uso dei pronomi nella lingua italiana.

Per studenti di livello elementare, intermedio e avanzato.
Sono incluse le soluzioni.

Le preposizioni italiane è un eserciziario facile e completo, interamente dedicato allo studio delle preposizioni italiane.

Attraverso una serie di percorsi didattici moderni, funzionali e divertenti, il libro offre agli studenti l'opportunità di capire il senso e la ragione dell'uso delle singole preposizioni e la possibilità di esprimersi correttamente.

Per studenti di livello elementare, intermedio e avanzato. Sono incluse le soluzioni.

Alma Edizioni
Italiano per stranieri

Italian Grammar in Practice permette di esercitare la grammatica in modo completo ed efficace.

Presenta centinaia di esercizi, quiz, giochi, schede grammaticali chiare ed essenziali e degli utili test a punti che aiutano lo studente a verificare il livello di conoscenza della lingua.

Adatto a tutti gli studenti dal principiante all'avanzato. Sono incluse le soluzioni.

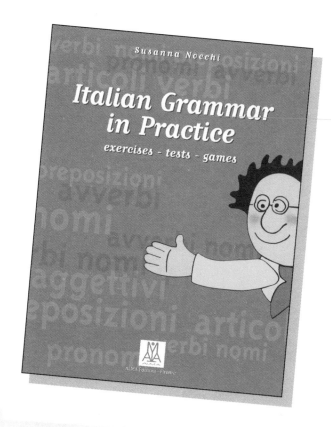

Grammatica avanzata della lingua italiana si rivolge a studenti già in possesso di una buona conoscenza dell'italiano che vogliano perfezionare la loro competenza della lingua.

Presenta infatti forme, costrutti sintattici, stilemi di livello medio e avanzato, anche della lingua parlata, molto diffusi ma non sempre molto trattati nei testi d'italiano per stranieri: quando e come usare l'articolo, la posizione dell'aggettivo, l'uso di parole particolari (anzi, addirittura, mica, macché…), l'alterazione dei nomi, i nomi composti, aspetti particolari della concordanza dei tempi e dei modi, la costruzione "far fare", l'avverbio, ecc.

Il tutto attraverso schede chiare ed esaustive, esercizi stimolanti e ricchi di informazioni sulla vita, la società, la cultura italiana e piccoli box con "dritte", trucchi e segreti per parlar bene. Sono incluse le soluzioni.